LA BÊTE NOIRE

Collection dirigée par Glenn Tavennec

L'AUTEUR

L. S. Hilton a grandi en Angleterre et a vécu à Key West, New York, Paris et Milan. Après avoir obtenu son diplôme à Oxford, elle a étudié l'histoire de l'art à Paris et à Florence. Elle a été journaliste, critique d'art et présentatrice. Elle vit actuellement à Londres.

L. S. HILTON

DOMINA

Traduit de l'anglais (Royaume-Uni) par Laure Manceau

LA BÊTE NOIRE
Robert Laffont

Ce livre est une œuvre de fiction. Les personnages, les faits et les lieux cités sont des inventions de l'auteur et visent à conférer de l'authenticité au récit.

Toute ressemblance avec des situations, des lieux et des personnes existant ou ayant existé ne peut être que fortuite.

Titre original : DOMINA

ISSN : 2431-6385
ISBN : 978-2-221-19118-7
(édition originale : ISBN 978-1-78576-087-7, Zaffre, Bonnier Publishing Fiction, Londres)

Dépôt légal : mai 2017

À la Comtesse,
avec mes remerciements

Prologue

JE MOURAIS D'ENVIE D'EN FINIR, mais je me suis forcée à y aller lentement. J'ai fermé les volets des trois fenêtres, ouvert une bouteille de gavi pour en servir deux verres, et allumé les bougies. Un rituel familier, identifiable, rassurant. Il a posé son sac, enlevé sa veste et l'a pendue au dossier d'une chaise sans me quitter des yeux. J'ai levé mon verre, bu une gorgée sans parler. Son regard s'est promené sur les tableaux tandis que je laissais le silence s'étirer entre nous, jusqu'à ce qu'il tombe sur le plus important.

— Est-ce que c'est un… ?

— Agnes Martin, ai-je fini à sa place. Oui.

— Très joli.

— Merci.

Je gardais un petit sourire amusé. Le silence compact de la nuit vénitienne s'est à nouveau brisé. Au bruit des pas qui traversaient le *campo* en bas de l'immeuble, nous avons tourné la tête vers la fenêtre.

— Ça fait longtemps que tu habites ici ?

— Quelque temps.

L'arrogance dont il avait fait preuve dans le bar s'était évaporée ; il avait l'air maladroit, et terriblement jeune. De toute évidence, j'allais devoir prendre les devants. J'étais debout, mon verre à la main. Deux pas nous séparaient. J'en ai fait un, le regard planté dans le sien. Pouvait-il y lire le message que je lui envoyais ?

« Fuis. Tout de suite. Et ne te retourne pas. »

J'ai fait le second pas et tendu la main pour caresser sa mâchoire ombrée de barbe. Lentement, sans le quitter des yeux, je me suis penchée vers sa bouche, effleurant son visage, ses lèvres, avant que sa langue ne trouve la mienne. Il n'avait pas aussi mauvais goût que je l'avais craint. Je me suis arrachée à son baiser pour soulever d'un seul mouvement ma robe par-dessus ma tête et l'ai laissée tomber par terre, suivie par mon soutien-gorge. J'ai dégagé mes cheveux de mes épaules, et mes paumes se sont attardées sur mes seins avant que mes mains ne retombent le long de mon corps.

— Elisabeth, a-t-il dit dans un souffle.

La baignoire se trouvait au pied de mon lit. En lui tendant la main pour qu'il la contourne et me rejoigne dans mes draps Frette, j'ai senti une grande lassitude s'emparer de moi, une absence flagrante de ce qui pourtant m'avait été si familier à une époque. Je n'abritais plus aucune impatience, ni la moindre lueur de désir. Je l'ai laissé faire son affaire, et quand il a eu fini, je me suis redressée avec un petit rire mutin, les yeux pleins d'étincelles. Il ne fallait surtout pas qu'il s'endorme. À plat ventre sur le drap humide, j'ai jeté le préservatif et ses tristes petites gouttes de vie avant d'actionner le robinet d'eau chaude.

— J'ai envie d'un bain. D'un bain et d'un joint. Ça te dit ?

— Ouais. N'importe.

Maintenant qu'on avait baisé, adieu les bonnes manières.

— Et ces photos alors, on les fait ?

J'avais réussi à le dissuader de prendre des selfies tandis qu'on buvait un verre au bar. Il fouillait déjà les poches de son jean en quête de son putain de téléphone ; c'était un miracle qu'il n'ait pas tenté de publier son orgasme sur Instagram. J'avais oublié, pendant les quelques minutes où il m'avait sautée, quel connard fini c'était. D'un coup, j'avais beaucoup moins de scrupules.

— Vas-y, mitraille-moi, chéri. Attends juste une petite minute.

Toute nue, je suis allée jusqu'au dressing chercher un paquet de feuilles Rizla dans un tiroir, en prenant soin d'activer au passage le brouilleur de wifi. Plus de mises à jour en temps réel pour lui. J'ai ajouté de l'eau froide et un filet d'huile d'amande douce, puis ouvert la vieille lingère en bois massif pour y prendre deux serviettes. La vapeur diffusait une odeur d'amande tout autour de nous.

— Vas-y, lui ai-je lancé par-dessus mon épaule tandis que je vidais une cigarette de son tabac.

Mon foulard Hermès, le turquoise et bleu marine au motif circassien, était noué à la bandoulière de mon sac à main. J'ai traversé la pièce derrière lui tandis qu'il se glissait dans l'eau.

— Je prends du feu. Tiens.

J'ai mis le joint entre ses lèvres. Il n'y avait rien dedans, mais il ne le saurait jamais. J'ai profité du moment où il tirait une latte pour passer le foulard autour de son cou et le serrer par-derrière. Il s'est aussitôt étouffé avec la fumée de cigarette et s'est mis à battre des mains dans l'eau. Les deux pieds en appui contre le bord de la baignoire, je me suis penchée en arrière contre le lit pour serrer plus fort. Ses pieds avaient beau s'agiter, ils n'auraient aucune prise sur la porcelaine nimbée d'huile. J'ai fermé les yeux et commencé à compter. Sa main droite, qui tenait bêtement le pétard trempé, cherchait à attraper mon poignet, mais l'angle n'était pas suffisant et ses doigts frôlaient à peine les miens. « Vingt-cinq… vingt-six… » Rien que le picotement de mes muscles contractés dans l'effort, rien que le son éraillé de mon propre souffle tandis que son corps se débattait. « Vingt-neuf, ce n'est rien, trente, ce n'est rien. » Je l'ai senti faiblir, mais alors il a réussi à passer un doigt, puis la main, entre le foulard et sa pomme d'Adam. Il m'a violemment propulsée vers l'avant mais sa libération soudaine l'a envoyé sous l'eau. J'en ai profité pour enjamber le rebord de la baignoire et appuyer mon genou gauche sur son torse, de tout mon poids. Il y avait du sang dans mon œil, ainsi que dans l'eau fumante, mais je voyais encore des bulles remonter à la surface à mesure qu'il se démenait. J'ai laissé tomber le foulard et tendu les mains à l'aveugle en direction de son visage et de son cou. Il se déboîtait la mâchoire, cherchant à me mordre. Puis les bulles ont cessé. Peu à peu, j'ai repris mon souffle, mon visage s'est détendu. Je ne voyais pas le sien à travers l'eau du bain devenue rosâtre et lactée. Je me relevais lorsque, soudain, ses mains m'ont agrippée. Je suis retombée contre lui à califourchon tandis que sa tête se tendait désespérément hors de l'eau. J'ai réussi à le faire couler à nouveau avec mon coude puis me suis redressée de façon à avoir une jambe sur chacune de ses épaules. On est restés comme ça longtemps, jusqu'à ce qu'une larme de sang glisse de mon visage et tombe dans l'eau.

C'est peut-être la netteté de ce faible son : plic. Ou alors l'odeur d'amande douce dans les volutes de vapeur, ou encore la pellicule qui refroidissait à la surface de l'eau. « Cet après-midi glacé, ce silence infini, cette première chose morte entre mes mains. » La ligne de fracture qui existait en moi s'est soudain transformée en gouffre et, avec une brutalité qui m'a coupé le souffle, le passé, condensé, m'est revenu de plein fouet. Je l'avais abandonnée il y a si longtemps. Elle n'avait jamais fait partie de la vie que je m'étais créée, mais je la voyais comme pour la première fois. Hébétée, j'ai à nouveau plongé les mains sous l'eau, mais n'y ai trouvé que la chair d'un inconnu. Il avait fallu que je le tue, mais j'étais soudain incapable de me rappeler pourquoi. Sa main est remontée à la surface, j'ai pianoté sur ses doigts une petite berceuse aquatique. J'ai regardé les ronds dans l'eau pendant quelques minutes, ou peut-être bien une heure. Quand je suis revenue à moi, l'eau était froide.

Lorsque j'ai fini par le redresser, j'ai remarqué qu'il avait les yeux ouverts. Sa dernière vision de ce monde aura été ma chatte béante.

Sa peau, glissante, était gonflée comme du pain frais, ses lèvres viraient déjà au gris. Sa tête a basculé à la renverse ; à la lueur des bougies, son cou ne semblait pas marqué. Agrippée au rebord de la baignoire, je me suis levée, les jambes tremblantes. Dès que je l'ai lâché, il a à nouveau coulé, et il a fallu que je cherche la bonde à tâtons sous ses cheveux qui flottaient. Pendant que l'eau se vidait, je me suis recroquevillée dans une serviette. Une fois sa poitrine émergée, j'ai posé une main sur son cœur. Rien. J'ai enroulé la serviette autour de ma taille et me suis étirée. Le sol était trempé, la baignoire éclaboussée de sang et constellée de miettes de tabac. Il faudrait encore faire couler de l'eau chaude pour nettoyer tout ça.

Je l'ai étreint par le côté pour le hisser hors de la baignoire. Son corps était lourd, tout flasque. Après l'avoir allongé sur le sol et recouvert avec l'autre serviette, je suis restée assise en tailleur à côté de lui, jusqu'à ce qu'il refroidisse complètement.

J'ai écarté un pan de serviette pour découvrir son visage et me suis penchée pour murmurer à son oreille :

— Ce n'est pas Elisabeth. C'est Judith.

I
RÉFLEXION

1

HUIT SEMAINES PLUS TÔT...

En m'habillant, j'ai mis Cole Porter. « Miss Otis Regrets », la version d'Ella Fitzgerald. Elle me donnait le sourire. J'avais transformé la chambre de mon appartement du Campo Santa Margherita en dressing meublé de penderies Molteni à portes miroirs, où mes chaussures, sacs, foulards, robes et vestes me tenaient compagnie d'un air complice. Ça aussi, ça me donnait le sourire. L'appartement, situé au *piano nobile*, l'étage noble, surplombait la place en antique pierre blanche du marché aux poissons. J'avais fait tomber un mur du salon pour créer un grand espace, et planté la baignoire au pied de mon lit sur une épaisse dalle en marbre vert, devant l'une des trois fenêtres cintrées. Ma salle de bains, carrelée de céramique perse ancienne, se trouvait derrière le dressing, dans ce qui était autrefois l'escalier. L'un des nombreux plaisirs que s'était accordés Elisabeth Teerlinc. L'architecte avait râlé à propos des poutres de soutènement et des permis, mais ces neuf premiers mois de vie à Venise m'avaient fait entrevoir tout ce qu'on pouvait s'offrir avec le salaire du péché. J'avais accroché aux murs les tableaux acquis à Paris, le Fontana, *Suzanne et les Vieillards*, le dessin de Cocteau, auxquels s'ajoutait un petit format d'Agnes Martin sans titre, aux lignes blanches et gris nuage, acheté via Paddle8, la maison de vente aux enchères en ligne de New York. Mes autres œuvres françaises m'avaient rejointe aussi, à l'exception du cadavre sans tête d'un certain Renaud Cleret, resté cloué dans un entrepôt climatisé près du château de Vincennes. Quoi qu'en dise l'architecte, si, il m'arrivait de songer à d'éventuelles fuites.

Glissée dans un coin du miroir, l'invitation manuscrite à ma première exposition annonçait : « Elisabeth Teerlinc compte sur votre présence à la galerie Gentileschi... » J'ai parcouru les mots une énième fois en m'attachant les cheveux. J'avais réussi. J'étais Elisabeth à présent. Judith Rashleigh n'était plus qu'un fantôme, tout juste un nom sur le passeport qui dormait dans le tiroir de mon bureau. Avec délectation, j'ai passé une main sur les robes bien rangées, le frisson de la maille, le tombé souple de la belle soie. Pour le vernissage, j'ai opté pour une robe Figue en shantung cintrée, noir d'encre, fermée le long de la colonne vertébrale par une série de petits boutons turquoise et or, à la manière d'une *qipao*. La couleur profonde de l'étoffe luisait et s'enroulait sous mes doigts. Si je misais sur le look basique de la galeriste austère, quelque part au fond de moi un bébé licorne agitait fougueusement sa crinière. Lentement, j'ai souri à mon reflet ; Liverpool était loin derrière moi.

Dans sa carrière de petits boulots à très court terme, ma mère avait été femme de ménage près de Sefton Park, enclave victorienne imposante peuplée d'arbres et de verrières près du centre de la ville, à trois changements de bus de notre cité. Un jour, je devais avoir dans les dix ans, je me suis rendu compte à la fin de l'école que j'avais oublié ma clé, alors je suis allée la rejoindre.

Les maisons étaient immenses, des montagnes en brique rouge et bow-windows. J'ai appuyé plusieurs fois sur la sonnette, mais personne n'est venu. Malgré la peur, j'ai poussé la porte. Elle n'était pas verrouillée. Il flottait dans l'entrée une odeur de cire et de fleurs, le parquet était nu autour d'un tapis carré de couleur vive, et l'espace qui séparait les portes du vaste arrondi de l'escalier était intégralement occupé par des étagères de livres à l'aspect très lourd. Tout était si calme. Après le clic du loquet derrière moi, pas un bourdonnement de télé, pas de vacarme saccadé d'engueulades de couple ou de jeux d'enfants, pas de pétarades de moteur ni de bagarres d'animaux domestiques. Rien que le silence. J'avais envie de tendre une main pour toucher le dos des livres, mais je n'ai pas osé. J'ai de nouveau appelé ma mère, et elle est apparue dans le jogging qu'elle portait pour aller faire le ménage.

— Judith ! Qu'est-ce que tu fais ici ? Est-ce que tout va bien ?

— Oui, oui, j'ai juste oublié ma clé.

— Tu m'as fichu une de ces frousses ! Je t'ai prise pour un cambrioleur. (Lasse, elle s'est frotté le visage.) Il va falloir que tu attendes. Je n'ai pas terminé.

Il y avait un gros fauteuil au pied de l'escalier, avec une grande lampe à côté. Je l'ai allumée, et la pièce s'est condensée autour de moi, chatoyante, si paisible, si intime. J'ai posé mon sac à dos bien à plat sous le fauteuil puis suis retournée vers les étagères. Je crois que j'ai choisi ce livre pour sa couleur, un rose bien vif avec le titre doré : *Vogue, Paris, 50 ans*. C'était un livre de mode, des reproductions de femmes portant des vêtements et des bijoux extraordinaires, le visage maquillé à la perfection. Lentement, j'ai tourné une page, puis une autre, fascinée par la profondeur et la délicatesse des couleurs. Sur une image, une femme en robe de bal bleu roi aux jupes froufroutantes courait parmi les voitures comme lancée après un bus. J'étais captivée. Je tournais les pages, avide. Je n'ai pas vu le temps passer, jusqu'à ce que je sente la faim me tenailler. Je me suis levée dans un grincement de parquet et j'étais en train de poser soigneusement le livre sur l'assise du fauteuil lorsque la porte s'est ouverte en grand. J'ai sursauté, l'air coupable.

— Que faites-vous ici ?

Une voix de femme tranchante, avec une pointe de peur.

— Pardon. Je suis désolée. Je m'appelle Judith. J'ai oublié ma clé. J'attendais ma mère...

J'ai fait un geste vague en direction de la porte derrière laquelle ma mère avait disparu depuis ce qui semblait une éternité.

— Oh. Je vois. Mais... elle n'a pas terminé ?

Elle m'a fait signe de la suivre dans un couloir qui menait à l'arrière de la maison et s'ouvrait sur une grande cuisine chaleureuse.

— Il y a quelqu'un ?

Derrière la table se trouvait un divan dont les coussins de couleur vive avaient été jetés par terre pour faire place à ma mère.

— Hé ho !

J'ai cru voir la bouteille de vin posée par terre avant la dame, mais j'ai vite compris à sa voix que ce n'était pas la première fois. Ma mère avait dû la piquer dans le frigo.

— Me suis juste assise un moment.

J'étais un charbon glacé de honte. La dame a marché d'un pas déterminé jusqu'au divan pour aider ma mère à se redresser, fermement mais sans méchanceté.

— Il me semble que nous avons déjà abordé ce sujet, n'est-ce pas ? Je suis désolée, mais je crois qu'il est inutile que vous reveniez. Votre fille est ici.

J'ai entendu à l'accent qu'elle avait mis sur le mot qu'elle avait de la peine pour moi.

— Désolée, ch'faisais juste…

Ma mère tirait sur ses vêtements, essayait de faire bonne figure.

— N'en parlons plus. (Pincée.) Mais vous feriez mieux de partir. Prenez votre sac, je vous donne votre argent.

Elle ne se comportait pas en garce, pas du tout. Elle était gênée, et cette voix contrôlée, ce ton professionnel étaient censés masquer son embarras, nous pousser dans la rue avec tout ce qu'on avait de répugnant.

Je suis allée attendre près de la porte avec mon sac à dos. Je ne voulais pas entendre un mot de plus. En tendant les deux billets de vingt livres à ma mère, la dame a dû voir mon regard se poser sur le livre.

— Tiens, et si tu le prenais ? En guise de cadeau ?

Elle me l'a mis dans les bras, elle ne me voyait déjà plus. J'ai eu l'impression qu'il n'avait aucune valeur pour elle.

— Connasse de vache qui pète plus haut que son cul, marmonnait ma mère en me traînant à l'arrêt de bus.

Quand on est arrivées, elle m'a donné sa clé et a pris la direction du pub. J'ai pensé aux quarante livres non sans appréhension. On n'en reverrait pas la couleur. Je me suis préparé des haricots et des toasts et j'ai ressorti le livre. Le prix à l'intérieur de la couverture indiquait soixante livres. Soixante livres pour un bouquin, et elle me l'avait donné, comme ça. Je l'ai rangé soigneusement sous mon lit, et l'en ai ressorti si souvent que j'ai fini par connaître le nom des photographes et des grands couturiers par cœur. Ce n'était pas que je voulais ces vêtements, pas exactement. Mais je me disais que si on était de ces personnes qui possèdaient ces vêtements, on devait se sentir différent. Si on avait de belles choses comme ça, on pouvait choisir qui on voulait être, tous les jours. On pouvait contrôler qui on était à l'intérieur avec son apparence.

J'ai frotté mes escarpins à talon haut avec leur sac de protection avant de les enfiler. Le seul point commun entre Elisabeth Teerlinc et Judith Rashleigh était peut-être le fait qu'elles n'avaient pas d'employée de maison. Devenir Elisabeth avait nécessité bien plus qu'une garde-robe ruineuse, en fin de compte. Une armure ne protège véritablement que si elle est invisible, et c'est là qu'avait résidé le vrai combat. Pas seulement dans les études et les diplômes, mais dans la conviction que je pouvais gagner. Me sortir de cette cité médiocre où j'avais grandi. Ne pas me laisser englober dans la vie crasseuse de ma mère. Résister aux moqueries, aux murmures qui me suivaient quotidiennement dans les couloirs du lycée, « Pute », « Salope », parce que j'en voulais plus. J'avais appris à détester les autres filles, puis à les ignorer, parce que bon, qu'est-ce qu'elles allaient devenir quelques années plus tard, si ce n'est des filles mères mollasses sous un abribus ? Ça, c'était la partie facile. Le plus dur, ç'avait été de gommer toute trace de la prolo que j'avais l'impression d'être quand enfin j'avais obtenu une place à l'université, parce que c'est une chose que les gens voient. Pas seulement la gamine triste qui rêve sous sa couette en regardant son précieux livre de gravures de mode et sa collection de cartes postales de reproductions d'œuvres d'art, mais aussi son âme et ses pitoyables efforts. Une fois à bord du train en partance de Lime Street, cette fille-là, plus personne ne la reverrait. Lentement mais sûrement, j'avais effacé mon accent, modifié mon attitude, enrichi mon vocabulaire et ma façon de parler, façonné et lissé mes défenses comme un sculpteur travaille le marbre.

Mais ça n'était que le début de ce qu'exigeait Elisabeth. Pendant un temps, après avoir décroché un poste dans une prestigieuse maison de vente aux enchères londonienne, je m'étais dit : « Ça y est, j'ai réussi », mais je n'avais ni argent ni relations, ce qui signifiait que jamais je ne dépasserais le grade de larbin de mon département. Alors j'avais pris un boulot de nuit dans un bar à hôtesses, le Gstaad Club, parce qu'un tailleur plus beau et une coupe de cheveux plus chère allaient arranger tout ça, non ? Mais je n'avais pas tardé à ouvrir les yeux sur ma touchante naïveté lorsque j'avais découvert que mon chef, Rupert, baignait dans une affaire d'escroquerie au faux tableau. Il lui avait fallu moins de cinq minutes pour me foutre à la porte. Un des clients du club, James, avait proposé de m'emmener en week-end sur la Côte d'Azur, et à partir de là les choses avaient commencé à déraper. Ce qui ne m'a pas empêchée d'en tirer grand profit, puisque j'avais localisé et vendu le faux qui m'avait valu mon licenciement, et m'étais servie de cet argent pour m'installer comme marchande d'art à Paris. Certes, il y avait eu quelques victimes. James n'avait jamais repris l'avion pour Londres, bien que ce ne soit pas entièrement ma faute ; le galeriste à qui j'avais vendu le faux, Cameron Fitzpatrick, non plus. Il y avait aussi mon ancienne copine d'école, Leanne ; Renaud Cleret, un flic en civil ; et Julien, le propriétaire fourbe d'un sex-club parisien. M'établir à Venise sous le pseudo d'Elisabeth Teerlinc s'était avéré plus que nécessaire. D'autant que je cherchais à tout prix à éviter d'attirer l'attention de Romero Da Silva, inspecteur de police et collègue de Renaud. Il m'avait fallu une sacrée dose de cirage pour camoufler tout ça. Mais la vitrine d'Elisabeth était devenue très efficace, son lustre ne reflétant que ce que les gens voulaient voir. C'est vrai ce qu'on dit : finalement, c'est ce qu'il y a à l'intérieur qui compte.

2

— Mademoiselle Teerlinc ? Elisabeth Teerlinc ?

— C'est moi.

— Tage Stahl. J'espère que vous ne m'en voulez pas de débarquer sans invitation, mais les œuvres m'ont littéralement captivé.

— J'en suis ravie.

— Votre galerie est ouverte depuis longtemps ?

— Pas vraiment, seulement depuis le printemps.

— C'est un très bel endroit.

— Merci. Profitez bien de l'exposition.

Le client s'est mêlé à ce qui faisait un semblant de foule, Gentileschi ne pouvant accueillir qu'une trentaine de personnes. L'espace se parcourait peut-être en une quinzaine de pas, mais chaque mètre carré m'appartenait. La galerie se situait au rez-de-chaussée des entrepôts navals désaffectés tout en bas de l'île, près de l'arrêt du vaporetto San Basilio ; une architecture fonctionnelle, sobre, très XIXe siècle, qui contrastait avec la vue majestueuse à l'est de la Giudecca. La beauté de Venise est un sujet rasoir, on ne peut rien dire qui n'ait déjà été mieux formulé, mais j'en aimais d'autant plus ma galerie, pour cette ouverture sur les origines de la ville, dont les charmes s'étaient bâtis sur les navires, la sueur et les épices.

Ma première exposition italienne concernait le Collectif Xaoc, un groupement d'artistes serbes établi dans un squat à Belgrade. Les œuvres – collages et toiles brodées, garnis d'objets trouvés hétéroclites –, rustiques et délibérément apolitiques, n'avaient rien d'exigeant et se laissaient facilement apprivoiser, tout comme les prix. D'ailleurs, elles se vendaient. Je n'en revenais pas. J'avais décidé de me lancer avec un vernissage modeste en août. Elisabeth Teerlinc avait réussi à rencontrer beaucoup de gens qu'elle avait besoin de connaître lors du passage de la caravane de la Biennale au printemps, mais elle était encore loin d'être véritablement installée. Les mois relativement calmes qui s'étalent autour du festival du film, où la ville appartient principalement aux touristes et aux Vénitiens, de moins en moins nombreux, qui les servent, avaient été le moment idéal pour cultiver mes relations et développer ma nouvelle identité.

J'avais passé des semaines à rédiger les invitations pour le vernissage, à constituer un court dossier de presse, à choisir la bonne teinte de gris pour le papier toilé du catalogue et à négocier avec une entreprise de peinture pour redonner un coup de blanc sur les murs. (Les acheteurs d'art contemporain veulent des murs blancs, de la même façon qu'ils veulent des œuvres qui les bouleversent, qui les bousculent, ou qui les interpellent.) Pas de différence flagrante avec le boulot que je faisais à l'hôtel des ventes à Londres, mais cette nuance était tout pour moi. Déjà, j'avais un bureau digne de ce nom, un Poltrona T13, inspiré de celui dessiné par Albini en 1953, ce qui impressionnait les visiteurs italiens à défaut des autres, et je pouvais m'y asseoir sans me faire traiter de paresseuse. Je n'avais pas encore d'assistant

– j'avais simplement engagé quelques étudiants pour servir du prosecco et tenir un vestiaire –, mais au moins ils m'appelaient « *signora* Teerlinc », et pas « euh ».

J'aurais voulu pouvoir revenir en arrière l'espace d'un instant, démêler l'écheveau des événements et dévoiler mon avenir à la Judith que j'étais. Ces invités et ces verres étaient bien réels, tout comme les étiquettes manuscrites que les étudiants collaient l'une après l'autre à côté des œuvres pour indiquer qu'elles étaient vendues. Posée là, élégante, confiante, même moi je me sentais réelle. C'était peut-être un succès modeste, mais il ne m'emplissait pas d'humilité. Il me donnait envie de sauter au plafond.

À l'autre bout de la pièce, le mec à l'allure scandinave, Stahl, feuilletait mon catalogue soigneusement composé. Je l'ai vu faire signe à un étudiant en dégainant son portefeuille. Il achetait. Je m'apprêtais à le rejoindre lorsqu'une main s'est posée sur mon bras. Un homme d'un certain âge, grave dans sa veste en tweed malgré la chaleur. Je l'ai pris pour un touriste égaré, ou alors un professeur de l'université Ca'Foscari toute proche, mais sa prononciation prudente en anglais m'a donné à penser qu'il était russe, alors je l'ai salué d'un « Bonsoir » un peu nerveux dans sa langue.

— Vous parlez russe ?

— Très peu, malheureusement.

Je suis repassée à l'anglais.

— Je peux vous aider ?

— Vous êtes Elisabeth Teerlinc ?

— En effet.

Il m'a tendu une carte professionnelle en s'inclinant légèrement. Elle portait son nom, Dr Ivan Kazbich, et l'adresse d'une galerie d'art à Belgrade. Il devait avoir entendu parler de Xaoc, donc.

— Bien. Je suis venu vous parler de la part de mon employeur. Auriez-vous un moment à m'accorder ?

— Oh, mais certainement, ai-je répondu, intriguée.

— Je préférerais vous parler seul à seule.

J'ai jeté un coup d'œil à ma montre. Dix-neuf heures vingt-cinq.

— Entendu. Si vous voulez bien patienter un peu… Le vernissage touche à sa fin.

Il a promené son regard sur les murs. Stahl avait manifestement acheté les trois dernières œuvres, car toutes arboraient une étiquette « Vendu » rouge vif.

— Vous devez être très satisfaite.

— Merci. Excusez-moi, je reviens tout de suite.

Je suis allée parler à Stahl, qui traînait alors que les derniers invités se massaient près de la porte pour se dire au revoir ou se donner rendez-vous pour aller dîner. Il m'a demandé si je voulais le rejoindre au Harry's Bar, ce qui m'a suffisamment renseignée sur ses intentions. Si Venise est le plus grand chef-d'œuvre que notre espèce avait jamais produit, pourquoi vouloir dîner dans le seul endroit qui n'a pas de vue, et où la seule chose à regarder est la morne fantaisie de la clientèle ? Je me suis mordu la langue avant de lui expliquer que j'avais un rendez-vous, et l'ai reconduit poliment mais fermement jusque sur le quai, où le ciel saphir se teintait d'un voile de miel. J'ai remercié mes assistants, qui avaient empilé les catalogues et rangé les bouteilles et les verres, les ai payés en liquide. Puis j'ai fermé la porte derrière eux et suis allée retrouver le Dr Kazbich.

— Pardon de vous avoir fait attendre.

— Il n'y a pas de quoi.

Kazbich m'a expliqué qu'il travaillait pour un collectionneur qui souhaitait faire évaluer ses œuvres, hébergées en France. Est-ce que je faisais ce genre de travail ? Je ne m'y étais pas adonnée depuis quelque temps, mais j'avais estimé des tableaux à la maison de vente aux enchères, avec des résultats surprenants pour certains. C'était une collection importante, d'après lui. J'ai compris tout de suite ce que ça voulait dire. J'ai voulu savoir si son client avait envisagé de faire appel à un expert de l'IFAR, la Fondation internationale pour la recherche artistique.

— Aucune provenance n'est remise en question, s'est-il défendu avec une esquisse de sourire, indiquant que chacun savait que l'autre savait de quoi il parlait – une simple évaluation à titre privé.

Bizarre, mais ça aussi nous le savions tous les deux. Le genre de proposition qu'une fille respectable ne devait pas accepter, du moins pas avant de savoir ce que ça rapporterait. Pile au bon moment, l'employeur mystère parlait prise en charge des frais, naturellement, et évoquait une avance de vingt mille euros pour le travail à proprement parler, avec cent mille euros supplémentaires à la remise du rapport. Je devrais faire une première visite pour voir les œuvres et bénéficierais de deux semaines pour rédiger l'estimation.

— Ça pourrait m'intéresser, ai-je répondu du tac au tac.

À mon avis, une personne prête à payer ce genre de somme ne devait guère apprécier les tergiversations, synonymes de perte de temps. Ce que le client comptait faire de cette estimation, ce n'était absolument pas mes oignons. Le Dr Kazbich m'a tendu une enveloppe couleur beurre frais et a attendu, dans l'expectative, tandis que je l'ouvrais. À l'intérieur se trouvaient un chèque à l'ordre d'Elisabeth Teerlinc, émis par une banque chypriote et correspondant à la première somme, ainsi qu'une feuille volante qui ne portait qu'un nom : Pavel Yermolov.

J'ai regardé ce nom, d'abord insensible. Il ne m'arrive pas souvent d'être chamboulée. Mais quand même, Pavel Yermolov. On m'accordait de voir les tableaux de Pavel Yermolov. Ou plutôt Pavel Yermolov me jugeait assez compétente pour me laisser accéder à ses tableaux. Je crois que Kazbich a tout de suite vu que je lui aurais allègrement rendu le chèque en y inversant les noms pour l'occasion qui m'était donnée.

La collection de Yermolov était un mystère, à la fois fait de légende et de rumeurs cupides. Oligarque de la deuxième génération, il avait la réputation d'être un acheteur très sérieux, mais il ne faisait aucune apparition dans les salles d'exposition, préférant acquérir ses œuvres via une série d'intermédiaires interchangeables et anonymes. On avait pu le relier à des enchères fructueuses pour un Matisse, un Picasso et, de façon moins attendue, un Jacopo da Pontormo au cours des cinq dernières années, tandis qu'un Pollock avait formellement été acquis au nom d'un de ses trusts. Et puis il y avait les Botticelli de Jameson.

Baptisés ainsi en référence à l'industriel véreux de nationalité américaine qui les avait subrepticement fait sortir d'Italie au XIXe siècle, ces Botticelli n'avaient pas tardé à faire l'objet de rumeurs, puis d'une théorie du complot. Médaillons jumeaux représentant une *Annonciation* et une *Vierge à l'Enfant*, les tableaux avaient disparu de la circulation depuis cent cinquante ans. Certains experts du Web doutaient de leur existence, prétendaient qu'ils avaient brûlé dans un incendie à la propriété des Jameson au nord de l'État de New York puis été frauduleusement réassurés pour augmenter le capital familial qui allait décroissant ; d'autres affirmaient les avoir aperçus au Qatar, ou en Corée. Le nom de Yermolov leur avait été associé lors d'une vente obscure, dix ans plus tôt près de Zurich, mais personne ne savait avec certitude s'il était en leur possession.

— Je suis d'accord. Dites à monsi…

Il m'a coupée en mettant un doigt devant sa bouche.

— Mon employeur exige une discrétion totale.

— Bien sûr, excusez-moi.

— Mais ce n'est rien, mademoiselle Teerlinc. Vous avez ma carte. Lorsque vous serez prête pour le voyage, contactez-moi et je prendrai les dispositions nécessaires.

Il ne portait pas de chapeau, mais alors que la porte de la galerie se refermait derrière lui, j'étais persuadée qu'il l'avait incliné pour me saluer.

Un peu plus tard, de retour dans mon appartement du Campo Santa Margherita, me prélassant dans la baignoire avec un verre de soave, je tenais la carte comme s'il s'agissait d'un talisman. J'adorais prendre un bain en début de soirée, avec le bruit des enfants qui jouaient sur la place en contrebas, les filles qui sautaient en rythme avec des cordes à linge, les garçons avec leurs ballons et leurs skates, pendant que les commerçants du marché pliaient et rangeaient leurs caisses de calamars et de *moleche*, et que les touristes et les étudiants affluaient aux terrasses des cafés. Je me sentais… chez moi.

J'essayais de visualiser les pièces de la collection Yermolov. La seule et unique chose qui me manquait de mon précédent job, c'étaient les œuvres elles-mêmes. Jusqu'alors, je m'étais débrouillée pour ne pas m'occuper de quoi que ce soit qui m'inspire du mépris, mais je ne pouvais pas non plus me mentir : les œuvres que ma galerie venait de vendre n'étaient que très légèrement supérieures à de la merde prétentieuse. Ce qui me manquait, en plus de la beauté qui vous attaque par surprise, c'était le privilège de pouvoir passer du temps avec les tableaux, les préliminaires presque érotiques de leur lente révélation, la façon dont on pouvait s'évanouir dans une toile, la regarder, encore et encore, sans cesser d'être ému, dérangé ou étonné. Ma première visite à la National Gallery avait changé ma vie, et depuis lors, les tableaux étaient les seuls à ne m'avoir jamais laissée tomber. Avec les clopes, j'imagine.

En passant en revue mes projets pour l'automne, je me suis aperçue que la proposition de Yermolov n'était pas seulement flatteuse, elle arrivait aussi à point nommé. Les profits réalisés grâce à l'expo des Balkans couvriraient les frais de la galerie pendant quelque temps, mais mon appartement et les travaux venaient d'engloutir un peu plus de la moitié de mes fonds disponibles. Ça coûte tellement cher d'être riche. J'aurais pu louer un appart' en débarquant à Venise neuf mois plus tôt, mais le besoin d'avoir un endroit – un foyer, même – qui soit irréfutablement à moi s'était fait trop criant pour que je m'en tienne à la prudence. L'appartement était au nom de Gentileschi, et avait été payé en espèces par la banque de la galerie, domiciliée au Panamá. J'espérais me positionner par la suite sur le marché secondaire, vendre de bons tableaux ayant appartenu à d'autres, mais pour l'instant je manquais de trésorerie pour vendre autre chose que des « jeunes artistes » sous la barre des cent mille euros. Cela dit, les œuvres récentes, qui n'avaient d'autre valeur que leur statut de monnaie, pouvaient s'avérer très lucratives si elles avaient la mode de leur côté. Il me fallait donc quelque chose de bien tape-à-l'œil pour le printemps prochain, une découverte que je pourrais acheter à bas prix et revendre au prix fort. Il y avait une Danoise que j'avais repérée ; j'avais vu en ligne son expo de diplôme à l'école St Martins de Londres, en particulier une série de toiles simples, graphiques, dont les sphères dorées sur fond sombre, presque hypnotiques, feraient à mon avis merveille contre la lumière sucrée de la lagune. Peut-être un vernissage privé au crépuscule, si je pouvais les obtenir... Il fallait aussi que je continue à apprendre le russe, même si c'était laborieux ; ça m'était apparu comme une langue nécessaire dans mon métier – les Russes étaient tellement nombreux à acheter de l'art en Occident –, mais j'en aurais finalement besoin plus tôt que prévu. Pas d'illusions cependant : je ne ferais probablement pas la conversation à Yermolov en russe courant (si toutefois il daignait être présent), mais les sonorités de la langue commençaient à prendre forme dans ma bouche, et je voulais faire l'effort de maîtriser les politesses d'usage.

J'avais trouvé une chanteuse d'opéra à la retraite, Masha, qui habitait une mansarde derrière la Fenice, où elle donnait des cours de russe. Elle était née à Venise, disait-elle, d'un couple de chanteurs d'opéra russes qui avaient profité d'une tournée en Italie pour fuir l'Union soviétique juste après la Deuxième Guerre mondiale, mais elle parlait toujours italien avec un accent à couper au couteau, et son studio plongé dans la pénombre, en haut de six volées de marches de plus en plus étroites au fil de l'ascension, ressemblait au décor d'une production amateur de Tchekhov. Des icônes recouvraient la moindre surface non drapée de lourds châles à franges. Il y avait un vrai samovar, des étagères de poésie russe et une légère odeur de gras de porc bouilli. À presque quatre-vingts ans, Masha n'avait jamais mis les pieds en Russie, mais elle se définissait comme Russe blanche, décrivant des anecdotes de la vie de ses parents à Saint-Pétersbourg qu'elle n'avait pu que piocher dans des romans, corrigeant avec mépris les intonations des présentateurs radio des stations russes qu'on écoutait pour m'aider à progresser. « *Off*, lâchait-elle visiblement exaspérée en faisant les gros yeux sous sa choucroute de cheveux teints en noir, pas *ovvv*. Ah, quelle tragédie ! » ajoutait-elle, comme si la prononciation incorrecte d'un patronyme concentrait tous les maux du stalinisme. C'était, en fin de compte, une reine de l'imposture qui avait roulé sa bosse. Et c'est peut-être pour ça que je l'aimais autant.

3

FINALEMENT, J'AI EU PLEIN DE TEMPS devant moi pour des cours supplémentaires car les préparatifs de l'estimation ont pris plus d'un mois. Pour les riches, le temps est scalaire, comme je l'avais appris grâce à mon ami Steve, le trader dont le bateau, le *Mandarin*, avait été à la fois mon refuge et la plateforme de lancement de ma galerie. Ils sont indifférents aux impératifs de ceux qui leur sont implicitement inférieurs, les délais ne sont modifiés ou étirés qu'en fonction de leurs propres besoins. Le Dr Kazbich m'avait donné le numéro d'une certaine Mme Poulhazan, l'assistante de Yermolov, qui n'a cessé de déprogrammer et reprogrammer notre rendez-vous au cours des semaines suivantes. J'ai appris avec soulagement qu'il mettrait son avion à ma disposition, mais j'ai fait le trajet à deux reprises en bateau-taxi jusqu'à l'aéroport pour découvrir une fois sur place qu'il avait annulé. Il était à São Paulo, à New York, à une réunion d'urgence à Londres, bref il n'était plus disponible.

J'ai mis ces ajournements à profit pour estimer le potentiel de la collection : repérage des prix de vente d'œuvres prétendument acquises par Yermolov ces derniers temps, comparaison avec les cotations d'œuvres similaires sur l'index d'Artprice, notes de fond sur les mouvements des tableaux en circulation au cours de la dernière décennie. Lorsque le jour du voyage est enfin arrivé, je me sentais aussi prête que possible. Au cours de mes recherches, j'avais découvert que Yermolov possédait quatre avions, et même par rapport au standing de l'aéroport Marco Polo, son Dassault se démarquait. Non par sa couleur, un bleu marine aussi chic que discret, mais par ses quatre membres d'équipage en uniforme qui attendaient patiemment sur le tarmac pour m'accueillir comme si j'étais en visite d'État – les deux hôtesses ajustant tant bien que mal leur jolie petite toque dans le vent qui balayait la piste.

J'ai refusé vodka, champagne, caviar-blinis et jus de kale pressé à froid pour n'accepter, avec une légère moue, qu'une eau de la marque Armani au décollage. Avant de passer la barrière des nuages, j'ai regardé la splendide roche rose des Dolomites qui s'étendaient sous moi, leurs sommets ornés des premières neiges, puis je me suis installée pour relire mes notes sur le patron des prévenantes hôtesses. Tout le monde connaissait Yermolov, mais ce que je savais était ce que tout le monde savait, c'est-à-dire presque rien. Yermolov remplissait tous les critères de l'oligarque nouvelle génération : formation au sein de l'ex-KGB, grand intérêt pour l'extraction minière et l'agriculture industrielle, liens étroits avec le gouvernement, officiellement citoyen russe bien que possédant des résidences en France, à Londres, à Anguilla et en Suisse. Un article d'*Architectural Digest* sur la sculptrice Taïs Bean montrait un lustre qu'elle avait créé pour son chalet. J'avais d'abord été surprise d'apprendre qu'il était aussi engagé en politique, en tant que gouverneur régional dans son Caucase natal, mais en faisant des recoupements avec ses semblables, je m'étais aperçue que c'était une façon assez répandue de prouver sa loyauté à cette bonne vieille mère Russie. *Forbes*, *Spears* et le *Financial Times* ne m'avaient rien fourni de controversé ; j'avais tenté ma chance avec d'anciens numéros de la *Rossiyskaya Gazeta* et du journal économique *Vedomosti*, mais malgré mes efforts avec Masha, mon russe était encore rudimentaire, et je n'avais donc rien déniché d'inattendu. Yermolov participait aux galas de charité d'usage et, à l'occasion, à tel panel d'experts de la branlette intellectuelle, faisait des apparitions à Davos et à Yerba Buena, avait fatalement été pris en photo avec Elton John et Bono, mais comparé à ses prédécesseurs, c'est-à-dire à la dernière génération de cow-boys de l'ère post-soviétique, il était nettement plus discret. Sa fortune était officiellement respectable et incontestée. Sa collection était peut-être un mystère, mais puisque Yermolov n'assistait pas aux principales biennales et n'avait pas été photographié en train de frayer avec la faune artistique contemporaine au Garage à Moscou, j'étais forcée d'en conclure qu'il appréciait peut-être bel et bien les tableaux.

Après l'atterrissage à Nice, les hôtesses m'ont escortée jusqu'à une Maybach, du même bleu marine que l'avion. Un Shrek tout ce qu'il y a d'ordinaire m'a tenu la portière, tout en costume, holster et muscles peauciers. J'aimais bien sa familiarité, on aurait pu être de vieux amis, mais je me demandais si quand même un garde du corps en plus d'un chauffeur n'était pas un peu excessif. Monsieur Muscles s'est assis à l'avant et la voiture a filé sur l'autoroute en direction de Toulon, avant de tourner à gauche juste après Saint-Tropez. On s'est arrêtés devant une grille à double battant le temps que le chauffeur compose un code de sécurité, puis la voiture s'est engagée sur une avenue bordée de platanes tachetés d'or dans l'air lourd de ce début d'automne. On a enchaîné descentes et montées ; au loin je percevais le scintillement prometteur de la Méditerranée. Une autre grille s'est dressée devant nous, mais cette fois le chauffeur a quitté la route pour emprunter une rampe en béton, au bout de laquelle une porte de garage se levait déjà pour nous laisser passer. La fin du trajet s'est effectuée dans une pénombre bleutée, jusqu'à ce qu'une dernière porte se lève et que la voiture s'arrête dans un box étroit et bas de plafond. Le chauffeur est venu m'ouvrir et m'a fait entrer dans une bulle de verre logée dans la paroi du mur.

— Madame, si vous voulez bien entrer ici, rien qu'un instant.

La porte arrondie de la cabine s'est refermée et une lumière s'est mise à vibrer – un genre de scanner à rayons X ? On m'a fait sortir, après quoi le chauffeur a fait subir le même sort à mes bagages avant de les porter jusqu'à un ascenseur dans le mur d'en face. On est montés tous les trois en silence, et les portes se sont ouvertes sur une vue qui m'a arraché un petit gloussement de joie.

Nous nous tenions sur un petit promontoire, avec une allée de gravier qui menait à la villa, entourée de pins et de peupliers, et la mer en arrière-plan. La maison, du XIXe siècle, était rose pastel, aussi insensée et puérile qu'un énorme gâteau à la crème ; un endroit pour une courtisane de Colette, pour des rendez-vous galants parfumés au jasmin et des baisers volés, le genre de demeure qui à une époque aurait été mise en jeu sur un coup de dés au casino de Monte-Carlo. Après tout le protocole sécuritaire légèrement sinistre du sous-sol, autant de coquetterie exhalait un parfum exquis de monde onirique disparu, très fin de siècle. Tandis que nous approchions de la double porte couleur verveine ornée d'une énorme tête de lion en laiton, des jets d'eau cachés se sont déclenchés au-dessus du gazon de part et d'autre de l'allée, de sorte que nous sommes passés au travers d'une fontaine d'arcs-en-ciel. Je m'attendais à moitié à entendre une valse. La vulgarité peut être tellement délicieuse.

Avec une solennité de circonstance, un majordome a accompagné Mlle Teerlinc à sa chambre au premier étage. À nouveau une double porte, qui cette fois s'est ouverte sur un petit vestibule octogonal lambrissé de bois de rose, avec d'un côté le balcon et de l'autre la chambre. Mais j'ai à peine eu le temps de faire attention à l'endroit car une odeur soudaine de lys m'a prise à la gorge, me poussant à marmonner mes remerciements avant de m'effondrer sur le lit, qui aurait pu être dans une autre chambre, celle où, longtemps auparavant, j'avais dû patienter à côté d'un corps mourant. J'ai attendu que l'afflux de sang cesse de faire siffler mes oreilles.

C'est peut-être superficiel de ma part, mais je ne pense guère au passé. Contingence et réaction, voilà ce que je comprends. La même pestilence capiteuse régnait dans la chambre de l'hôtel du Cap où j'avais découvert le cadavre de James ; je n'avais pas songé à cet endroit depuis une éternité, mais l'énorme bouquet de fleurs aux pétales parcheminés m'a fait croire, l'espace d'un instant, que je n'en étais jamais vraiment partie. Étais-je encore enlisée là-bas, coincée à jamais les mains tremblantes dans le portefeuille d'un homme mort ?

J'ai remarqué une enveloppe à la couleur crème familière à côté du vase sur la table de chevet. Je l'ai ouverte à l'aide de mes dents et d'une main, pendant que l'autre cassait méthodiquement les tiges des fleurs, brisant un à un les maillons de la chaîne qui me reliait à ce moment à chaque petit bruit sec. Les étamines ont diffusé un nuage de poussière orange qui a taché mes manchettes tandis que je lisais le mot :

Mademoiselle Teerlinc,

J'espère que votre voyage fut agréable et que vous êtes bien installée. Je vous en prie, n'hésitez surtout pas à formuler la moindre requête en fonction de vos besoins. Vous verrez la collection lorsque vous serez prête, après quoi je me réjouis de vous accueillir à ma table pour dîner. Merci de votre visite.

Veuillez agréer l'expression de mes sentiments distingués,

P. Yermolov

Mes yeux ont parcouru la page plusieurs fois avant que le dernier lys tombe à terre. Ce qui m'a réveillée. Mon joli chemisier Chloé était irrécupérable.

— Merde, Judith, ai-je dit tout haut, nettoie-moi tout ça.

Et je me suis arrêtée net. Il y avait un beau bordel sur le tapis, mais dans le nouveau monde dans lequel j'évoluais, quelqu'un s'en occuperait. Je n'étais plus la fille qui avait eu un mal fou à se contrôler dans cette chambre suffocante. J'étais riche, j'étais indépendante, j'étais libre, et j'étais ici. De mon plein gré, en tant que professionnelle. N'étais-je pas la preuve vivante que si on croit en soi et qu'on suit son rêve on peut arriver à tout ? Bon, mieux valait ne pas s'attarder sur les preuves qui avaient passé l'arme à gauche. Tout ce qui comptait, c'était le pouvoir de l'instant présent, et le mien. Le passé était inutile, Proust et l'infusion de tilleul de sa tante pouvaient aller se faire foutre. Dans la salle de bains, j'ai fait couler de l'eau froide sur mes poignets, avant de prendre une douche et de changer de vêtements, de nettoyer mon visage et d'attacher mes cheveux en un chignon strict. J'avais déjà parcouru tout ce chemin, et il allait falloir plus que le souvenir d'un parfum pour me déstabiliser. Il était temps de se mettre au travail.

Le temps qu'on me fasse traverser la villa et son terrain jusqu'au cube moderne et austère qui abritait la collection Yermolov, j'étais redevenue moi-même. J'avais choisi une tunique noire Max Mara avec de gros sabots Marni – très laids, mais qui apportaient une touche « artiste » à la soie toute simple. J'avais dans ma valise un mètre mesureur et un registre où consigner les dimensions, ainsi qu'une lampe torche et une loupe – le nombre de faux tableaux qui sont passés pour des vrais par simple négligence des experts ne cessera jamais de m'étonner. J'avais également un Polaroïd, à l'ancienne, parce que je me doutais bien qu'on ne m'autoriserait pas à prendre de photos avec mon téléphone. On m'a remis aux soins d'une Française renfrognée en tailleur-jupe semblable à ceux que portaient les hôtesses de l'air : Mme Poulhazan, l'assistante avec qui j'avais été en contact. Son ton était expéditif et courtois, mais le long regard qu'elle a posé sur mes jambes et ma valise indiquait clairement qu'elle aurait préféré se pendre plutôt que s'occuper de moi. Est-ce que j'étais trop jeune, ou pas assez émerveillée ? Des portes en verre teinté se sont ouvertes en coulissant une fois franchis les caps de reconnaissance rétinienne et de codes de sécurité, puis nous sommes entrées dans un vestibule obscur qui sentait l'ozone et le vernis.

— Bien, mademoiselle. Voici un contrat de confidentialité. Signez ici, ici et ici, je vous prie.

Le document comptait trois pages, rédigées en anglais, tellement détaillées qu'en les signant non seulement je renonçais à évoquer ou à communiquer sous quelque forme que ce soit le contenu de la collection, mais je promettais presque de l'effacer de ma mémoire. J'ai griffonné la signature d'Elisabeth malgré tout. Mme Poulhazan m'a ensuite scannée avec un appareil lumineux qui ressemblait à un vibromasseur de luxe, a fouillé avec méfiance dans mes affaires et brandi le Polaroïd d'un air triomphant.

— Ceci est interdit.

— J'en aurai besoin pour l'estimation.

— Vous ne faites pas confiance à vos yeux ? a-t-elle dit avec mépris.

J'aurais pu répondre que c'était à Yermolov que je ne faisais pas confiance, mais ça ne m'aurait pas rendu service, alors je lui ai poliment suggéré de demander la permission à son patron par téléphone, et j'ai eu la satisfaction de voir son air écœuré lorsqu'on me l'a accordée. Encore une longue attente le temps qu'elle compose le code du dernier verrou, et on y était.

Le sol était en malachite, mais le bruit de mes croquenots sur la surface lisse ne m'aurait pas procuré davantage de plaisir si elle avait été en émeraude. La montée d'angoisse provoquée par l'odeur de lys était déjà loin ; je me rappelais à présent les kilomètres parcourus dans les couloirs sans fin de la maison de vente aux enchères, les mois de commissions pénibles, à traverser et retraverser les rues de Londres, un chemin tapissé qui remontait à la première fois où j'avais véritablement vu un tableau, à la National Gallery, et qui m'avait amenée jusqu'à mon statut actuel. Il est rare de se rendre compte, à un moment donné, que l'on a exactement ce qu'on voulait, et l'espace de quelques secondes je me suis sentie en apesanteur, en lévitation sur une sorte de spirale temporelle. Mon sentiment d'autosatisfaction était total. « Pas mal, Judith. Pas mal du tout. » J'ai ouvert les yeux sur Mme Poulhazan qui me regardait d'un air interrogateur.

Je n'allais pas lui faire le plaisir d'avoir l'air impressionnée, mais même si j'avais visité quelques endroits extraordinaires, jamais je n'en avais vu comme celui de Yermolov.

La salle, longue et haute de plafond, semblait éclairée aux chandelles. Deux banquettes Breuer en cuir suédé blanc dentifrice étaient adossées l'une à l'autre au centre, avec quelques autres sièges – chaises Régence à dossier sculpté en hêtre resplendissant, bergère Louis XIV en soie grise –, une scène de conversation en attente de personnages. Avant de faire un pas, j'ai reconnu le Pollock et le Matisse – la *Maison à Tahiti* qui cinq ans plus tôt avait fait grand bruit à New York, lorsqu'un acheteur anonyme passant apparemment par là s'était pointé à la vente pour enchérir de quarante millions de dollars –, trois Picasso, un Rembrandt, deux Breughel, un Cézanne, un Titien – « Putain de merde, un Titien. Mais qui possède un Titien ? » –, le *Portrait de jeune homme avec chapeau rouge* de Pontormo. De quoi avoir le tournis. J'ai réprimé l'envie de courir de toile en toile pour les toucher de mes mains, absorber la force de leur surface lumineuse. Le mur gauche était consacré aux artistes russes, un dragon de Vrubel, un Grigoriev, un Répine, qui cédait la place à un Poussin, puis à une série de paysages de Klimt.

— Et ici, les dessins.

Mme Poulhazan a pointé une télécommande sur un panneau en dessous des Klimt. Une trappe a coulissé avec le plus ténu des soupirs, et un étui en acier semblable à un vieux range-CD est apparu. À mesure qu'elle appuyait sur les boutons, ils ont défilé, un vrai manège de fusains et d'eaux-fortes, chacun une œuvre majeure en soi.

Mon euphorie m'a bientôt quittée, me laissant le goût amer d'un martini au caviar. Je m'étais attendue à trouver la tâche intimidante, bien que motivée par l'ampleur du défi, mais là, c'était impossible. Il y avait trop de choses, et le niveau était trop haut. Il allait me falloir une armée d'assistants, des échelles, des gants, Dieu sait quel genre de matériel. J'osais à peine toucher ces objets, sans parler d'essayer de les estimer. À quoi jouait Yermolov ? Pourquoi un homme qui possédait une collection pareille voudrait faire appel à une marchande d'art solitaire et inconnue pour évaluer des œuvres dont la beauté ne cessait de vous narguer ?

Mme Poulhazan s'était assise bien sagement sur l'une des banquettes, sa bouche peinte en rouge légèrement déformée par un rictus pincé.

« Te démonte pas. »

— J'ai cru comprendre qu'il y avait des œuvres de la Renaissance ?

C'est toute l'audace que j'ai réussi à rassembler.

— Naturellement. Par ici.

Je l'ai suivie, l'air abattu à présent qu'elle ne pouvait plus me voir. Le mur du fond était vide, ce qui ne faisait que donner plus de force aux trésors qui y menaient. Mme Poulhazan a posé sa paume contre un autre panneau caché et une minuscule porte s'est ouverte, comme si on pénétrait dans une cellule monastique médiévale. À l'intérieur, je n'ai pas pris la peine de cacher ma stupéfaction. La toute petite pièce était la réplique du célèbre *studiolo* du duc d'Urbino, aux murs entièrement lambrissés de marqueterie, les images en trompe-l'œil alternant avec les philosophes classiques que la Renaissance admirait. Mes yeux se promenaient sur les surfaces chatoyantes. Et d'un coup, si proches que j'aurais pu les toucher en tendant les bras, deux cadres médaillons, deux visages émaillés lumineux, deux mentons aux courbes émouvantes sous des yeux gris inquisiteurs, deux têtes blondes voilées de mousseline si délicate qu'elle semblait flotter en direction de mon visage éberlué. *L'Annonciation* et la *Vierge à l'Enfant*. Ils étaient là. Les tableaux que j'avais étudiés mais jamais vus, que presque aucune personne en vie n'avait vus. Les Botticelli de Jameson. Je commençais à comprendre pourquoi Yermolov m'avait fait signer toute cette paperasse.

— Est-ce que ce sont les Botticelli de Jameson ? Les vrais ?

Impossible de feindre l'indifférence.

— Tout à fait, a répondu Mme Poulhazan.

Elle finissait par s'adoucir un peu, je n'aurais peut-être pas dû perdre mon temps à la jouer blasée. Seul un imbécile serait demeuré impassible. Je tenais à peine sur mes jambes. Le troisième tableau, face à nous, était recouvert d'un lourd rideau en velours vert. J'en ai écarté un pan avec précaution.

— Oh.

Le nom que portait ma galerie faisait référence à Artemisia Gentileschi, la peintre dont j'étais tombée amoureuse à l'adolescence. À coups de pinceau, Artemisia avait tracé sa voie, par-delà les préjugés et la pauvreté, même par-delà le viol, elle avait choisi l'audace, refusé de se soumettre à un monde qui l'avait souillée et rejetée. En 1598, alors qu'Artemisia n'était encore qu'une petite fille, son père et mentor Orazio passait nombre de nuits sauvages en compagnie de son ami, un peintre d'Italie du Nord : Michelangelo Merisi da Caravaggio, dit le Caravage. Du bon temps pour deux compères lâchés dans Rome. Le Caravage et ses amis paradaient comme des stars du rock tapageuses, déclenchaient des bagarres, couraient la gueuse, entraient avec arrogance dans les tavernes des bas-fonds romains, défoncés au vin et au blanc de céruse. Le Caravage peignit cette année-là un tableau d'une virtuosité redoutable, d'un éclat païen bouleversant. C'était un cadeau de son mécène, le cardinal Del Monte, à Ferdinand de Médicis, un autoportrait en Méduse. La toile est montée sur un bouclier en peuplier convexe, une évocation du bouclier de bronze dont s'était servi Persée pour réfléchir le regard pétrifiant de la Gorgone tandis qu'il la décapitait. Regarder l'ensorceleuse dans les yeux aurait changé le héros d'Ovide en pierre. Le Caravage donna au monstre son propre visage, le dernier offert par Méduse, à l'agonie, alors que sa tête était sectionnée du reste de son corps par l'épée de Persée. Mais le Caravage savait intuitivement que l'espace s'infléchit avec la souplesse des poils de martre d'un pinceau, qu'il ne peut demeurer immobile, et que le temps s'accélère ou ralentit selon sa place dans la pesanteur. Sur le bouclier à la Méduse, les ombres concaves des serpents qui s'agitent dissimulent la convexité de la surface. C'est ici que les deux plans se recoupent, ici que, momentanément, le temps vacille. À la croisée de notre regard avec celui de Méduse, le Caravage figea l'univers pour saisir l'instant de la mort, avec un mépris criant pour les lois de l'art. Le spectateur, lui, est en sécurité, il peut détourner le regard puis à nouveau poser les yeux sur cette œuvre qui transcende un portrait de peintre pour devenir, avec une arrogante maestria, la chose qui est peinte. C'est l'inconnu de Lombardie paré de ses vieux atours, prouvant qu'il peut jouer à Dieu sur un morceau de bois. « Tenez ça dans vos mains, disait le peintre à son mécène, et vous arrêtez le temps. »

— Oh, ai-je répété.

La copie était à couper le souffle. Si je n'avais pas vu le tableau original à la galerie des Offices, j'aurais été persuadée d'être face à un authentique Caravage. Se pouvait-il que Yermolov… ? Non, quand même pas.

— C'est une copie, évidemment, a aimablement précisé Mme Poulhazan, avant que je ne poursuive ma chute dans le terrier du lapin. M. Yermolov voulait une troisième pièce pour ce mur.

— Ça ne l'empêche pas d'être splendide.

— En effet.

J'ai recouvert le tableau, puis écarté le rideau une deuxième fois, le cœur happé par le visage de Méduse. J'ai pivoté lentement et regardé à nouveau dans la galerie. La petite pièce était au centre d'une flamme, tout autour d'elle les couleurs des tableaux dansaient et brillaient.

— Merci, ai-je dit avec sincérité, merci de m'avoir montré tout ça.

Difficile de m'arracher à tant de beauté, mais j'étais plus curieuse que jamais de rencontrer Yermolov. Quel genre de volonté fallait-il pour acquérir une telle collection ? Pour posséder les Botticelli de Jameson et les garder bien cachés ? Et surtout, pourquoi me faire venir ici ? Quand le Dr Kazbich était venu me trouver pour me demander une estimation à titre privé, lui comme moi savions que ce n'était pas très réglo. Ça arrive tout le temps dans le monde de l'art – même des institutions comme mon ancien hôtel des ventes produisent des estimations douteuses, souvent pour des questions d'assurances ou d'impôts, mais pour autant que Yermolov le sache, je n'avais pas ce genre de bagage. J'imaginais que Kazbich avait été conduit jusqu'à moi via Belgrade ; il y avait sa galerie, et j'y avais déniché le Collectif Xaoc. La demande de Yermolov était peut-être urgente, et j'avais eu un simple coup de bol. L'espoir de voir les Botticelli – et la couleur de l'argent annoncé – avait suffi à l'emporter, même si on ne m'avait pas choisie pour les raisons les plus respectables. Cependant, après avoir vu la qualité de cette collection, ça me paraissait de moins en moins plausible. J'avais le sentiment qu'un amoureux de l'art tel que Yermolov chercherait à travailler avec les meilleurs experts de la profession, comme le méritaient ses tableaux.

Le majordome m'a dit que M. Yermolov m'attendait pour un verre sur la terrasse à huit heures. Je me suis changée en vitesse et j'étais en bas à moins le quart, espérant le surprendre en train de vendre un sous-marin nucléaire, qui sait. En fait, mon hôte ne faisait rien de plus palpitant que de lire *The Economist*. Il était grand, peu large d'épaules mais d'apparence robuste, avec des cheveux clairs et des yeux du Nord, incolores. Une tenue quelconque, que seuls les hommes très riches peuvent se permettre d'adopter : chemise simple et pantalon en toile bleu marine, montre digitale bon marché. Il s'est levé pour me saluer avec un regard étrange – interrogateur, légèrement amusé, comme si nous nous connaissions déjà. Lorsqu'il a tiré ma chaise et m'a tendu une coupe de champagne, j'ai remarqué que ses mouvements avaient quelque chose de pondéré, de contrôlé, un calme élégant qu'on aurait pu juger charmant, s'il n'y avait eu ses mains. Longues et délicates, elles s'enroulaient autour du pied de son verre, grattaient la couture de sa serviette en lin, arrangeaient les petits ramequins d'olives et de cornichons en colimaçon. Associées au caractère militaire de sa coupe rase, ses mains me troublaient, elles évoquaient des salles d'interrogatoire confinées, des dossiers jaunis extraits de classeurs mal en point, des crayons prêts à biffer une vie en Sibérie entre deux gorgées de café tiède et amer. Leur agitation contrastait avec son aplomb apparent, il y avait quelque chose d'avide dans leur mouvement incessant.

— Bienvenue, mademoiselle Teerlinc. Je suis ravi que vous ayez pu vous arracher au tourbillon du monde de l'art.

Il a souri à sa tentative de blague. J'ai esquissé ce que j'espérais être un rire cristallin.

— Et moi je suis ravie d'être ici.

J'ai eu l'impression que Yermolov me jaugeait tranquillement alors que nous prenions l'apéritif et échangions des banalités sur mon voyage et sur la vue. Pour le dîner, nous nous sommes installés dans un pavillon de jardin en surplomb de la mer. On nous a servi du ceviche de bar puis des feuilletés à la langouste. Cent mètres plus bas, les vagues clapotaient sur le rivage. Derrière l'épaule droite de Yermolov, je pouvais suivre le chemin éclairé de bougies qui menait à la plage, le long d'un escalier taillé à même la roche. Yermolov fumait, ce qui tombait bien, sa conversation était courtoise même s'il peinait un peu, et le chassagne-montrachet était excellent, mais je n'étais pas très à l'aise. Impossible de concilier ce sentiment avec le fait que je me trouvais face à l'homme à l'origine de ce fascinant cabinet de curiosités, vibrant de beauté dans son pâle écrin à quelques pas de nous.

J'ai respecté l'étiquette pendant le repas – on ne parle travail qu'une fois les assiettes débarrassées –, alors nous avons évoqué les meilleures saisons pour aller à Venise et aux Caraïbes, la rénovation de sa demeure française, qu'il possédait depuis cinq ans, l'architecture nouvelle de Moscou, sur laquelle j'avais lu un article avant de prendre l'avion jusqu'ici. Des milices citoyennes patrouillaient désormais dans le centre de la ville la nuit, espérant attraper les pyromanes qui incendiaient les vieux immeubles pour faire de la place aux promoteurs. Puis nous avons parlé de Lermontov, car comme il était né dans le Caucase il avait une passion pour Lermontov, et il a cité un long passage du *Démon*, de cette manière très désarmante typiquement russe, et j'ai commencé à l'apprécier. Ses mains tournoyaient et jouaient tandis qu'on nous servait de minuscules crèmes brûlées à la violette, qu'aucun de nous n'a mangées, après quoi j'ai gardé le silence, attendant ses questions.

— Il me semble que vous avez vécu à New York avant de vous installer à Venise ? À moins que ce ne soit Paris ?

Je me suis figée. Elisabeth Teerlinc n'avait jamais mis les pieds à Paris.

— Je viens de Suisse en fait.

— Pardonnez-moi.

J'ai soudain eu une conscience aiguë de notre isolement, on était loin de la maison, loin de tout. Je n'avais dit à personne que j'étais ici car... eh bien, car je n'avais personne à qui en parler.

« Allez, arrête d'angoisser. C'est un mec hyper occupé. Pour lui, tu fais partie du personnel. Il s'est emmêlé les pinceaux, c'est tout. »

J'ai pris mon verre de vin.

— Vous pensez avoir eu le temps de vous faire une idée de ma collection ?

— C'était un privilège de la voir.

— Et vous croyez pouvoir l'estimer ?

J'ai reposé mon verre.

— Monsieur Yermolov, je ne veux pas vous mentir. Je suis extrêmement flattée que vous m'ayez fait venir jusqu'ici, et je vous suis très reconnaissante de votre hospitalité, mais une collection comme la vôtre... je ne m'en confierais pas l'évaluation moi-même. Je crois que vous feriez mieux de vous tourner vers une des grandes maisons de Londres ou de New York.

S'il était contrarié, il n'en a rien montré, à part peut-être que ses mains se sont entrecroisées pour ne plus bouger.

— Vous ne vous estimez pas... à la hauteur ? Mais pourquoi ? Votre galerie semble avoir du succès.

Alors que je commençais à lui répondre, un mouvement sur le chemin de la falaise a soudain attiré mon regard. Un éclair de cheveux blonds pris dans la lueur des bougies, l'éclat d'une épaule dénudée. Sans tourner la tête, Yermolov a parlé en russe d'un ton sec, la bouche en coin, et je n'ai pu m'empêcher de sursauter lorsqu'un garde du corps a surgi de derrière une colonne du pavillon pour descendre les marches. Je n'avais eu aucune idée de sa présence, et je ne savais pas si j'en étais effrayée ou soulagée.

— Excusez-moi. Il arrive que nous soyons dérangés par des intrus.

— Il faut dire que l'endroit est irrésistible.

Je n'en croyais pas un mot. La sécurité était plus efficace qu'au 10, Downing Street. Quel intrus aurait pu parvenir jusqu'ici ?

— Vous disiez ?

— Oui. C'est très gentil à vous, mais je n'irais pas jusqu'à dire que la galerie rencontre un franc succès. Pas encore.

Je me suis tue, j'ai tripoté ma cuillère, me demandant comment éluder la question.

— Je n'ai ouvert Gentileschi que l'année dernière. Et on s'intéresse principalement à l'art contemporain.

— J'avais cru comprendre que vous aviez de solides connaissances sur les grands maîtres.

Il a appuyé sa question d'un regard curieux.

« Mais qu'est-ce qu'il entend par là ? Rien. Arrête la parano. »

— J'ai un œil exercé, mais je suis loin de faire autorité en la matière. L'ampleur et la valeur de votre collection sont exceptionnelles, comme vous le savez. Et je ne me fais pas assez confiance pour leur attribuer une valeur marchande juste.

— Mais accepteriez-vous de le faire malgré tout ?

J'y réfléchissais. À présent que je savais ce que la collection renfermait, je pouvais rechercher les rapports de vente des dernières années, consulter Artprice, comparer les prévisions pour des œuvres similaires, le genre de travail que j'avais effectué à Londres. Intimidant, mais pas infaisable.

— Si c'est l'authentification qui vous inquiète, les provenances sont toutes irréprochables. C'est seulement l'estimation que je demande.

— J'aimerais…

Des éclats de voix, non loin. En russe. Une femme et le garde du corps. Je l'ai entendue lâcher un « Je veux lui parler », puis la voix masculine a pris le relais, plus grave, apaisante, je n'ai distingué que le mot « impossible ».

— Veuillez m'excuser, mademoiselle Teerlinc.

Yermolov s'est levé sans hâte pour disparaître dans la nuit pourpre. Il n'a pas élevé la voix, mais je l'ai entendu distinctement :

— Débarrasse-toi d'elle. Je m'en occuperai demain matin.

Il ne savait pas que j'avais des notions de russe, mais bon, il n'avait qu'à me poser la question. Je me demandais si la promeneuse nocturne se rendait compte du danger qu'il y avait à s'aventurer dans le coin, et pas seulement à cause de la falaise. Le fait que je n'aie pas repéré de kalachnikov ne voulait pas dire qu'il n'y en avait pas et, au vu de la collection, on en comprendrait la nécessité sans mal. Le sang-froid que je percevais dans le ton de Yermolov m'incitait à croire qu'il n'hésiterait pas à en faire usage personnellement.

— Pardonnez-moi.

Ses mains s'emparèrent de sa serviette, hésitèrent, la reposèrent.

J'ai compris que si Yermolov pouvait faire peur, c'était justement parce qu'il n'avait rien du type effrayant. Il n'avait pas besoin d'être intimidant. Le calme ne servait pas à camoufler la cruauté, il en était une confirmation. J'étais agacée de le trouver sexy rien que pour ça.

— Où en étions-nous ?

Si on me laissait du temps, je pouvais m'en sortir. Et pourtant, une raison liée à la qualité des tableaux m'empêchait de céder. Ils méritaient ce qu'il y avait de mieux et, bien que je répugne à l'admettre, je n'étais pas la meilleure. Pas encore.

— Monsieur Yermolov, puis-je vous demander pourquoi vous m'avez choisie pour faire cette estimation ?

— C'est le Dr Kazbich qui m'a soufflé votre nom. Il achète pour moi.

L'idée que je puisse être en train de lui faire perdre son temps paraissait l'irriter.

— Monsieur Yermolov, vous pouvez compter sur ma discrétion. Et je suis honorée d'avoir vu vos tableaux. Mais je crois tout simplement ne pas être la bonne personne pour ce travail. Il faudrait une équipe d'experts, d'assistants…

En à peine quelques mots, je l'avais ennuyé. Comme il fallait s'y attendre, il a fait quelques remarques décousues puis s'est excusé, prétextant des coups de fil. Ne lui étant d'aucune utilité, j'avais perdu tout intérêt.

Le lendemain matin, Yermolov n'a même pas pris la peine de me saluer quand j'ai quitté les lieux. Jamais je n'aurais imaginé un jour le revoir, et encore moins souhaiter que ce fût le cas.

4

COMME TOUT CE QUI M'EST ARRIVÉ de plus stupide dans ma vie, la décision d'aller à Ibiza est à porter à mon crédit. Je n'avais pas porté grand intérêt à Tage Stahl au vernissage à la galerie en août, mais il m'avait appelée et m'avait envoyé des messages insistants. Il était en fait danois, bossait plus ou moins dans le nautisme. Il m'a annoncé une grosse soirée sur son île privée au large de la côte nord-ouest d'Ibiza ; je lui ai demandé juste comme ça s'il voulait bien m'envoyer son avion, et il a dit : « Bien sûr », alors accepter l'invitation était une question de savoir-vivre.

Après mon escapade chez Yermolov, la Sérénissime ne m'inspirait pas une franche sérénité. Je ne regrettais pas mon choix ; ma décision de ne pas estimer la collection me semblait même une preuve de loyauté envers ma personne – quelle qu'elle soit. J'avais pris le parti des tableaux en refusant de m'impliquer dans ce que Yermolov manigançait. Mais la façon dont j'avais géré cette affaire me restait en travers de la gorge. Je ne m'étais pas sentie aussi maladroite et prise en défaut depuis l'époque où je travaillais pour

Rupert. Une soirée chic était pile ce dont Elisabeth Teerlinc avait besoin pour redorer son blason. Et puis, mon appart' me sortait par les yeux. D'ordinaire, évoluer parmi mes beaux objets me calmait, mais là, je ne retrouvais pas certaines choses – des tasses, des verres qui n'étaient pas à leur place habituelle, et j'en découvrais d'autres que j'avais apparemment achetées par erreur. Comme cette barre chocolatée que j'ai trouvée dans un placard, à côté des épices. Quatre-vingt-dix-huit pour cent de cacao, avec des amandes effilées. Bizarre. S'il y a une chose que je déteste encore plus que le chocolat noir, ce sont les amandes.

Je suis arrivée à Ibiza en milieu d'après-midi. Une navette de couleur sombre et au moteur nerveux m'a fait traverser le tarmac pour me déposer au terminal ; à en juger par l'état de la foule, ce n'était pas le meilleur moment de la journée. Des fêtards sans domicile dormaient par grappes près de valises à roulettes emballées dans du film plastique, un groupe de filles dont le maquillage censé représenter des fleurs avait coulé pour leur faire des bleus au visage s'engueulait à voix basse au comptoir EasyJet, deux agents de ménage impeccables en combinaison turquoise et filet à cheveux promenaient de larges serpillières dans une flaque de vomi couleur abricot. David Guetta, dictateur malveillant en Ray-Ban, nous toisait de partout. J'ai retrouvé le chauffeur de Stahl, qui m'a fait monter à bord d'une Jeep noire sans toit, et en route, moteur vrombissant, à travers les gaz d'échappement et le chant des cigales ; ont défilé la bifurcation pour la citadelle blanche qui surplombait le port, des pizzérias, des studios de yoga, d'innombrables panneaux publicitaires promettant le nirvana de la *night*, puis la voie rapide s'est faite plus étroite pour sillonner les collines verdoyantes parsemées de *fincas* blanches accrochées à leur flanc. C'était la première fois que je venais sur cette île célèbre, et je voyais à quel point elle avait dû être paradisiaque à une époque.

Le principe d'Ibiza s'est davantage affiné lorsque nous nous sommes garés sur un parking poussiéreux bondé de Jeep et de scooters, près de la plage d'Agua Blanca. Le chauffeur a porté mon sac pour descendre le sentier qui débouchait sur une baie laiteuse, où des enfants nus jouaient dans des criques peu profondes entre de hautes colonnes de roche rougeâtre. En ôtant mes chaussures, j'ai ressenti cet agréable petit élan de liberté qui accompagne toujours le contact des orteils avec le sable. Un peu plus loin, un groupe de jongleurs à dreadlocks, nus eux aussi, faisaient tournoyer des bâtons, tandis que des personnes couvertes d'argile blanche en cours de séchage rôtissaient sous le soleil. Je me suis frayé un chemin entre eux jusqu'à un ponton, où le chauffeur détachait un petit canot gris, et nous avons mis le cap, dans une légère houle, sur une île plus petite, dont les falaises vert et blanc s'ouvraient comme les ailes d'un papillon fendant l'horizon.

Si la villa flambant neuve de Stahl avait des allures de *tiki bar*, cette vue sur le détroit et Agua Blanca était probablement la meilleure qu'on pouvait se payer, ce qui était a priori la raison pour laquelle Stahl l'avait achetée. Construite à flanc de coteau en cubes d'acier et de verre, elle semblait de tous côtés ouverte sur la mer. Pas d'autres invités en vue lorsque j'ai débarqué, à l'exception d'une femme squelettique en caftan Norma Kamali picorant, l'air déprimé, ce qui ressemblait à une omelette aux blancs d'œuf à l'autre bout de l'immense terrasse arrondie. Une domestique m'a conduite jusqu'à ma chambre et s'est mise à défaire mon bagage tandis que j'essayais, entre ses mains affairées, de grappiller un deux-pièces et un short en jean. De retour sur la terrasse, j'ai vu que le caftan avait délaissé ses œufs ; j'ai pris un abricot sur son plateau de restes et mordu dans la chair crayeuse, les yeux perdus vers le rivage pastel à un kilomètre de là. Un escalier en bois sculpté de têtes polynésiennes grimaçantes menait à la piscine déserte, un immense bassin ovale en marbre gris clair. L'eau avait l'air délicieusement calme, mais avant que j'aie l'occasion de la goûter, Stahl a débarqué du court de tennis, et quelque chose dans sa stature, son bronzage, la robustesse de son torse et ses yeux lapis-lazuli m'a rappelé un joyeux après-midi scandinave il y avait deux étés de ça. Après tout, je menais une vie très sage à Venise, alors cette vente s'est finalement conclue dans son grand lit balinais, avec beaucoup d'ardeur de sa part, à défaut d'habileté, au moment où les autres finissaient leur petit déjeuner du début d'après-midi. Après ça, le monde m'a paru apaisé. En fin de compte, j'étais partante pour m'amuser.

Les invités se ranimaient au rosé et aux joints autour de la piscine lorsque mon hôte et moi avons émergé de la chambre, et Stahl m'a présentée au mélange habituel d'hommes grisonnants et de femmes cupides, amalgame auquel j'étais habituée depuis mon premier périple méditerranéen. J'ai refusé l'herbe et le vin qu'on me proposait, mais me suis mêlée volontiers à la conversation sur les prévisions de voyage de chacun, jusqu'à ce qu'une main sur mon épaule m'interrompe en pleine discussion sur les avantages comparés de l'île de Pantelleria et de celle de Patmos.

— Hello, chérie, c'est Alvin.

Ce n'est pas le « chérie », utilisé à tout bout de champ, qui m'a dérangée, mais plutôt le fait qu'à la différence des autres hommes, Alvin avait à peu près mon âge, peut-être même un peu moins, et que derrière la gentillesse de son accent américain, j'ai perçu un ton lourd de sous-entendus qui m'a fait l'effet d'un filet d'eau froide dans le dos.

— Elisabeth Teerlinc. Salut. On s'est déjà vus ?

— Pas en personne.

— Comme c'est intrigant.

— On est amis sur Facebook.

— Ah, bien sûr.

Aucune trace de Judith Rashleigh sur les réseaux sociaux, mais Elisabeth Teerlinc, la talentueuse marchande d'art, s'assurait d'avoir une vie active en ligne. Une absence d'activité sur la Toile aurait semblé louche, alors tous les trois ou quatre jours je me forçais à passer une demi-heure à accepter des demandes d'amitié et à poster – aucune photo personnelle, le tout toujours en relation avec Gentileschi. Je ne faisais pas trop gaffe aux amis que j'acceptais, des refus auraient attiré l'attention. Alvin était tout dégingandé et roux, avec une bouche molle peu attirante ; je ne le reconnaissais pas, mais je comprenais pourquoi il n'avait peut-être pas mis de photo de lui sur son profil. Il avait le look légèrement miteux du camé plein aux as.

— Tu as une galerie à Venise, c'est ça ?

— Tout à fait, ai-je répondu avec un sourire prudent.

— Je viens de faire un an à Courtauld. Mon père travaille avec Tage.

— Quelle chance. Pour l'Institut Courtauld, je veux dire. Bien que ton père soit probablement quelqu'un de très bien.

Lorsqu'il m'a rendu mon sourire, j'ai remarqué que sa dentition, plantée de travers et couverte de tartre, n'était pas à la hauteur de ses origines.

— Ouais, c'est cool, mais les musées et tout, c'est pas trop mon truc en fait.

J'ai senti le moment où il allait me brancher sur cette application sur laquelle il travaillait, alors je me suis excusée pour aller remplir mon verre de thé glacé, mais l'ombre de son sourire carnassier m'a poursuivie tout au long de ce chaud après-midi.

Le bateau de Tage, un Razan 47 à coque en bronze d'aluminium, nous a ramenés à Ibiza, où nous devions nous mêler à une autre soirée dans une villa privée. Après la chaleur écrasante et épaisse de Venise, l'air d'Ibiza me semblait pur, et même si le chant des cigales se noyait dans les basses d'un morceau de Garrix tandis que les Jeep gravissaient la colline, la musique ne pouvait engloutir l'odeur de résine du maquis ni la brise parfumée au chèvrefeuille. Les femmes en talons compensés se tenaient d'un air ravi au bras de leur homme pour traverser la cour de gravier qui logeait à nouveau une foule de Jeep, ainsi qu'une énorme Bentley cabriolet et une Ferrari rouge.

Je m'agaçais moi-même en constatant que je m'étonnais encore de faire partie d'un tel tableau, ou tout du moins d'en faire partie sans tenir un plateau. Mais les habitudes ont la vie dure ; si vous n'êtes pas de tel ou tel sérail, il suffit d'un peu de préparation. Comme je l'avais fait à l'université, je m'étais renseignée sur ce qu'il fallait connaître d'Ibiza, alors quand j'ai reconnu la patte de Blackstad, un architecte imité dans les constructions les plus coûteuses de l'île, dans la rénovation du corps de ferme, j'ai pu complimenter notre hôte sur son goût sûr lorsque Tage a fait les présentations.

— Elisabeth. C'est elle qui m'a vendu les Xaoc que j'ai à Copenhague.

— Vous êtes galeriste ?

— Oh, en toute modestie. Je me lance à peine.

— Elle a un œil incroyable ! s'est emballé Tage en serrant ma main.

Notre hôte aussi était danois, mais rasoir et dégarni, avec une chevalière et une épouse américaine d'au moins vingt ans sa cadette.

— Vous faites un couple trop mignon en tout cas ! s'est-elle écriée à l'intention de Tage, qui n'a pas eu l'air mécontent du malentendu. Comment vous vous êtes rencontrés ?

— Il n'y a pas très longtemps, à Venise, ai-je répondu.

— Oh, j'adore Venise, qu'est-ce que c'est romantique, on va toujours au Danieli, vous connaissez le Danieli ? J'aime tellement l'Italie… On était en Sardaigne l'année dernière, où est-ce qu'on séjournait en Sardaigne, Sveyn ?

— Sur le bateau de Tage.

— Mais oui, que je suis bête. Non, je voulais dire en Toscane en fait ?

De crainte que cette conversation ne nous emmène jusqu'à la frontière autrichienne, je l'ai gentiment prise par le bras pour aller m'extasier sur les fleurs, une composition tressée de fleurs d'oranger et de figues noires au centre de la table.

— Quelle habileté ! Vous devez être épuisée.

En règle générale, plus le mari est riche, plus l'épouse est crevée. Je ne risquais pas grand-chose.

— Mon Dieu, si vous saviez, je bosse sur ce dîner depuis, genre, une semaine. J'ai dit à Sveyn : « Je te préviens, je ne lève plus le petit doigt après ça. » Impossible. Non, c'est un truc de fou.

La table était perpendiculaire à la piscine, dont l'extrémité jouxtait le bord de la falaise, entre deux gigantesques sculptures en bois flotté peint en blanc. Quatre serveurs en veste sombre apportaient des paquebots de sushis tandis qu'un autre allumait des braseros au bord de la terrasse. Deux autres servaient du champagne et du rosé, un autre encore faisait passer des petits roulés de jambon ibérique au gingembre mariné. Elle devait être claquée.

— J'aime que les choses soient simples, a-t-elle ajouté en gloussant, et c'est vrai qu'à Ibiza, tout le monde est décontracté, mais quand même…

— C'est toujours beaucoup de travail de faire de belles choses pour les autres, ai-je conclu avec sincérité.

— Ah, Elsie, vous avez tout compris à la vie ! Je suis dingue d'elle ! s'est-elle exclamée à l'intention de Tage, gentiment venu à mon secours.

Le dîner n'était pas placé, parce que c'est vrai, tout le monde était tellement décontracté ; j'étais assise entre Tage et une femme en robe Vita Kin à pompons. Elle a parlé à Tage un bon moment comme si je n'étais pas là, un tas de questions sur le Polo Club d'Ibiza, des mécènes par-ci, des mécènes par-là, qui elle avait vu à Cowdray… Nous étions sur la même longueur d'onde, dans le style si ce n'est dans les faits. Ce n'est que lorsque Tage a mis un morceau de thon ahi à la truffe blanche dans ma bouche en m'embrassant dans le cou qu'elle a compris, et sans l'ombre d'une hésitation a enchaîné en glissant sa main tatouée au henné dans la mienne, prenant une gorgée de rosé de l'autre, pour finir par me dire que toutes les canalisations de sa maison avaient été adaptées pour fournir de l'eau vivante.

— Pardon ?

— De l'eau en mouvement, de l'eau vivante. L'eau est censée être dynamique, et non stagnante comme elle l'est au robinet. C'est une machine qui déstructure les molécules de l'eau en l'agitant…

— Comme le, euh, grand collisionneur de hadrons ?

— Exactement. Et ça donne une eau bien plus hydratante, ça se sent aussi au goût des fruits et des légumes qu'on a irrigués avec cette eau, on ressent leur bonheur. C'est très mathématique, mais aussi très spirituel.

— Holistique, ai-je réussi à articuler en me mordant la joue.

— Oui. Ça s'installe très facilement dans une salle de bains, n'importe où. Les constructeurs sont en attente du feu vert du gouvernement américain, mais vous savez comment c'est, toute la paperasse… Attendez, j'ai une carte.

Elle s'est penchée sur son grand sac Gucci en python.

— Moi en tout cas, ça m'a changé la vie.

— Merci. Je ne manquerai pas, euh, de jeter un œil.

— Mais de rien, chérie.

À mesure que les invités quittaient la table, les serveurs allumaient de minuscules lanternes marocaines dans les arbres. Des brins de lavande séchée avaient été jetés dans les braseros, d'où s'élevaient des volutes parfumées dans l'air iodé.

— Alors, on nargue les pompiers, Sveyn ? a demandé à notre hôte un Anglais qui portait une chemise en lin bleu Vilebrequin dont un seul bouton était attaché.

— Oui, a dit Sveyn en riant jaune, c'est dix mille euros d'amende si quelqu'un te dénonce pour avoir fait un feu en extérieur. L'année dernière, la moitié de la colline à San Juan est partie en fumée. Personnellement, je trouve plus facile de leur donner les dix mille balles en avance.

Les deux hommes se sont esclaffés d'un air entendu.

Tage m'a conduite jusqu'à une banquette en teck drapée de délicats châles en ikat, un bras possessif autour de mes épaules, et m'a présentée à un architecte suédois qui avait remporté le marché pour le pavillon de la Serpentine Gallery l'année suivante, ainsi qu'à sa femme qui avait apparemment un poste impressionnant dans la recherche médicale à Stockholm. Je ne pense pas qu'elle donnait spécialement dans le concept d'eau vivante. Ils étaient intelligents, charmants, et manifestaient un intérêt pour Gentileschi qui allait au-delà de la simple politesse. Assise là avec Tage, les glaçons qui fondaient libérant de minuscules fleurs dans mon rosé, j'avais tout le loisir d'observer les murs chatoyants de la maison derrière lesquels résidait la promesse sombre du jardin, et de me réjouir à nouveau du bannissement de Judith Rashleigh. Spiritualité et eau vivante mises à part, j'avais atteint mon objectif, non ? Et le meilleur dans tout ça, c'est que je n'avais de comptes à rendre à personne. J'ai aperçu Alvin qui se berçait dans un hamac en compagnie de deux filles et levé mon verre dans sa direction. Même si l'estimation Yermolov me laissait un goût de déception, je me sentais optimiste, peut-être même heureuse.

Quelque temps plus tard, j'ai compris que c'était la dernière fois que je pouvais faire comme si tout allait bien finir.

5

LES CHOSES ONT COMMENCÉ À SE GÂTER au dîner du lendemain soir. Je m'étais réveillée seule dans ma chambre – je n'avais pas fait mettre mes affaires dans le boudoir balinais de Tage, car je ne partage mon lit que si c'est strictement nécessaire. J'avais fait un footing sur l'île, que j'avais fait suivre de quelques brasses dans la mer bleu cobalt, où de gros poissons gris tournoyaient autour de mes pieds, puis j'avais passé le reste de la journée avec une partie des invités au bord de la piscine. Tage avait organisé une sortie en bateau sur l'île voisine de Formentera, mais vu la chaleur qui s'abattait sur nous, j'ai préféré me retirer dans la fraîcheur de ma chambre, où j'ai lu et somnolé jusqu'à ce que vienne l'heure de me changer.

Les filles sont arrivées pour se pomponner vers neuf heures, et à en juger par les rires et les bruits de pas entre les salles de bains, elles devaient aussi s'envoyer un petit remontant. J'ai pris une longue douche et mis une robe toute simple Isabel Marant en georgette de soie noire, des sandales en cuir et des boucles d'oreilles anciennes dénichées à Murano, des losanges en verre marmoréen couleur feu sertis d'or. Une tenue tout à fait dans le ton bohème. Quand on s'est retrouvés pour un verre, j'ai découvert avec stupeur que Tage avait revêtu ce qu'on ne pouvait qu'appeler un caftan de fête et les domestiques apportaient des corbeilles de pain pita et des saladiers d'*albondigas* qui sentaient délicieusement bon. J'ai voulu faire passer un plat à la fille à côté de moi, qui n'était autre que Blanc d'Œuf, et elle m'a pincé la cuisse avec une familiarité qui m'a donné des envies de meurtre.

— Manger c'est tricher, Elisabeth ! Je te conseille plutôt ça.

Elle m'a proposé un minuscule bol en cloisonné plein de MDMA et a collé le bout de son petit doigt dans ma bouche pour m'encourager. J'ai ravalé mon exaspération plutôt que son auriculaire en marmonnant que j'avais besoin de protéines pour tenir, mais en posant les yeux sur la table en teck et sa nappe étroite cousue de médailles argentées, j'ai eu envie de pleurer d'ennui à l'idée de la soirée qui s'annonçait. Mais pourquoi faut-il que les gens qui peuvent se payer toutes les façons de s'éclater s'en tiennent aux plus limitées ? Je ne suis pas à proprement parler anti-drogue, je préfère simplement que les portes de ma perception restent fermées à double tour. Imperturbables, les domestiques continuaient à composer leur nature morte baroque, que les invités ignoraient avec la même impassibilité, préférant picorer allègrement les petites graines blanches. Tout ça allait très mal tourner, très vite, et je me demandais combien de temps il leur faudrait pour être tellement défoncés qu'ils ne remarqueraient pas le moment où je m'éclipserais pour aller au lit. J'ai attrapé un verre, allumé une cigarette et me suis dirigée vers le bord de la terrasse, où un ami de Stahl observait la mer avec la mélancolie de Sylvia Plath contemplant Lyonnesse.

— C'est presque la saison des fêtes de clôture, vous savez, a-t-il murmuré avec tristesse.

Je l'ai planté là et suis revenue à la table dans l'espoir de choper une boulette de viande, mais Blanc d'Œuf m'a interceptée et attirée vers elle d'un bras décharné couleur acajou. D'un coup, le *sound system* de Tage, digne d'une boîte de nuit, s'est mis en branle, et la musique était si forte que Blanc d'Œuf me bouffait presque les lobes avec ses dents à facettes pour m'expliquer, de son haleine pâteuse, pourquoi il fallait à tout prix que je comprenne Ibiza, c'était un endroit tellement créatif, et il fallait vraiment que je comprenne ça, « parce que pour les gens libres et créatifs comme nous, on ne trouve ça nulle part ailleurs ». Tandis que ses yeux s'approchaient des miens, je me suis demandé ce qui arriverait si je lui enfonçais mes pouces couverts de poudre blanche dans les orbites, mais notre petit tête-à-tête a été interrompu par Stahl, qui était passé de normal à perché en un temps record, et venait de sauter sur la balustrade pour se hisser sur un canoë retourné blanchi à la chaux, savamment décoré avec du bougainvillier violet. Il a chancelé en reprenant son souffle, puis saisi une des torches en bambou allumées qui chassaient l'obscurité le long des murs. Rougeaud, les pores dilatés, grinçant des dents, il était méconnaissable. L'homme posé et plutôt attirant que j'avais vu la veille s'était métamorphosé en Bête d'Ibiza. En prenant garde à l'ourlet brodé de sequins de son caftan, il a dirigé sa torche vers le rivage, où deux Jeep blanches remontaient du ponton auquel j'avais accosté en arrivant, conduites par des hommes en chemise blanche et Ray-Ban.

— Mesdames et messieurs, a gueulé Stahl, les fourgons de la baise !

La foule s'est déchaînée à l'approche des véhicules, les poings se levaient en rythme avec les coups de klaxon. Il y avait six ou sept filles en bikini dans chaque voiture, chacune remuant son cul autant qu'elle pouvait sans faire tomber les copines sur la route. Stahl s'est retourné vers son public, pile à ce moment le volume de la musique a baissé, et il s'est mis à faire comme s'il poussait une tête vers son entrejambe en donnant des coups de reins vers une bouche imaginaire.

— Mes amis, que la fête commence ! Alleeeeeeeez !

Il est descendu vers la piscine, on entendait la première cargaison de talons aiguilles gravir les marches. Je ne suis pas du genre à avoir des regrets, mais en lui emboîtant le pas, j'étais écœurée par mon manque de discernement. Mais qu'est-ce qui m'avait pris ? Heureusement qu'on avait mis une capote.

— Prête à faire la fête ?

Alvin était de retour, empoignant ma robe. J'ai tiré dessus, mais il serrait de toutes ses forces, et quand j'ai fait un pas en arrière, le tissu s'est tellement tendu que je ne pouvais aller plus loin sous peine de la déchirer.

— Je ne suis pas sûre d'être tout à fait prête pour Ibiza.

Il a lâché le tissu, et la robe est retombée contre mon corps.

— Ce n'est pas ce que j'ai entendu dire, Elisabeth.

— On a dû te raconter des conneries.

Je lui ai tourné le dos et me suis dirigée vers ma chambre, en prenant un pain pita que j'ai garni de quinoa à la grenade au passage. La chambre donnait sur les collines à l'arrière de la maison, qui, par chance, absorbaient un peu la musique assourdissante. Je me suis allumé une clope et j'ai ouvert mon téléphone pro. Alvin était bien là, avec le *David* de Michel-Ange comme photo de profil. On était « amis » depuis une semaine. Je n'avais jamais pris la peine de jeter un coup d'œil à son mur, mais je passais à présent en revue ses publications et ses photos. Alvin au White Cube à Londres, Alvin en descente en train d'engloutir un kebab à Dalston, Alvin tout gringalet en caleçon de bain à côté d'une version féminine de lui-même bien plus présentable, sur une plage des Hamptons, avec la légende : `Félicitations, grande sœur ☺ !!!` Grande Sœur montrait sa bague de fiançailles, à côté de son supposé fiancé, qui, à en croire son teint blême et sa chemise rose froissée ouverte sur son short, devait être anglais. Et à côté du fiancé, dans un déhanché savant face caméra, ses cheveux blonds flirtant avec les bretelles de son bikini, nulle autre qu'Angelica Belvoir. J'avais immédiatement pressenti qu'Alvin serait synonyme de mauvaises nouvelles, mais pourquoi alors avais-je ignoré mon instinct qui me criait que tout ce voyage était clairement la pire des idées ? Quand allais-je finir par comprendre que me fondre dans la foule n'était vraiment pas mon fort ? J'ai jeté mon mégot par la fenêtre et me suis rallumé une cigarette.

Angelica Belvoir. Merde. La moins-que-rien à qui on avait filé mon job quand j'avais été virée de la maison de vente aux enchères à Londres. À l'époque où j'avais découvert que mon chef trempait dans une magouille de faux tableau et que j'avais bêtement fourré mon nez là-dedans. Avant… tout le reste.

Avant de découvrir que tout ce qu'on m'avait appris à croire sur le mérite, le talent et le dur labeur n'était qu'un tas de conneries inutiles. Avant de me faire la complice d'un système que je méprisais. Avant de décoller de Londres pour la Côte d'Azur, avant le sang et les cadavres, avant de suivre un régime strict à base de rancune et de rage. Avant James et Cameron, avant Leanne et Julien, avant Renaud. J'étais parvenue si loin maintenant, je pensais qu'Elisabeth Teerlinc en avait fini avec tout ça, mais ça continuait à me poursuivre, aussi implacablement que cette odeur de lys dans une chambre silencieuse, avec des bras cherchant à m'attraper, à me faire tomber, jusqu'à ce que les vagues du passé engloutissent inévitablement ma bouche à court d'air.

Je me suis secouée. Ce n'était vraiment pas le moment de donner dans la nostalgie. Était-ce à cause d'Angelica qu'Alvin m'avait demandée en amie ? Est-ce qu'elle m'avait identifiée ? J'ai fouillé dans les amis d'Alvin, mais impossible à dire, nos amis communs n'incluaient que cinq personnes du monde de l'art que je n'avais jamais rencontrées, sans compter Tage Stahl. Il fallait en tout cas que je me tire de cette île à la con et que je mette un ou deux pays entre Alvin et moi le plus vite possible. Hors de question qu'on me voie sur ses super photos d'Ibiza si jamais Angelica y jetait un œil. Je m'étais laissée aller, et ça commençait à foirer sérieusement. Voilà où ça mène, le bonheur.

J'ai tourné en rond dans la chambre, sentant sous mes pieds les vibrations de la fête, avec l'impression soudaine d'être en cage, à bout de souffle. « Calme-toi, Judith. Ce n'est rien. » Alvin constituait-il un véritable danger ? D'accord, il avait l'air un peu louche, mais il me semblait surtout du genre lubrique et pas spécialement futé. Presque à coup sûr inoffensif, et pourtant il avait provoqué une sensation que je n'avais pas éprouvée depuis longtemps, et que j'espérais ne plus jamais connaître : l'accès de peur panique qui soudain vous étouffe. Irationnel. Mais je ne devais rien laisser voir. Elisabeth Teerlinc n'avait rien à cacher, même si Judith Rashleigh avait des squelettes dans son placard. J'allais prendre sur moi pour retourner à la fête, garder mes distances et je partirais à l'aube. Rien d'insurmontable.

De retour sur la terrasse, j'ai vu que la soirée de Stahl était passée de ringarde à grotesque. Autour de la piscine, les lits circulaires étaient couverts de corps qui s'agitaient par saccades, chaque homme entouré de deux ou trois femmes lascives. Les putes dirigeaient les opérations avec autant de conviction et d'enthousiasme que des ambianceuses dans une bar-mitsvah de Jérôme Bosch, balançant leurs bras en l'air en rythme avec la musique avant de replonger dans la mêlée pour insérer une langue ou un doigt dans un corps en attente. Les invitées de Stahl, quant à elles, se livraient à une chorégraphie plus complexe ; leur visage crispé par les substances chimiques cherchaient à la fois à dire « Je suis open » mais « un cran au-dessus des putes ». Stahl a émergé d'un enchevêtrement pour me passer un bras autour de la taille.

— Tu t'amuses, chérie ?

— Pas franchement, non.

— Attends de voir ça.

Les domestiques continuaient à évoluer parmi nous, changeaient les cendriers, remplissaient les verres de champagne. Comme on devait leur faire pitié. Stahl a tapé dans ses mains, et à nouveau le volume de la musique a baissé.

— Oh, les mecs, les filles ! On arrête de baiser comme des dingues quelques minutes !

Les femmes ont cessé leur activité avec un empressement suspect, vautrées sur les lits comme un banc de sardines bronzées. Stahl fouillait dans la poche de son caftan.

— Tout d'abord, un énorme merci à ces jolies demoiselles qui sont venues nous distraire ce soir ! Et maintenant, le défi que vous attendez tous…

Bon sang, qu'est-ce qui lui prenait, encore ? Il brandissait une liasse de billets roses.

— Dix mille euros, eh oui, dix mille balles en liquide pour la fille qui nous fera le meilleur mime. Alors, quel thème ?

Quelques personnes lancèrent des idées : célébrités, personnages historiques. C'était quoi, ce bordel ? Un jeu de mime porno ? Un homme a gueulé un truc en norvégien ou en suédois et Stahl a mis sa main en coupe à son oreille.

— Qu'est-ce que tu dis ? D'accord, va pour les animaux de la ferme ! Venez par là, les filles.

Les putes se sont rassemblées autour de lui, occupées à arranger leurs cheveux et ce qui restait de leurs bikinis. De plus près, je devais admettre que Stahl ne faisait pas les choses à moitié. Chacune d'elles avait un physique de mannequin lingerie. Et sous les couches de maquillage, elles avaient un visage d'une beauté remarquable. Distraitement, je me suis demandé où il les avait louées. Mais il se lançait dans les explications :

— Bien, bien. Tout le monde est confortablement installé ? Trouvez-vous un verre, faites-vous une ligne. Là-bas, on ferme la bouche, et on range sa bite dans son pantalon. Notre première candidate – comment tu t'appelles, chérie ?… Bien, Stefania va nous faire… le cochon !

Dix mille euros, le prix d'un feu de forêt. Incrédule, j'ai observé la fille se mettre à quatre pattes tandis que le silence se faisait, retrousser son nez et se mettre à grogner.

— Oh, un effort, mon chou, tu peux faire mieux que ça !

Je suppose que Stefania se concentrait sur le fric, et qu'elle avait fait pire que ça pour de l'argent, mais à la voir avancer son groin pour l'enfouir entre les jambes d'un mec comme si elle cherchait une truffe, j'ai eu envie de vomir. Les invités, eux, poussaient des cris d'encouragement. L'une après l'autre, les filles ont incarné une vache, un mouton, une chèvre, un poulet, ça bêlait et ça caquetait, ça battait de l'aile entre les genoux des spectateurs. Insoutenable. Je tenais mon excuse pour partir sur-le-champ. J'ai enjambé une fille qui brayait comme un âne pendant qu'un type faisait semblant de la baiser par-derrière, et j'ai attiré Stahl à l'écart.

— Je m'en vais. Est-ce que tu peux demander à ce qu'on me prépare le bateau au ponton ? Je porterai moi-même mes affaires.

— Elisabeth ? Qu'est-ce qui t'arrive ? C'est pas ton truc ? Allez, sois pas bégueule, détends-toi.

— Je ne suis pas bégueule, je suis horrifiée. Donc je m'en vais. Bonne soirée.

Il m'a retrouvée sur le seuil de ma chambre. Il ne me faudrait que quelques minutes pour rassembler toutes mes affaires.

— Oh, chérie, je croyais qu'on était bien partis tous les deux. On a passé un super moment hier, non ? Tu ne peux pas t'en aller comme ça.

— Et pourtant.

Il a essayé de me lancer un petit regard lubrique, mais la MDMA lui plaquait un sourire bête sur la tronche : un très vilain mélange. Il était convaincu que ce qu'il avait créé là-dehors était du plaisir pur, et ça me consternait.

— Je n'aime pas les filles ingrates.

— Je me fous éperdument de ce que tu aimes ou non. Dis à ton skipper de préparer le bateau, avant que j'appelle les flics pour leur dire que tu as assez de poudre dans ton pathétique petit paradis pour leur payer une retraite anticipée sur les cinq prochaines années.

Il ne comprenait plus.

— Mais, chérie… Alvin m'a dit que…

Qu'est-ce qu'Alvin avait bien pu lui dire ? Auprès de qui d'autre ce crétin s'était-il répandu à mon sujet ? Ce que je voulais par-dessus tout, c'était coller à Tage une baffe si puissante qu'il ne pourrait parler à Alvin ni à personne d'autre pendant une semaine, mais il fallait vraiment que je sorte. Sans céder à la pression qui menaçait de faire trembler ma voix, je lui ai répondu du bout des lèvres :

— Je ne connais pas Alvin. Fais préparer le bateau. Merci de ton accueil.

Ma valise était sur le lit. J'ai tendu un bras pour contourner Stahl et tirer la fermeture Éclair, mais il m'a saisie par les épaules et jetée face contre le lit, de sorte que ma tête était coincée entre la valise et mon sac à main Bottega Veneta en cuir couleur mastic. Avec un petit rire, il a commencé à me lécher l'oreille.

— Détends-toi, bébé, allez. Laisse-toi porter, quoi.

J'ai fermé les yeux et laissé mes muscles se détendre. Il l'a senti, a enfoui son visage dans mes cheveux et glissé une main entre mes jambes.

— Voilà, mon chou, comme ça, oui.

Je ne pouvais pas trop lui en vouloir. Après tout, j'avais été plus que consentante la veille. Mais malgré les beats de « Knights of the Jaguar » en dessous de nous, j'entendais des hennissements et des grognements frénétiques. Stahl nous remontait nos robes à tous les deux, j'ai laissé mes cuisses s'ouvrir tout en fouillant dans mon sac en quête de ma brosse à cheveux. Encouragé, Stahl a plaqué ses genoux derrière les miens et s'est mis à bouchonner le tissu brodé de sequins. J'ai inspiré un grand coup, contracté tous mes muscles et l'ai frappé au périnée de toutes mes forces avec la Mason Pearson. Rien de tel que les soies de sanglier. Il a laissé échapper un petit cri de surprise, le souffle coupé, et s'est plié en deux, avant de tomber à terre, entre gémissements et ricanements. Je n'ai pas pris la peine de l'embrasser pour lui dire au revoir.

Deux heures plus tard, j'étais dans un bar, sur le port d'Eivissa auréolé de la blancheur de la vieille ville fortifiée, en train de descendre mon troisième verre, bagages à mes pieds. Il n'était que dans les deux heures du matin, donc encore tôt pour Ibiza. Un groupe de filles déguisées en fourmis distribuait des flyers pour une boîte de nuit, suivi d'un escadron d'esclaves SM reliés par un réseau complexe de laisses et de harnais en latex. L'un d'eux, un très beau Black à la peau saharienne bleutée et aux cheveux blancs comme le givre, a soufflé un baiser dans ma direction. J'avais troqué ma robe contre une panoplie jean-chemisier-boots sur le bateau de Stahl. Un peu paumé, le capitaine s'était laissé convaincre, à l'aide d'un billet rose, de mon besoin urgent de regagner la ville. J'espérais que Stefania avait remporté le prix.

J'envisageais un quatrième verre avant d'aller me trouver un hôtel pour la nuit lorsqu'un groupe de gamins a envahi la table à côté de la mienne. Des gamins, vraiment. Mèches rebelles, tatouages, muscles fabriqués en salle de sport, bronzage ambré. Je me suis redressée, ce qui a pris plus longtemps que je ne l'aurais cru. Ils me reluquaient, et j'étais soudain très contente d'en faire autant. Quand la serveuse à dreadlocks est arrivée, ils ont commandé des bières poliment, malgré le fait que son micro-short couvrait à peine la moitié de son cul. J'ai apprécié.

— Demandez à la dame ce qu'elle veut boire.

— Merci. Je prendrai un bourbon. C'est gentil.

Ça aussi, j'ai apprécié. Ils ont écarté leurs chaises pour m'admettre dans leur groupe et on a trinqué.

— Comment tu t'appelles ?

— Liz.

— OK, Liz. À la tienne.

— C'est votre première fois à Ibiza ?

J'y étais moi-même depuis trente-six petites heures, mais je me la jouais habituée.

— Ouais. On était en Grèce l'an dernier, mais c'était tout naze. Trop de gamins, partout.

Ils étaient de Newcastle, ce qui m'a incitée à leur dire que j'étais du Nord moi aussi, un fait que je n'avais pas divulgué en public depuis des années. On a bavardé, j'ai payé la tournée suivante, ils ont fait tourner un joint, puis l'un d'eux m'a entraînée à l'écart, le long du quai, me tenant par la main, pendant que ses potes lui souriaient, et on s'est retrouvés dans un taxi, à s'embrasser. Sa bouche était douce, sucrée, propre. Leur appartement de Platja d'En Bossa, sur les hauteurs de la ville, sentait le tabac et la sueur. Il a mis la main sur une bouteille de vin liquoreux à moitié vide et on a bu au goulot en continuant à s'embrasser pendant qu'il m'ôtait mes vêtements puis s'occupait des siens. Un serpent carmin s'enroulait autour de son avant-bras et déployait ses crocs en travers de son épaule lisse. On est tombés sur son lit défait, où j'ai fait mine de me prélasser, bras étirés au-dessus de ma tête. Il s'est penché en travers de mon corps, a attiré mes poignets à lui et sa bouche a trouvé mon sexe. Je lui ai dit d'y aller avec le plat de la langue, doucement, et il m'a lustrée avec tant d'assiduité que j'ai bien failli jouir, mais je l'ai désarçonné pour me redresser.

— J'ai envie de te regarder.

Il s'est relevé et s'est passé une main dans les cheveux, les yeux baissés, timide. Sous la tête du serpent, des dés bleus et noirs se déversaient sur sa poitrine, sa taille était belle, tonique, étroite, les muscles au-dessus de ses hanches dessinés, comme sculptés.

— Tu ressembles à un kouros.

— Comment ?

— Peu importe. Tu as quel âge ?

— Dix-neuf.

— Tourne-toi. Lève les bras, croise les mains sur ta nuque. Oui, comme ça.

J'ai avancé vers lui à quatre pattes sur le drap pas très net et fait courir mes mains sur l'arête fragile de ses omoplates. Les creux jumeaux de sa chute de reins étaient couverts de duvet blond. J'ai baissé la tête et léché ses fesses avec ardeur, le bout de ma langue s'immisçant de plus en plus profondément dans ses effluves terreux, jusqu'à ce qu'un souffle lui échappe et que, légèrement penché, il s'ouvre doucement pour que je lape pleinement son anus. Il avait une constellation de petits boutons rouges irrités sous les fesses, ce qui ne me l'a rendu que plus attachant. Je l'ai léché jusqu'à ce que ses testicules luisent de salive, puis me suis rallongée pour m'offrir à son regard, ouvrant mon sexe avec deux doigts.

— Viens.

— Tu en as envie ?

— Oui. Très envie.

Il s'est glissé en moi, et je ne sais pas si c'est à cause du joint ou alors de la très agréable simplicité des choses, mais on a ri tous les deux. Je l'ai fait rester immobile un instant, attentive au sang qui battait dans tout son corps, puis j'ai enroulé mes cuisses autour de son dos, son poids sur moi, et lentement mes hanches ont décrit des cercles contre lui, un, deux, trois, jusqu'à ce qu'il gémisse et que j'aie peur de le perdre, mais il m'a retournée d'un coup et m'a saisie par les chevilles pour me pénétrer d'un même élan de toute sa longueur, puis il a recommencé, encore, et alors, affolée par ses coups de boutoir je lui ai dit d'aller plus vite, et j'ai senti mon orgasme poindre au creux de mon sexe, et il me serrait tellement fort qu'il n'y avait plus que le va-et-vient de sa queue, et j'ai joui, sans simuler comme je l'avais fait avec Stahl, la tête à la renverse, l'exhortant à jouir aussi.

— Où tu veux que je jouisse ?

— Sur mes seins. Maintenant.

Le premier jet a atterri entre mes côtes, puis j'ai senti sa chaleur goutter sur mes mamelons. J'y ai passé mes doigts, en ai léché un, en ai glissé un autre jusque sur mon clitoris pour me caresser.

— Hmm.

— On dirait que ta chatte était faite pour ma queue.

— Redis-moi ça quand tu me baiseras encore.

Ce qu'il a fait.

6

VENISE EST UNE VILLE DE PLAISIRS RAFFINÉS, mais les amants adolescents n'avaient pas fait partie de mon paysage depuis mon emménagement. De retour au Campo Santa Margherita, le souvenir de mon jeune étalon anonyme avait presque effacé le mépris que j'éprouvais pour Stahl et moi-même. Presque. Toute cette histoire n'avait eu aucun sens, et l'impression de perdre pied avait été renforcée par le fastidieux voyage du retour, qui avait nécessité un ferry jusqu'à Barcelone, un autre jusqu'à Gênes, puis un train pour traverser le haut de la Botte. Le problème, c'est que la sécurité des aéroports me donnait encore des frissons. Après Rome, où j'avais laissé le cadavre d'un marchand d'art du nom de Cameron Fitzpatrick dans le Tibre, et d'où j'étais repartie avec un faux tableau que je lui avais volé, je n'avais plus effectué de vol commercial. Depuis mon retour d'Ibiza, j'étais d'humeur irritable, et même si je me consacrais à ma nouvelle expo, mon échec avec Yermolov me rongeait encore. L'artiste danoise, Liv Olssen, avait accepté de me vendre dix de ses *Paquets improbables*, et j'étais en quête d'œuvres qui viendraient contraster – ou « dialoguer » –

avec eux. Il est nécessaire de saisir les subtilités du langage dans ce métier, mais en ce moment le jargon du milieu m'agaçait. Aucun de mes petits rituels habituels ne m'apaisait. J'étais à cran, agitée, alors que je revenais à peine de week-end. J'allais sur Facebook plus souvent, craignant à moitié un message d'Angelica Belvoir, mais déçue de voir défiler les mêmes platitudes dans mon fil d'actualité. J'étais tentée d'entrer en contact avec elle, sous le nom d'Elisabeth, mais il fallait que je mesure mon besoin d'informations à l'aune du danger encouru à trop attirer l'attention sur moi. Malgré la frustration, je n'avais pas le choix : je devais laisser les choses reposer.

J'étais habituée à envisager le temps comme une succession de courtes périodes à vivre l'une après l'autre, mais malgré mes joggings et mon travail de plus en plus assidu, j'étais impatiente. Je ne savais pas ce que j'attendais. La seule chose qui me redonnait un peu le moral était la compagnie de Masha. Je me fichais que ses souvenirs soient fabriqués. Elle s'était inventée de toutes pièces, comme moi, et si elle désirait un monde plus excitant que sa réalité étriquée, qui pouvait lui jeter la pierre ? Moi en tout cas, je connaissais ce sentiment. J'adorais ses histoires, son corps noir élégant dans son fauteuil trop grand, les volutes de fumée qui s'élevaient autour de son chignon bouffant. Je n'avais jamais connu mes grands-parents, mais j'aurais peut-être aimé avoir une grand-mère comme Masha.

Après mon combat hebdomadaire contre les substantifs russes et leurs impossibles désinences, nous avons bavardé en fumant. Masha, évidemment, aimait les Sobranie à filtre doré, je lui en prenais en général un paquet en chemin. J'ai attendu qu'elle soit installée dans son fauteuil avec son thé noir sans lait pour lui demander si elle avait déjà entendu parler de Pavel Yermolov.

— Un homme dégoûtant.

On aurait pu parler en italien, mais Masha aimait entretenir son anglais, qui était très compréhensible, quoique original. Elle prétendait l'avoir appris auprès d'un amant célèbre dans les années 1950 – parfois un compositeur anglais, parfois un écrivain américain. Une fois, Stanley Kubrick, mais elle avait dû ensuite se rappeler qu'il parlait russe.

— Pourquoi ça ?

— Il a fait des choses terribles à mon pays. Lui et ses brigands.

— Qu'est-ce qu'il a fait ?

— Je sais qu'il tue des gens.

— *Pravda, chto li ?* Est-ce que c'est vrai ?

— À Moscou, il y a des années, Yermolov voulait construire nouveau immeuble. Tous les locataires de l'ancien immeuble, il les tue. Un puis l'autre. Tous les jours, un. Alors les gens ont si peur qu'ils donnent leur maison, pour rien du tout.

— Il m'a proposé un travail, ai-je dit pensivement. J'ai refusé.

— Une chose que j'entends avec plaisir. Des violeurs, tous.

Je n'ai pas trop prêté attention aux accusations de Masha, en particulier parce qu'elle n'avait jamais mis les pieds à Moscou. Cette histoire était le genre de rumeur sinistre qui gravitait autour de chaque Russe fortuné. J'ai essayé de la ramener à notre discussion, mais trop tard, elle était partie dans la longue liste de torts qu'avait subis son peuple bien-aimé. Mais j'ai écouté avec plaisir sa version toute personnelle de l'histoire européenne, ponctuée à l'occasion d'un moment fort de son propre passé. Bien que l'apogée de sa carrière ne l'ait pas menée plus loin que le chœur de la

Fenice, sa voix, ravagée par le temps et la nicotine (elle s'était allègrement mise à fumer après avoir abandonné la scène), semblait encore merveilleuse à mes oreilles.

Ce soir-là, en rentrant chez moi dans la chaleur résiduelle du soir, les paroles de Masha me sont revenues. Elle avait parlé de « violeurs » et de « brigands ». Des mots forts. Le calme presque surnaturel de Yermolov lorsqu'il s'était adressé à l'intruse, le souvenir de ses mains arachnéennes... Je voulais bien croire qu'il n'hésiterait pas à effacer quiconque se mettrait en travers de son chemin. C'était peut-être pour ça que je l'avais trouvé fascinant, et que je m'en voulais encore de ne pas avoir réussi à l'impressionner. Mon téléphone personnel a vibré dans mon sac et interrompu le fil de mes conjectures. Steve, qui m'avait remise en selle de bien des façons – dont il ignorait tout à ce jour. Après cette malheureuse histoire avec James à l'hôtel du Cap, j'avais profité de notre rencontre pour échapper à mon destin et prendre la mer avec lui à bord de son yacht. En échange de renseignements que j'avais volés pour lui dans le bureau de Mikhail Balensky, Steve m'avait aidée à ouvrir un compte en Suisse avec le liquide que j'avais pris dans le portefeuille de ce pauvre vieux James. Seulement dix mille euros, mais ça m'avait paru une fortune à l'époque. Et ce compte s'était avéré d'une grande utilité – c'était là que j'avais déposé l'argent de la vente du faux Stubbs qui m'avait coûté mon boulot à Londres, après quoi je m'étais lancée comme marchande d'art. J'achetais encore pour lui de temps en temps, et je pensais qu'il allait me demander si j'avais quelque chose de contemporain à lui proposer, mais son message sur WhatsApp disait : `Je viens d'avoir des entrées pour Burning Man ! Trop cool ! Carlotta m'a demandé de t'inviter à son mariage.`

D'après ce que m'indiquaient ses messages intermittents, Steve le trader milliardaire avait récemment compris qu'il était temps de donner en retour. Ou du moins avait-il enfin pigé les avantages fiscaux de la philanthropie. Quoi qu'il en soit, le mariage de Carlotta était une sacrée nouvelle. Quand je l'avais rencontrée sur le bateau de Steve, elle et ses spectaculaires implants mammaires, elle était fiancée à un Allemand maussade du nom de Hermann. Était-ce lui l'heureux futur marié ? J'ai répondu : `Génial ! Où et quand ?` Il a réagi dans l'instant, ce qui m'étonna, car avec lui une même conversation par textos pouvait s'étaler sur des semaines : `Monaco. Samedi. Dîner vendredi soir.` Le lendemain soir, donc. C'était du Steve tout craché : partir du principe que tout le monde, comme lui, pouvait cavaler entre deux pays au pied levé.

Comme s'il faisait écho à mes pensées, mon téléphone pro a grogné. Putain de Facebook. Putain d'Alvin.

`Salut, Elisabeth. Alors, où es-tu passée ? Tu as raté une fête complètement dingue !!! Je passerai te voir à ta galerie un de ces quatre. Ciao.`

Pourquoi on ne portait pas des bracelets de surveillance électronique à la cheville comme les détenus américains, histoire d'en finir ? Pensée du soir. Visage contre le kilim qui m'avait suivie depuis Paris, j'ai cogné ma tête contre la laine deux ou trois fois. Bon, ça ne tombait pas si mal, finalement. Ce serait pénible de prendre à nouveau le train, cette fois pour Nice via Milan, mais j'aurais du temps pour lire, et si Alvin devait passer, j'aimais autant ne pas être là. J'ai renvoyé un message à Steve pour avoir les détails du mariage, fait un tour sur le site de Trenitalia et pris mes billets pour la Côte d'Azur.

Le dîner de répétition de Carlotta devait avoir lieu dans le restaurant de Joël Robuchon à l'hôtel Métropole. Puisque j'avais refusé les cent mille euros de Yermolov, l'économie était de rigueur, alors j'avais pris une chambre dans un endroit tout simple de l'autre côté de la frontière, à Cap-d'Ail, mais le chauffeur de taxi qui m'y a emmenée depuis la gare de Nice m'a prévenue qu'il valait mieux que je prenne le bus si je comptais me rendre à Monaco, car une taxe étrange dissuadait les taxis d'entrer dans la principauté entre dix-huit et vingt heures. Le *dress code* de Carlotta était « Côte d'Azur chic », quel que soit ce qu'elle entende par là, et j'ai trouvé un peu bizarre de faire le pied de grue à un arrêt de bus miteux en robe du soir Erdem brodée de fleurs. Cela dit, le voyage en valait la chandelle. Quand le bus blanc a fini par arriver, aucune des passagères ne s'est attardée sur ma tenue, sûrement parce que leur accoutrement à elles leur donnait l'air d'aller à un enterrement de vie de jeune fille géant dans un centre commercial. Les sacs à main Saint Laurent monogrammés se pressaient contre les pochettes Chanel matelassées, la corseterie Alaïa à rubans arc-en-ciel concurrençait les fermetures à glissière Balmain dorées, et aucun talon n'était en dessous de dix centimètres. Ce n'est qu'en tendant l'oreille pour entendre ce qui se disait derrière moi – une femme plus âgée accaparée par son iPhone et, de toute évidence, sa fille, à la beauté frappante – que j'ai compris que toutes ces femmes étaient des prostituées. De deuxième ordre, manifestement, puisqu'elles ne logeaient pas dans le paradis fiscal le plus triste d'Europe, toutes en route pour leur boulot de nuit. La mère assise derrière moi était clairement la souteneuse de sa fille et lui détaillait sans gêne le programme de la soirée, pendant que cette dernière regardait placidement par la vitre, sous sa cape de cheveux raides blond platine. Alors que le bus enchaînait les virages de la corniche, j'ai fermé les yeux et écouté le brouhaha de cette volière exotique. J'aurais pu être à Londres, au Gstaad Club, aux prises avec ces mêmes négociations entre la beauté et l'argent qui avait été le fil conducteur de mes nuits. La différence ? Ces nanas étaient de vraies professionnelles. De l'autre côté de l'allée, deux autres blondes comparaient les mérites de diverses pilules contraceptives capables de stopper les règles – « Le problème avec les Saoudiens, c'est que si tu saignes, tu dégages » – tandis qu'une pulpeuse petite brune roucoulait avec son mac au téléphone et levait les yeux au ciel en faisant semblant de vomir à l'intention de sa copine pliée de rire.

« Ça pourrait être moi, me disais-je. Je pourrais être là, parmi elles. » Pendant des années, je m'étais formée pour devenir une professionnelle de la beauté, mais pas dans le même sens, et j'avais cru qu'à force de talent, d'énergie et d'intelligence, je ferais une vraie carrière dans le monde de l'art. Puis j'avais découvert que ça ne suffisait pas, que la seule chose qui comptait aux yeux de mon chef, Rupert, c'était mon corps. Alors je m'en étais servie, j'avais joué le jeu, selon les règles du monde dans lequel j'évoluais. Mais les choses auraient très bien pu se passer différemment pour moi, je ne l'oubliais pas.

Les couloirs moquettés et les visages inconnus dans des suites anonymes, la passe et la liasse de billets, le retour à petits pas chez soi dans l'aube impitoyable. J'ai senti mon portefeuille à travers le cuir souple de mon sac, la promesse des billets de cinquante bien rangés, des cartes de crédit, des clés de mon bel appartement vénitien, mais pour la première fois ces talismans n'ont pas eu sur moi leur effet rassurant habituel. Je n'étais pas reconnaissante de ne pas faire partie de ce monde-là ; je me sentais à l'écart, la mousseline de soie de ma robe m'enveloppant comme un linceul. La gaieté, la résignation de ces filles ne faisaient qu'exposer mon sentiment de solitude.

« À bas la nostalgie, ressaisis-toi, Judith. »

J'avais des amis, non ? Plusieurs, même. J'allais retrouver Carlotta et Steve, et je n'avais jamais vu Monaco. J'ai laissé cette impression me quitter avec les travailleuses trébuchantes qui descendaient du bus, et j'ai gravi le promontoire en direction du Métropole, esquivant au passage une Ferrari, un cabriolet Bentley d'un orange lumineux et quelque chose qui aurait bien pu être Johnny Hallyday, avant d'atteindre l'entrée du hall en contrebas. Carlotta accueillait ses invités à la porte de la salle de réception privée du restaurant en tunique Pucci, fendue des deux côtés pour la bonne mesure. L'énorme caillasse que je me rappelais lui avoir vue à la main gauche avait été remplacée par un assortiment encore plus gigantesque de diamants jaunes. Et à regarder de plus près le personnage chauve à lunettes qui lui tenait la main d'un air perplexe, je me suis dit qu'Hermann aussi avait été remplacé, peut-être bien par son grand-père. Carlotta a cligné plusieurs fois des yeux en me voyant, avant de tomber dans mes bras, comme une sœur perdue de vue depuis des lustres. J'ai profité de nos effusions et de ses petits cris aigus pour lui demander en chuchotant qui était l'heureux élu.

— Franz, a-t-elle murmuré. Il est suisse.

— Qu'est devenu H ?

— Oh, il est en prison ! a-t-elle lâché joyeusement, mais déjà elle saluait quelqu'un d'autre par-dessus mon épaule.

J'ai donné mon cadeau, un ensemble très délicat de serviettes en dentelle vénitienne, qu'on a posé sans ménagement sur une table de présentation, parmi tout un tas de sacs estampillés de grandes marques. Quoi que lui réserve la vie conjugale, Carlotta ne serait jamais à court de cendriers Hermès.

J'ai aperçu Steve entre les pétales lustrés d'une orchidée d'un vieux rose déprimant, comme toujours penché sur son téléphone. Sa métamorphose, de requin de la finance en militant New Age, se signalait par un pantalon en toile multipoches et un lien de cuir noué au poignet. À part ça, il n'avait pas beaucoup changé, il restait le garçon propre sur lui et maladroit de mon souvenir. J'ai contourné une colonne enserrée de lierre pour entrer dans son champ de vision.

— Salut, beauté.

Sur le *Mandarin*, Steve m'avait connue sous le nom de Lauren, mon deuxième prénom, que j'avais utilisé comme pseudo au Gstaad Club, puis en plein d'autres occasions. J'avais été obligée de lui dire que j'étais devenue Elisabeth pour des raisons professionnelles, question de cachet. Mais bien que nous ayons dormi côte à côte sur son bateau tout un été deux années auparavant, je doutais qu'il se rappelle la version originale.

— Comment va la vie ?

— Une vie de dingue. Je reviens d'une retraite chamanique au Pérou. Ayahuasca et tout. C'était génial.

Toujours un train de retard, Steve.

— Tu veux voir une vidéo ?

— Non, merci – surtout qu'on est sur le point de dîner.

Comme je ne trouvais rien de drôle à dire sur les vomissements hallucinatoires, je lui ai demandé des nouvelles de son œuvre de charité. La dernière fois qu'on s'était vus, à la biennale d'Istanbul, Steve m'avait parlé de la fondation qu'il avait créée dans le but de sortir trois millions de personnes de l'extrême pauvreté en trois ans. Je me demandais s'il avait inventé un algorithme pour le comptage.

— Ça va super ! On a équipé une centaine de milliers de petits Somaliens en tablettes ! a-t-il répondu avec fierté.

Ils auraient peut-être préféré un déjeuner, mais j'ai gardé la réflexion pour moi ; il n'aurait pas compris. J'ai pris un cocktail exubérant au passage d'un serveur, au moment où une autre femme tendait elle aussi la main vers le plateau.

— Désolée, après vous.

— Non, je vous en prie, après vous.

Le nez caché derrière des spirales sculptées dans de la pastèque, je me suis présentée :

— Je m'appelle Elisabeth, je suis une, euh, amie de longue date de Carlotta.

— Je crois vous avoir déjà rencontrée.

— Je suis désolée, mais je ne crois pas.

— Excusez-moi, c'est ma faute. Je m'appelle Elena.

— Vous êtes du côté du marié ou de la mariée, Elena ?

— Je connais Franz de Saint-Moritz. Mon mari et moi y avons une maison.

— Comme c'est charmant.

Elena avait bien vingt ans d'écart avec le millésime de Franz, et elle avait dû être belle à une époque, mais son visage était une composition de Botox et de combleur, une œuvre que l'on aurait pu intituler « Les angoisses de l'épouse décorative ». Ses lèvres, gonflées bien au-delà de leur limite naturelle, menaçaient de tomber de son visage comme les coussins d'un canapé, et ses pommettes d'origine avaient disparu sous deux pommes en plastique rebondies qui, en compressant ses yeux, en avaient fait deux petites amandes vertes. De loin, on pouvait lui donner trente ans ; de près elle était sans âge, comme une gargouille. Le genre de visage auquel je m'étais habituée à Venise, une expression d'étonnement permanent au-dessus d'un col en zibeline ou d'un foulard Fortuny, le plus choquant étant qu'on croisait désormais ces femmes volontairement défigurées à tous les coins de rue.

La dernière fois que j'avais vu Carlotta, c'était une fille parmi toutes celles de la Côte d'Azur, juste un cran au-dessus des prostituées du bus, se cramponnant à un avenir qu'elle sécurisait un ongle verni à la fois. Ses perspectives s'amélioraient puisqu'elle accédait à la respectabilité maritale, mais je doutais qu'elle soit la première, ou même la troisième Mme Franz, et même si les autres épouses devaient l'admettre dans leur cercle, la question qui animait tous leurs regards était : « Qui sera la prochaine ? »

Je suis revenue à notre discussion et j'ai demandé à Elena si elle serait présente à la réception du lendemain.

— Oui, on se reverra à la fête, a-t-elle dit en partant.

Elle avait un accent russe, mais je ne me sentais pas encore assez confiante pour lancer une conversation dans sa langue. J'ai retrouvé notre hôtesse, momentanément détachée de son fiancé.

— Félicitations ! Je suis vraiment heureuse pour toi.

— Franz a genre soixante-dix ans mais, il m'apprécie vraiment, tu vois ?

— Comment pourrait-il en être autrement, chérie ?

— Et puis, il me laisse tranquille, si tu vois ce que je veux dire. Tu devrais te dégoter un gentil petit vieux.

Elle a pris le ton de la confidence :

— Franchement. C'est moins d'emmerdes. On a une maison en Suisse, on y est de novembre à février. Viens nous rendre visite ! On a aussi, genre, un appart' à Zurich, et la résidence en bord de mer, ici. Il est pas si mal, a-t-elle ajouté, sans grande conviction. Et puis il y a le bateau, bien sûr.

— Bien sûr.

Elle a pris ma main et l'a serrée fort dans la sienne.

— Merci d'être venue. Tu es, genre, une de mes plus proches amies. Ça veut dire beaucoup pour moi.

En regardant la quarantaine d'invités qui se frayaient un chemin dans l'invasion d'orchidées, je me suis dit que Carlotta devait avoir bien peu de copines si elle me considérait comme une amie proche. J'imaginais avoir été convoquée pour donner l'illusion qu'elle avait de vraies amies – les prédatrices dans son genre ont tendance à chasser en solitaire. Quoi qu'il en soit, j'avais de l'affection pour elle, d'une certaine manière. J'admirais sa franchise impitoyable – moins son goût en matière de restaurants.

Lorsque nous nous sommes retrouvés le lendemain soir chez Franz, j'ai salué Carlotta sans effusions. L'exquise maison Art déco couleur crème, posée sur le rivage en dessous du fameux Rocher qui abrite le palais de la famille royale de Monaco, s'ouvrait sur un couloir d'entrée menant à un salon hexagonal, qui donnait sur un jardin avec vue sur la mer. J'ai à peine eu le temps de repérer deux commodes Louis XV en marqueterie et un Max Ernst période surréaliste avant que la wedding planner, super stressée, me fasse monter à l'étage. Sans complexe, Carlotta était nue parmi une dizaine d'invitées se débattant chacune à des degrés d'élégance divers pour entrer dans des bodys Eres couleur chair.

— C'est mon cadeau de mariage pour Franz ! s'est-elle écriée, comme si ça expliquait tout.

Elle a brandi sa main gauche, désormais ornée d'une alliance en or. J'avais au contraire l'impression qu'un gousset en élasthanne à l'entrejambe n'était pas très pratique pour faire un cadeau, mais j'ai enlevé mon pyjama de plage en soie et mes sous-vêtements à regret pour imiter les autres.

— On va faire une sorte de tableau. Genre, Botticelli ? Franz, il adore l'art.

Je suis plutôt à l'aise en général dans une pièce pleine d'inconnus dénudés, mais là, j'étais assez perplexe.

— Et la cérémonie ? ai-je demandé, paumée.

— Oh, on a expédié la mairie ce matin. Franz et les mecs sont au casino, là. Je me suis dit qu'un enterrement de vie de garçon post-mariage était plus raisonnable.

— On n'est jamais trop prudent à Monaco ! a approuvé une fille en body.

— Et donc, nous… ? ai-je tenté.

— Donc, nous, quand ils vont revenir, on sera installées dans le jardin. Vous, vous faites les vagues, et moi, je suis, genre, Vénus.

— Vénus ?

— La déesse, a expliqué Carlotta. Celle du tableau ? Avec le gros coquillage ?

— Ah, OK. Vénus. Génial, Carlotta. Super idée.

Drapée dans un voile en georgette de soie, elle nous a conduites au jardin. Les épouses, stupéfaites, ont suivi le mouvement. Seule une femme, droite dans son tailleur-jupe beige, semblait avoir refusé de jouer le jeu. Carlotta lui a adressé un petit signe de la main quand nous sommes passées à son niveau, sous le Ernst, mais la femme l'a ignorée.

— C'est qui ?

— Ma belle-fille. Je l'adore.

Dehors, l'organisatrice nous a donné à chacune un immense éventail, tous dans un camaïeu allant du turquoise au bleu marine. La mariée s'est hissée sur la fontaine, nous offrant au passage une vue généreuse sur son mont de Vénus entièrement déboisé à l'occasion de sa lune de miel. On nous a demandé de nous allonger sur le côté et, d'un geste nonchalant, la wedding planner nous a montré comment nous servir de nos éventails pour mimer les vagues. L'herbe me démangeait, et de toute évidence il y avait des fourmis, mais c'était vrai, depuis la maison on apparaîtrait comme un océan de chair dénudée, la déesse Carlotta flottant au-dessus de nous. Très efficace, et étonnamment touchant de la part de Carlotta.

La wedding planner et ses assistantes bataillaient pour installer un énorme coquillage en polystyrène derrière la fontaine et ainsi mieux encadrer les atouts de la mariée.

— Elle a vu ça dans *Harper's*, a dit la femme à côté de moi. C'est ridicule.

Je me suis aperçue qu'il s'agissait d'Elena. J'ai eu tout le temps de m'assurer que c'était bien elle, parce qu'on a poireauté là une éternité, tandis que la sueur s'accumulait dans les plis de la fibre synthétique. Un quatuor à cordes est arrivé et nous a enjambées pour aller se cacher derrière le coquillage. Quelqu'un s'est fait piquer par la pointe du violoncelle, Carlotta a manqué faire une crise à cause des roses et des œillets blancs suspendus à des fils invisibles qui ne cessaient de se prendre dans ses anglaises, deux nymphes ont démissionné au motif que leur peeling récent ne leur permettait pas de s'exposer au soleil, et le temps que les premières notes du « Printemps » arrivent aux oreilles de Franz et de ses invités, dont le regard reflétait une légère épouvante, on ressemblait moins à la *Vénus* de Botticelli qu'à celle de Cranach. Celle avec les abeilles qui attaquent.

— Les gens manquent vachement de créativité, a râlé Carlotta un peu plus tard, une fois que Franz eut retrouvé sa bien-aimée en robe longue et l'eut menée sur un chemin parsemé de pétales de rose jusqu'à une tente bédouine en soie blanche érigée pour le bal. Poppy Bismarck, elle a fait faire sa pièce montée par Heston Blumenthal (elle a tapé du poing contre son téléphone pour appuyer ses propos), eh ben elle a eu, genre, que deux mille *like* à son post.

7

J'ÉTAIS RENTRÉE À VENISE depuis quelques jours lorsque les choses ont commencé à bouger. Quand je dis « les choses », je parle des objets, chez moi : ils se sont mis à se déplacer. D'abord un sweat que je mettais pour faire du sport, passé du panier à linge à ma tête de lit. Puis ma tasse du petit déjeuner, en porcelaine dorée à la feuille, retrouvée sur la banquette de fenêtre alors que j'étais certaine de l'avoir lavée et rangée à sa place sur l'étagère avant de partir travailler. Et quelqu'un semblait avoir bu mon vin – bien que je sois moi-même suspecte sur ce point-là, je l'admets. La mystérieuse barre chocolatée que j'avais cru avoir achetée par erreur avant de partir à Ibiza était toujours dans le placard. Je l'ai regardée longuement, en me rappelant l'impression bizarre que sa présence avait déjà suscité à ce moment-là. À Venise, les fantômes sont aussi cliché que les masques. C'était peut-être pour ça que j'aimais tant cette ville, même si mes fantômes à moi avaient plutôt tendance à rester au placard. J'ai jeté le chocolat à la poubelle et fermé le couvercle brutalement en me disant que j'étais trop bête.

Mais alors ça a été au tour des livres. J'étais passée prendre une commande à la Libreria Toletta, des catalogues d'artistes de Pékin et une nouvelle biographie de Titien, et j'avais laissé le sac sur mon bureau pour aller à mon cours de russe chez Masha. Je me suis arrêtée dans une boutique en chemin, le genre d'endroit qui vend de prétendues icônes byzantines. Ils avaient au fond une petite sélection de produits russes, des pots de caviar rouge, du thé noir parfumé. J'ai pris de la confiture aux pétales de rose, que Masha présentait dans un ramequin en cristal pour accompagner les petites génoises dégustées à la fin de notre cours. Je crois que c'était un petit luxe qui me faisait encore plus plaisir qu'à elle.

À ma grande surprise, j'ai trouvé Masha assise sur une chaise en plastique sur la petite place devant son immeuble. En dehors de son rituel hebdomadaire au marché du Rialto, elle sortait rarement. Je l'y avais accompagnée deux ou trois fois pour l'aider à porter ses sacs. Elle agitait un grand éventail noir devant son visage, cramponnée au bras d'un homme qui n'était autre que le serveur du café du coin. Une femme en blouse ménagère bleue, peut-être une voisine, lui tendait un verre d'eau.

— Masha ! *S toboi ; vse vporyadke ?* Est-ce que tout va bien ?

— Il y a eu un cambriolage, a dit l'autre femme, en italien.

Je me suis penchée près du visage de Masha. J'ai compris aux coulures de maquillage charbonneux qu'elle avait pleuré.

— La dame était à l'église, a expliqué le serveur, et quand elle est rentrée, il y avait un homme chez elle.

— Mon Dieu ! Masha, qu'est-ce qui s'est passé ? La police est venue ?

— Venue, et repartie. Rien n'a été volé, a répondu la femme en blouse, presque déçue par la faible ampleur du drame. Mais la dame a eu un choc.

Les mains de Masha étaient enveloppées de gants blancs boutonnés au poignet. Je les ai prises doucement dans les miennes, remarquant à quel point elles étaient petites et frêles.

— Masha, je sais que vous êtes bouleversée, mais est-ce que vous l'avez vu ? Le cambrioleur ?

— *Nyet, nyet.*

— Je suis désolé, a dit le serveur, mais il faut que je retourne travailler. J'ai laissé le bar sans surveillance.

— Ne vous en faites pas. Je suis une de ses étudiantes. On va s'occuper d'elle, pas vrai ? ai-je ajouté à l'intention de la femme en blouse. Allez, on vous ramène à l'intérieur.

La voisine a expliqué qu'elle habitait en face, de l'autre côté de la place, et qu'elle avait entendu Masha appeler à l'aide. Le voleur l'avait bousculée sur le palier avant de prendre la fuite par l'escalier ; personne n'avait rien vu.

— Les *carabinieri* envoient un conseiller juridique, a-t-elle ajouté en grimaçant.

Nous avons aidé Masha à monter jusque chez elle et j'ai appelé un serrurier tandis que la voisine préparait du thé. Masha a déroulé le fil des événements encore et encore : elle avait pris le vaporetto pour aller brûler un cierge à San Zan Degolà, senti que quelque chose ne tournait pas rond en rentrant, pour finir par se faire bouler contre le mur par le cambrioleur lorsqu'elle l'avait dérangé.

— Vous êtes sûre qu'il n'a rien pris ? Est-ce que la police a vérifié ?

En général, les seules personnes que l'on volait à Venise étaient les touristes. Le serrurier est arrivé et je les ai laissés parler ; je l'ai payé discrètement en liquide pendant qu'il inspectait la serrure. Pas de dégâts ; il était d'accord avec le verdict des *carabinieri* : Masha avait dû oublier de fermer sa porte correctement et le voleur avait sauté sur l'occasion.

— Sûrement un de ces Roms, a dit la voisine avec une autre grimace. On n'est plus en sécurité. Je leur ai dit : « Elle fait quoi la *questura* à propos de tous ces gitans ? »

J'ai fait comme si elle n'était pas là.

— Masha, vous voulez vous reposer ? Ce monsieur va s'assurer que tout est sûr. Je vous aide à vous mettre au lit ?

— *Spasibo*, Elisabeth. Tu es une gentille fille.

— Je vais appeler quelqu'un pour vous veiller un peu.

Masha avait tout un réseau de vieilles amies russes, dont les proches travaillaient, pour beaucoup, dans les innombrables hôtels de Venise. Leurs vies fournissaient aux babouchkas un feuilleton sans fin – Masha en parlait tout le temps. Elle a sorti divers objets de son grand sac avant de mettre la main sur un répertoire usé ; en un temps record, l'appartement de poche fourmillait de vieilles dames qui avaient traversé la ville à la vitesse de la lumière, munies de vodka et de sablés dans des sacs en papier. Bientôt le samovar était lancé et Masha, allongée sur son divan parmi les volutes de fumée et les bavardages en russe, accueillait une vraie fête.

— Vous êtes sûre que ça va aller ?

Je n'aimais pas l'idée de la laisser – elle me semblait si vulnérable – mais je ne voulais pas non plus m'incruster. Masha m'a tapoté la joue. Je m'apprêtais à partir avec le serrurier quand j'ai remarqué quelque chose. Sur le mur derrière la porte était accrochée l'une des nombreuses icônes de Masha, une Madone à l'œil tombant sur papier glacé. L'image avait été cachée pendant que l'ouvrier travaillait, mais je voyais à présent que dans son cadre rouge bon marché, le papier avait été déchiré – ou plutôt entaillé, l'ovale du visage cireux coupé en deux par une mince fente. Je suis restée plantée là un moment, songeant que le voleur avait peut-être cru à des billets planqués dans le cadre. Mais je ne voulais pas inquiéter Masha davantage en le lui faisant remarquer – vu l'emplacement du tableau, elle ne s'en apercevrait peut-être pas avant un moment. J'ai fermé la porte et suivi l'artisan en bas.

Quand je suis rentrée chez moi, les livres étaient posés sur mon lit. Est-ce que je les avais laissés là ? Avec le souci que je me faisais pour Masha, je ne savais plus. L'un d'eux, un gros volume illustré des tableaux du Caravage, était ouvert à la page de la *Méduse*, dont j'avais vu une incroyable copie dans le pavillon de Yermolov. Et pourtant je ne l'avais pas acheté – le libraire l'avait peut-être glissé dans le sac en tissu par erreur ? J'ai vérifié le reçu. Pas de Caravage. J'ai envisagé un moment d'égarement, un accès de kleptomanie, mais ces derniers temps je donnais plus dans la prudence que dans l'insouciance. Je suis allée le rendre à la librairie le lendemain matin. Puis, quand est venu le jour de mon cours de russe, impossible de mettre la main sur ma grammaire, une vieille édition Penguin rouge avec l'alphabet cyrillique en couverture. J'ai fouillé partout en me traitant de tous les noms, mais elle avait disparu, comme cette agaçante manie qu'ont les chaussettes. Je suis partie sans, mais à mon retour, je l'ai vue sitôt après avoir ouvert la porte, en équilibre sur la tringle à rideaux, au-dessus du récamier installé près de la fenêtre.

Cette soirée-là m'a semblé longue ; je l'ai passée sur la banquette de fenêtre, à observer le *campo*, avec une bouteille de barolo. Le lendemain, le courage me manquait pour aller à la galerie, mais je me suis forcée. Quand je suis rentrée chez moi, tout était à sa place, et j'ai eu honte d'avoir pris un chemin différent, retiré mes chaussures pour monter l'escalier et glissé la clé sans bruit dans la serrure avant d'ouvrir la porte avec fracas. Quelques jours ont passé, et puis, un matin où je revenais du marché les bras chargés de sacs en plastique bleu pleins de tomates, de pêches et de palourdes, le livre sur le Caravage était par terre, au beau milieu de l'appartement.

Doucement, j'ai posé les sacs, sans fermer la porte. J'ai traversé la pièce et ouvert les fenêtres en grand. J'ai tendu l'oreille, longtemps. Il y avait trois autres portes dans cet appartement : vers la cuisine, les toilettes et le dressing, où il y avait également un placard avec la machine à laver et des étagères pour les produits ménagers. La molette du sèche-linge a tourné pour signaler la fin du cycle lorsque j'ai ouvert le placard, ce qui m'a fait sursauter, mais rien d'autre n'avait bougé. Contre le mur qui faisait face à la baignoire, l'imposante lingère ancienne en bois de noyer était toujours fermée à clé – j'ai fait courir mes doigts le long des joints de porte, mais la clé était dans mon sac à main et les gonds étaient intacts. J'ai contourné le livre en essayant de trouver ce qui n'allait pas, pourquoi un bruit parasite semblait grésiller dans l'air. Tous mes tableaux étaient de travers. C'était presque rien, comme si quelqu'un les avait époussetés, mais tous penchaient légèrement vers la gauche. Je me suis approchée du livre avec précaution et me suis accroupie pour l'ouvrir. Une page était marquée. Inutile de regarder pour savoir que ce serait la *Méduse*. Le marque-page était une carte postale, une reproduction d'un tableau de George Stubbs. Un paysage boisé, romantique, du XVIIIe siècle, avec un cheval et trois personnages – *Le Colonel Pocklington et ses sœurs*. Je m'en souvenais bien pour avoir travaillé au catalogue Stubbs à l'hôtel des ventes londonien.

J'ai pris une chaise pour remettre tous les cadres d'aplomb, puis m'y suis assise avant de m'allumer une clope. Il a fallu que je me lève pour aller chercher un cendrier, et j'étais toujours assise au même endroit quand il a menacé de déborder.

Quelqu'un était au courant.

Au courant du faux Stubbs que Rupert, mon ancien chef, avait essayé de refourguer. Au courant de la complicité de Rupert et de Cameron Fitzpatrick, à qui j'avais pris le tableau. Au courant du sort que j'avais réservé à Cameron. Six personnes avaient connaissance de cette histoire, à un niveau de détails plus ou moins avancé. Moi. Trois cadavres – Cameron, Leanne et Renaud Cleret. Ce qui laissait deux personnes susceptibles de trahir mon secret. Rupert, et Romero Da Silva, de la section d'enquête anti-mafia de la police romaine. Ça n'avait aucun sens. Rupert n'avait rien contre moi, et même s'il voulait me faire tomber, il ne le pouvait pas sans gâcher sa propre vie. Ça avait toujours été ce qui me protégeait de lui. Quant à Da Silva, il était dans la police – s'il voulait m'interroger, ou même m'arrêter, il avait des procédures, un règlement officiel à respecter. Impossible qu'il se livre à ce micmac absurde. Il y avait forcément quelqu'un que je n'avais pas pris en compte. J'ai attrapé la carte postale et passé mes doigts sur le cri figé de Méduse. Le Caravage. Yermolov ?

Les choses se seraient peut-être passées différemment avec Alvin s'il n'avait pas appelé pile à ce moment.

— Allô ? ai-je dit prudemment, ne reconnaissant pas le numéro.

— Salut, Elisabeth. Elisabeth, c'est bien toi ?

— Oui, Elisabeth à l'appareil.

— C'est Alvin. Je suis à Venise. Je me suis dit que j'allais t'appeler, histoire de voir si tu étais dans le coin.

— Eh bien me voilà.

— Je ne suis que de passage. Je suis arrivé en train. Je repars pour Rovinj.

La Croatie.

— Super.

Il s'est tu. Je repensais à la tension qui avait teinté notre bref échange à Ibiza. « Ce n'est pas ce que j'ai entendu dire, Elisabeth. »

— Tu descends dans quel hôtel ?

— Oh, je viens d'arriver. Et puis je repars, genre, super tôt demain matin.

Parfait.

— Alors tu m'appelles pour aller boire un verre, on dirait ? ai-je lancé sur un ton enjoué.

— Hum, ouais. Exactement.

— D'accord. J'ai très envie d'un verre. On se retrouve au pont de l'Accademia ? C'est facile à trouver.

Avant de partir, j'ai vérifié sur Internet les horaires des ferrys pour la Croatie. Après quoi j'ai consulté mes comptes. J'ai scruté les chiffres un long moment. D'après ce qu'on m'a dit de l'amour, c'est très semblable à l'argent. La présence et l'absence des deux se ressemblent en tout cas – quand il y en a, on n'y prête pas attention, et quand il n'y en a pas, on ne pense qu'à ça. Et les deux sont précédés d'avertissements, que tout le monde ignore. Mon inquiétude liée au fait qu'Alvin connaissait Angelica Belvoir s'était estompée, mais à présent, avec le livre sur le Caravage et la carte postale de Stubbs à mes pieds, je savais que mon instinct n'avait pas dramatisé la situation. Avec toutes les galeries d'art qui existaient dans le monde, pourquoi Yermolov avait-il envoyé

Kazbich me voir ? Parce qu'il devait vouloir que ce soit moi qui procède à l'estimation, moi en particulier. Et j'avais refusé. Et donc ceci était… un avertissement ? J'imaginais sans mal qu'un homme comme Yermolov n'était pas habitué à ce qu'on lui oppose un refus, et que ça ne lui plaisait pas plus que ça. J'ai eu envie d'appeler Kazbich sur-le-champ pour lui demander à quoi rimait tout ce bordel, mais je me suis ressaisie.

Elisabeth Teerlinc était bien réelle, n'est-ce pas ? Tout comme sa galerie, son appartement, et ces chiffres à l'écran. Judith Rashleigh, elle, n'était qu'un souvenir insignifiant, et elle allait le rester. Quoi que sache Yermolov, il fallait d'abord que je m'occupe d'Alvin. Vite fait, j'ai rangé un peu, mis du parfum, brossé mes cheveux, noué un foulard à mon sac et je suis partie pour mon rencard.

Dans le quartier de l'Accademia, on a pris un apéritif dans le petit bar situé sous le pont. J'étais ravie de voir Alvin, ou du moins étais-je déterminée à le lui faire croire. C'était une soirée étouffante, raison de plus pour m'en tenir à ma règle et éviter le Harry's Bar, où il avait par ailleurs le plus de chances de tomber sur une connaissance. Après ce premier verre, on a pris un bateau-taxi jusqu'au Paradiso Perduto, un endroit que j'aimais bien près du Ghetto. À part une langue qui s'abreuve à vos seins ruisselants de cognac Delamain cent ans d'âge dans la suite Coco Chanel du Ritz, rien ne vaut le fait de héler un bateau-taxi vénitien pour vous donner l'impression d'être riche. Ce qu'était assurément Elisabeth Teerlinc.

En chemin, j'ai soûlé Alvin avec la bio d'Elisabeth : son école internationale à Londres, son père retraité qui vivait à Genève et quelques années floues dans la finance avant la vocation de galeriste. Une histoire qui tenait à peu près la route. J'avais passé quelques jours à l'échafauder en emménageant à Venise. J'avais trouvé l'école en ligne, un édifice de l'architecte John Nash près de Regent's Park où de riches parents du monde entier abandonnaient leur progéniture entre deux séjours au ski, rien qui permette à quiconque de me localiser, ou non, dans le réseau restreint du système scolaire anglais. J'étais très attachée à mon vieux père, expert en droit des assurances désormais à la retraite, qui s'était mis à collectionner les livres rares après la mort tragique de ma mère, emportée par un cancer. La défunte mère mettait en général un terme au feu des questions. J'avais une photo de notre maison familiale en Suisse sur mon téléphone professionnel, une villa massive du XIXe siècle que j'avais créée à partir de catalogues d'agences immobilières. Là, à droite, le bureau de mon père, avec vue sur le lac. Ma carrière dans la finance avait compris deux stages dans des cabinets-conseils, les stagiaires étant difficiles à pister, et la notion restant suffisamment vague pour décourager les curieux. Ceux qui insistaient avaient droit au nom Lehman, ce qui me valait en général plus de compassion encore que le décès de ma pauvre mère. Elisabeth avait passé deux ans à se chercher en Inde, dont six mois dans un ashram (aujourd'hui disparu) au Rajasthan, où elle avait compris qu'elle n'était pas faite pour les affaires. Si le cancer ne mettait pas un terme aux questions, le yoga s'en chargeait.

Alvin, lui, songeait à se lancer dans le commissariat d'exposition, passer quelque temps à Berlin ou Los Angeles, où la scène contemporaine était « genre, vachement plus fraîche ». Il m'a montré des photos de l'expo d'un ami à Silver Lake, où l'on voyait des silhouettes à la Giacometti en acier traité à l'acide avec de gros radis blancs vernis posés solennellement sur leur tête. J'ai poussé des « Oh » et des

« Ah » tout en prenant bonne note du code pin de son téléphone. Puis on est revenus sur la Biennale, dont il avait trouvé pratiquement tous les pavillons « hallucinants », avant de nous demander si le marché le plus prometteur était celui de Bakou ou de Tbilissi (ni l'un ni l'autre, à mon avis). Le restaurant était bondé, comme d'habitude, les gens empiétaient sur le quai, un trio de jazz jouait et l'air résonnait de voix à l'accent américain comparant avec enthousiasme leurs aventures européennes. Ce n'est qu'à son troisième verre de vin que j'ai pensé à demander à Alvin pourquoi il m'avait invitée sur Facebook.

— Eh bien, c'est Angelica, tu vois ?

J'ai tendu l'oreille.

— Son frère est fiancé à ma sœur. Il bosse à New York. Ils se sont rencontrés à Brown. Je cherchais des contacts en Italie et elle a reconnu ta galerie. J'avais envoyé des mails à quelques autres galeries avant Ibiza. Angelica m'a aidé. Elle est, genre, très branchée par l'art. Elle bosse à…

Je savais parfaitement où travaillait Angelica.

— Bref, elle a cru te reconnaître, sur une photo prise dans une soirée de la Biennale, mais ça ne peut pas être toi. Tu as un *Doppelgänger* !

Il avait lâché le mot non sans fierté.

— Et c'est pour ça que tu pensais qu'on se connaissait ?

— Ouais. Désolé.

J'ai fait la moue.

— Alors tu ne m'as pas contactée pour un boulot ?

— Nan, je pense plus à LA, maintenant. Mais la fête était excellente, non ? Dommage que tu aies dû partir. Tage, il sait vraiment y faire. Donc cette fille, celle à qui tu ressembles, elle bossait avec Angelica, mais elle s'est fait virer. Elle couchait avec son patron, apparemment.

— Vraiment ? Hum, c'est un peu injuste. Qu'elle soit la seule à se faire renvoyer, je veux dire.

— Ouais, je sais pas trop. Apparemment, elle était adepte de trucs hyper chelous.

Super. Je me demandais comment cette rumeur avait vu le jour. « Angelica reconnaît qu'elle s'est trompée. Elle t'a confondue avec quelqu'un d'autre, c'est tout. »

Je n'avais pas le temps de m'attarder là-dessus.

— Il va falloir que je rentre. Je vais demander l'addition.

— Je te raccompagne ? J'ai, euh, du temps à perdre.

— Tu retrouves des amis à Rovinj ?

— Peut-être. Tu sais comment ça se passe. Il se peut que j'aille à Dubrovnik. Mon père a aussi un contact à Zagreb, je vais peut-être y passer.

— C'est difficile de se lancer dans le milieu artistique, hein ?

— Comme tu dis ! a-t-il répondu.

Sans ironie. Son sourire a dévoilé ses dents avides qui m'ont rappelé mon frisson de dégoût lors de notre rencontre.

Il a marché à côté de moi tandis qu'on traversait le canal au niveau du Ghetto avant d'emprunter la direction du casino, où je prévoyais de prendre le vaporetto pour rentrer à la maison. Je lui ai montré les grilles derrière lesquelles les Juifs avaient été enfermés tous les soirs, et la minuscule synagogue cachée, construite au-dessus des plafonds des immeubles autrefois surpeuplés.

— Génial.

On a vogué en silence sur le Grand Canal jusqu'à mon arrêt.

— Tu es sûre que tu ne veux pas prendre un dernier verre ?

Peut-être que je m'inquiétais pour rien… Qu'il pouvait bien aller se faire foutre à Dubrovnik. Mais alors il a sorti son téléphone. Incapable de le lâcher de quasi toute la soirée, à le caresser d'un air inquiet, comme une mère cherchant à apaiser un bébé grognon.

— Un café alors.

Il a acquiescé, distrait par son téléphone, et m'a suivie jusque dans un bar, au bout d'une ruelle qui longeait le musée Ca'Rezzonico, sac à dos en toile hissé sur une épaule tandis qu'il faisait dérouler ses messages.

— J'essayais de trouver une photo de cette fille qui te ressemble. D'après Angelica, c'est ton portrait craché.

Il y avait quelques clichés de Judith Rashleigh au bon temps de l'université qui traînaient sur le Net, mais rien après mon arrivée à Londres. Facile, puisque je ne m'étais fait aucun ami. À part mon ancien badge d'accès à la maison de vente aux enchères, la seule autre photo de Judith, à ma connaissance, avait été prise par ma vieille copine d'école Leanne. Mais Leanne était morte, et j'avais brûlé cette photo dans le vide-ordures d'un immeuble parisien.

Combien de temps gardaient-ils ces fichiers à la maison de vente aux enchères ? Angelica pouvait-elle y avoir accès ?

Au moment où le serveur arrivait pour prendre notre commande, Alvin s'est tordu le cou et a pris un selfie de nous.

— Je vais lui envoyer, pour la blague.

— Fais-moi voir d'abord ! Oh non, j'ai une tête pas possible. On en fait une mieux. Allez, efface-moi ça. Alvin, tu ne peux pas me faire ça !

J'ai laissé ma main sur son bras en l'implorant exagérément du regard, et changé radicalement d'expression lorsque son pouce a trouvé la petite poubelle. Gentil garçon.

Il s'est penché vers moi, d'un air complice.

— Allez, tu peux me le dire. C'est bien toi ? Angelica en était persuadée.

— Comment ça ?

— Ben, t'es hyper sexy. Comme l'autre fille apparemment.

Si seulement il laissait tomber. Pauvre petit con.

— Allez, c'est toi, hein ? Je sens que tu caches quelque chose. J'ai un don pour ce genre de truc. Je dirai rien à Angelica.

— Mais il n'y a rien à dire.

Il avait dans le regard cette même arrogance que j'avais perçue sur l'île.

— Alors, qu'est-ce qui s'est vraiment passé ? À Londres ? Allez, tu peux tout me dire.

« Il le fera. Si tu le laisses filer, il ira raconter qu'il t'a retrouvée. »

J'ai posé quelques pièces sur la table et mimé sa position : visage entre mes mains en coupe, le regardant par en dessous avec des yeux de biche.

— Tu tiens vraiment à ce que je te dise un secret, Alvin ?

— Carrément.

— Je te le dirai chez moi. On pourra prendre une autre photo, si tu veux. Peut-être même plein de photos. Allez, viens.

En me levant, je me suis rendu compte qu'il y avait un problème. Je ne voulais pas le faire. Je n'avais franchement plus le cœur à ça.

8

LE LENDEMAIN, je me suis levée hyper tôt. Un peu d'anticernes sur la petite entaille que j'avais au visage ; dans le miroir, mon regard était vide, hanté. Mieux valait ne pas penser aux dégâts internes.

« Répare la façade et passe à autre chose. »

Ça avait toujours fonctionné.

Le ferry pour la Croatie partait à six heures cinq, pour un trajet de quatre heures jusqu'à Rovinj, avec une escale à Poreč. J'étais sur le quai au terminal de San Basilio à cinq heures et demie, avec un petit sac et le billet d'Alvin. Une pièce d'identité avec photo est nécessaire au moment de l'achat du ticket, mais pas au point de contrôle – c'est à peine si le steward a jeté un coup d'œil à mon bout de papier lorsqu'il me l'a pris parmi la foule désordonnée des passagers – les Italiens ne savent pas faire la queue. J'ai attendu que dix passagers soient admis derrière moi, après quoi j'ai fait semblant d'avoir oublié quelque chose en parlant en anglais, laissé le téléphone d'Alvin sur le bateau et redescendu la passerelle sans croiser le regard du steward débordé. En dix minutes, j'étais de retour à mon appartement. Bien. Alvin avait pris son ferry. Pas de traces. J'ai coincé mes clopes et un billet de vingt euros dans ma brassière et suis partie courir dans le quartier de Dorsoduro, sur le pont de l'Accademia et le long des prisons des Doges. J'ai fait une pause sur la rampe pour handicapés du pont des Soupirs et doucement laissé tomber le sac à dos d'Alvin, lesté de deux belles bougies Oggetti. Il faut savoir faire des sacrifices. J'ai repris ma course jusqu'au Giardini au bout de l'île, où j'ai enchaîné les mouvements pas très dignes de mon entraînement, avant de repartir vers San Marco, alors que le campanile résonnait et que je devais éviter les premiers groupes de touristes, déjà luisants de sueur et d'écran total dans la brume matinale. L'orchestre n'était pas encore arrivé, les seuls bruits étaient ceux des pigeons et des pas traversant inlassablement le salon de l'Europe.

Je connaissais presque tous les serveurs à présent, grâce à mon rituel du matin. J'ai pris une table à l'ombre et fait un signe de tête à Danilo, qui m'a apporté mon orange pressée, ma brioche et mon cappuccino. Le pochoir du jour dessiné dans la mousse onctueuse était un cœur brisé. Après une lecture en diagonale du *Financial Times* et une délicieuse cigarette, j'ai marché en direction de l'Accademia pour m'engouffrer dans le dédale de rues autour de San Moise, laissant mon regard vagabonder au fil des vitrines des boutiques chics. Une paire de sandales Prada a attiré mon attention, satin noir sur fine semelle argentée, avec un panache de plumes délicates au talon, telles les ailes de Mercure. Des chaussures frivoles, ensorceleuses, qui valaient le coup qu'on y passe un salaire, parce qu'à quoi bon économiser pour les jours difficiles si on avait ces chaussures ? Personne ne permettrait qu'une fille avec de telles sandales aux pieds connaisse des jours difficiles. J'ai jeté un coup d'œil au prix. Je pouvais les avoir, si je le voulais, je pouvais les avoir dans toutes les couleurs. Mais je ne les voulais pas.

Sur la lagune, la lumière dansait toujours entre deux coups de pinceau turquoise, l'air embaumait l'algue et la crème glacée, mais à l'intérieur, je n'étais que bouches d'égout et tas de feuilles humides. J'ai pris une douche vivifiante, victorienne, passant de l'eau tiédasse à l'eau glacée, me suis habillée pour une journée sérieuse et j'ai mis le livre sur le Caravage et un carnet dans ma sacoche. J'avais rendez-vous à la bibliothèque Marciana. L'édifice fait face au palais des Doges, à côté de la statue de saint Théodore et de son crocodile à l'anatomie particulière. À une époque, il y avait une potence entre cette colonne et celle de son voisin, saint Marc, et les Vénitiens croient toujours que passer entre les deux colonnes porte malheur. J'ai marché entre les deux. J'ai présenté mon passeport, un formulaire administratif de la galerie et un plan succinct de mon « projet de recherche » à la réceptionniste apathique, qui m'a fait signe d'aller dans la salle de lecture principale, avec sa triple loggia et ses archipels de tables en bois clair plantés sur une mer de moquette rouge. Tout là-haut, la climatisation gelait les rayons du soleil sur la verrière et j'étais bien contente d'avoir mon sweat d'universitaire intello. J'ai passé ma commande à l'archiviste et suis allée m'asseoir ; en attendant mes livres, j'ai ouvert celui sur le Caravage à la page de *Méduse*. Elle ne m'envoyait pas de message particulier, alors j'ai feuilleté le volume, scruté chaque illustration. Je me suis arrêtée sur *L'Amour victorieux*, le splendide portrait qu'avait peint le Caravage de son jeune amant Cecco en dieu de l'amour. J'ai passé mon doigt le long de la joue de l'adolescent. Même sur la surface plate du papier glacé, le désordre rieur de la composition crevait la toile, vibrante d'audace païenne.

Sous l'illustration, une note citait un spectateur contemporain ayant vu le tableau dans la collection du mécène du Caravage, caché derrière un rideau de soie vert sombre. Je n'en avais pas spécialement besoin pour confirmer l'identité de mon locataire fantôme, mais au moins Yermolov avait le sens de l'humour.

Le nom consacré est *Zersetzung*, une méthode d'intrusion utilisée par l'ancien KGB et la Stasi. Un moyen de torture à la fois doux et très efficace. Chez vous, les objets changent de place, subtilement ou pas tant que ça. C'est extrêmement troublant – des gens en ont véritablement perdu la boule – et on ne peut rien prouver. Qui va croire que vous avez été cambriolé alors que seul un savon a changé de place ? Une technique très employée consistait apparemment à laisser des magazines pornographiques dans la chambre. Je ne savais pas si je devais être touchée ou insultée par le fait qu'il n'ait pas eu cette attention pour moi.

Qu'est-ce que Yermolov essayait de me dire ? J'aurais dû avoir peur, mais je ressentais surtout une grande curiosité. Toute cette histoire était presque flatteuse. Mais s'il voulait à ce point que je revienne sur ma décision, pourquoi m'intimider ? Et pourquoi le Caravage ?

— *Ecco, signorina.*

L'archiviste, les mains gantées de coton blanc, me tendait un épais volume relié entre deux couvertures cartonnées. J'avais demandé l'exemplaire manuscrit d'un des premiers livres sur le Caravage, une biographie de Mariani, mais je ne voulais pas tant potasser la vie du peintre qu'examiner les notes griffonnées dans les marges. L'écriture était minuscule, et les abréviations italiennes du XVIIe siècle difficiles à comprendre, mais je m'amusais bien. J'avais l'impression de ne pas avoir fait de recherches sérieuses depuis un bail. Je marmonnais les mots dans ma barbe, le son m'éclairant sur le sens, jusqu'à ce que je tombe enfin sur ce que je cherchais :

Ils ont commis un crime, avait écrit Mariani à la va-vite. *Prostituée, homme fort, gentilhomme. L'homme fort blesse le gentilhomme, la prostituée inflige une blessure au couteau. Des officiers arrivent. Ils veulent savoir ce que les complices... En prison il n'a rien avoué, il est venu à Rome et n'en a plus jamais parlé.*

Je me suis laissée aller contre mon dossier, les yeux perdus dans les lettres noires en pattes de mouche. Je connaissais de réputation cette « Note sur le meurtre » incomplète, source de bien des hypothèses biographiques, si on aimait ce genre de chose, mais la blessure était un scoop pour moi – le *sfregio*, la marque de la honte infligée au visage de la victime avec une lame, une punition fréquente pour les femmes qui avaient été infidèles à leurs gardiens. J'ai senti un curieux frisson d'excitation.

Dans deux de ses plus célèbres tableaux, le Caravage avait inventé un genre nouveau. *La Diseuse de bonne aventure* et *Les Tricheurs* montrent chacun une scène d'illusion, de duperie saisie sur le vif. Deux réalités différentes ont cours dans chacune de ces images. « Peindre, c'est tricher, nous indiquait l'artiste ; la peinture déforme notre perception aussi sûrement que les pigeons présomptueux se font avoir par les escrocs. Méfiez-vous de ce que vous croyez voir. »

Si Yermolov prenait la peine de me menacer, il devait me prêter une sorte de pouvoir. Ce qui n'était pas pour me déplaire. Mais comment les rôles étaient-ils distribués, ici ? Qui était le gentilhomme, qui était la pute, qui était l'homme fort ? En tout cas, s'il s'agissait d'une menace, j'en appréciais l'élégance.

J'ai passé le reste de la journée à la galerie ; je suis rentrée chez moi vers sept heures, et l'appartement était tel que je l'avais laissé. Je me faisais couler un bain lorsque le téléphone a sonné. Pas mon téléphone pro, ma ligne personnelle. Trois personnes avaient ce numéro – Steve, Dave et ma mère – et aucun de ces noms ne s'affichait à l'écran. J'ai décroché et dit : « Allez vous faire foutre » avec autant de fermeté que possible. Comme je m'y attendais, je n'ai entendu qu'un silence en retour.

Il fallait que je sorte. Je n'étais vraiment plus en état de rester plantée là à attendre que Yermolov me rende tarée. J'avais besoin de me sentir propre, forte, vivante. Il était temps de rendre visite aux Ukrainiens. Je me suis dirigée aussitôt sur ce que mon dressing comportait de plus léger. J'ai jeté mon dévolu sur une robe courte Missoni orange feu – ou du moins une suggestion de robe – et l'ai pendue au miroir tandis que je prenais mon bain. J'ai versé un demi-flacon de Gardénia de Chanel dans l'eau, puis j'ai enfilé une culotte en dentelle anthracite Rosamosario et le murmure de soie orange, auxquels j'ai ajouté des ballerines souples de la même couleur crème que la célèbre fleur de Mademoiselle. Les talons sont un vrai handicap dans Venise, mais avec ceux-là il ne m'a fallu que huit minutes pour traverser quelques placettes, cinq ponts bossus et arriver à San Polo.

Si les habitués avaient été plus sobres, l'appartement des Ukrainiens aurait vraiment pu devenir quelque chose, le genre d'endroit clandestin qui affolait les journalistes – cela dit, même si on arrivait à le trouver, on en repartait dans un état qui garantissait la pérennité du secret. Seuls les Vénitiens en connaissaient la localisation, car ils savent tout des vieux mystères de leur ville. J'en avais entendu parler par Masha, qui n'en pensait aucun bien. J'ai acheté une bouteille de mauvaise grappa à l'épicier chinois voisin, comme le voulait la coutume, et l'ai brandie devant moi sitôt ouverte la porte basse. Même pour Venise, la ruelle des Ukrainiens était très étroite, ce qui expliquait peut-être le type physique de leurs visiteurs. Larges de bassin s'abstenir – ce qui ce soir-là m'allait très bien. Les Ukrainiens (s'ils avaient un nom, personne ne le connaissait) étaient un couple, une blonde fatiguée et son mari, de soi-disant artistes, mais par bonheur aucune de leurs œuvres n'avait jamais été en évidence. Ils habitaient un immense appartement en rez-de-chaussée décoré de portraits du XIXe assez spectaculaires, une vanne donnait directement sur le canal, ce qui voulait dire que quelqu'un allait fréquemment nager, et la mezzanine était une sorte de souk, une collection de divans et de soieries anciennes, plus ou moins occupés par une faune variée. Il y avait en permanence de quoi se restaurer, et toujours du monde – bien que la liste des invités atteigne parfois un éclectisme inquiétant.

L'époux m'a accueillie avec familiarité, yeux pétillants, italien approximatif, et m'a fait entrer, moi et ma robe couleur feu, dans le couloir éclairé de bougies. Il portait un poste de télévision des années 1980 sur la tête, avec son visage à la place de l'écran ainsi que des cordons et des prises à sa traîne, mais je n'ai pas éprouvé le besoin de lui en parler. L'épouse était posée près de la vanne, les jambes baignant dans l'eau fétide du canal, un énorme joint à la main, en pleine explication d'un concept crucial avec un randonneur allemand à l'air étonné. Avec indolence, elle m'a adressé un signe de la main lorsque je me suis approchée pour chercher parmi les restes de leur dîner un verre à peu près propre. Une brune habillée de rouge à lèvres carmin, à la peau incroyablement lumineuse, est descendue de la mezzanine en trottinant.

— Est-ce que quelqu'un a vu Bruno ? a-t-elle demandé en anglais, hors d'haleine.

Elle a retenté sa chance en russe, mais personne n'avait vu Bruno, alors elle a laissé tomber, tiré un châle légèrement roussi pendu à une lampe pour s'en faire un pagne et s'est endormie dans un fauteuil. L'époux ukrainien l'a brusquement secouée par l'épaule, mais elle s'est contentée d'un petit mouvement pour se débarrasser de lui. Il a pris un instant pour tourner la molette du volume sonore sous son menton.

— Bien, a-t-il dit, l'air satisfait, avant de me proposer une assiette de *frittata* aux courgettes. Comment vas-tu, très chère ?

On a bavardé un peu en utilisant les bribes de langage que l'on avait en commun. J'ai picoré la *frittata*, hésitante, puis j'ai allumé une cigarette. Tandis qu'il baissait à nouveau le volume de sa télé, je suis allée rôder à l'étage. J'ai posé mon verre sur le rebord de l'œil-de-bœuf, à l'aplomb de la vanne, et me suis adonnée à un instant de contemplation vénitienne. Un plouf en contrebas m'a signalé que quelqu'un avait cédé à l'appel du canal.

— Je peux me joindre à toi ?

— J'aime la drague à l'ancienne, ai-je répondu sans me retourner.

Une main a glissé sur ma taille, et ma tête est tombée à la renverse contre une épaule à la senteur familière d'agrumes. On s'était déjà rencontré, une ou deux fois. J'ai senti l'entrave d'une alliance lorsque la main est remontée sur mon sein gauche.

— Toujours aussi belle.

— Merci.

La main droite se frayait un chemin sous ma robe pour me caresser la hanche. J'attendais l'humide montée du désir.

Rien. Je me suis retournée pour l'embrasser, avec fougue, cherchant les pulsations de sa langue contre la mienne. Toujours rien. Perdue, j'ai ouvert les yeux et vu la lueur dans les siens, où se reflétait la brume du canal.

— Alors, où est ton petit mari ? ai-je demandé.

— À Rimini, avec les enfants.

— Ce qui fait de moi une chanceuse.

D'abord dans le creux de son cou, ma langue a ensuite suivi la ligne de sa clavicule ; je l'ai prise par la taille, et mes paumes sont descendues jusqu'à la magnifique courbe de son cul, ce qui lui a coupé le souffle, ses mains à elle m'ébouriffaient les cheveux et sa bouche suçotait ma gorge. Lentement, je me suis agenouillée face à elle, j'ai tiré sur sa jupe en coton pour la faire tomber et laissé mes ongles vagabonder le long de sa culotte en dentelle, pâle contre sa peau bronzée. Elle avait un ventre adorable, une petite miche de pain frais, j'ai pressé mon visage contre son moelleux, avant de lui enlever sa culotte, déjà trempée. Je l'ai pendue à un crochet alors qu'elle se frottait contre moi et j'ai tourné la tête pour caresser avec ma joue son petit losange de poils pubiens, traversés par la protubérance de la cicatrice de sa césarienne. Ma langue est alors venue laper son clitoris à petits coups, glissant doucement vers la fente suave entre ses lèvres.

— Écarte tes jambes, maintenant.

Me chevauchant à peine, elle a enfoui ses mains dans mes cheveux, et j'ai gardé ma langue bien à plat sur son clitoris avant de lui mettre un doigt, et un autre, glissant dans sa chair, pressant la pulpe de mes doigts contre sa membrane, et mes mouvements de langue se sont accélérés, jusqu'à ce que je la suce à pleine bouche, que je la dévore, le menton luisant de son jus et de ma salive. Elle a voulu me relever, mais j'avais envie de la faire jouir, d'enfouir mon visage entier dans ces lèvres veloutées, de sentir le spasme de sa jouissance contre ma main, d'entrevoir la promesse de mon plaisir dans le sien. Elle gémissait à présent ; l'espace d'une seconde je me suis retirée et j'ai aperçu une silhouette masculine tapie dans l'escalier. Si elle s'en foutait, alors moi aussi. Une main toujours bien profonde en elle, j'ai tendu l'autre sous son chemisier pour libérer un mamelon de son soutien-gorge et le caresser en petits cercles appuyés au même rythme que ma langue lustrait son clitoris. Sous les coups de plus en plus pressants de ma langue effilée, elle s'est contractée autour de mes doigts et j'ai pincé vicieusement son mamelon durci au moment où son orgasme l'emportait. Elle a poussé un petit cri aigu de renard et enfoncé ses ongles à la base de mon crâne pour mieux presser son sexe contre ma bouche, puis, après un long soupir de contentement, elle est tombée à la renverse sur le divan, crucifiée. J'ai frotté une paume contre ma bouche en feu, et senti un goût plus fort que l'iode de son fluide, quelque chose de nidorien, de succulent. J'ai glissé un doigt dans sa bouche avant de me diriger vers l'immense miroir au cadre doré posé près du lit. J'avais du sang séché sur la joue, une traînée vampirique couleur rouille.

— Désolée.

— Ça ne me dérange pas.

Je l'ai étalé sur mon menton, les yeux perdus dans ceux qui me fixaient dans le miroir. J'ai entendu un gémissement étouffé dans l'escalier.

Elle a gloussé.

— Allez, sors de là.

L'époux ukrainien est apparu, sans télévision, mais en train de refermer sa braguette. Elle a souri, splendide, et tendu ses bras vers nous.

— Viens par ici, *cara*. À ton tour.

— Je reviens tout de suite.

Je suis descendue me laver le visage à l'évier de la cuisine. La brune roupillait toujours dans le fauteuil, ses cheveux traînaient jusqu'au sol. J'ai ôté la housse en velours élimé d'un gros coussin et l'ai posée doucement sur ses épaules nues, puis j'ai ôté mes chaussures, non sans laisser une tache de sang sur le daim, et je me suis glissée dans la ruelle. J'avais envie de sentir la fraîcheur des pavés lisses sous mes pieds. J'espérais lui avoir donné du plaisir, j'étais contente si c'était le cas – mais ça n'allait pas plus loin. J'étais prise d'une sorte de vertige, comme si j'avais bu toute la bouteille de grappa bon marché. J'avais été une chic fille, lui avais fait prendre son pied, mais je n'éprouvais pas ce tiraillement de désir en retour. J'étais vide, insensible, absente. Même ça, alors ? Même ça, je n'en avais plus envie ? Je suis rentrée chez moi, prendre des nouvelles des fantômes. Ça ne devait être que ça, me suis-je dit. C'étaient juste les fantômes.

9

À VENISE, il y a toujours un moment de la journée où la ville est entièrement faite d'argent. Alors que le tout dernier rayon du crépuscule glisse sous la lagune, la pierre et l'eau se confondent dans une gravure à l'eau-forte, aux reflets miroitants d'étain, de noir argenté et d'or blanc. Il faut être attentif, le guetter, mais c'est le moment qui reflète le mieux l'identité et le mystère de la ville. Ce moment arrivait plus tôt à présent, mais il faisait encore chaud, et l'après-midi les plages du Lido demeuraient bondées. Un jour, environ une semaine après ma visite à la bibliothèque, je me demandais si je n'allais pas prendre le vaporetto pour aller nager un peu ; je travaillais consciencieusement sur le montage de la prochaine expo, mais à trois heures de l'après-midi, l'heure creuse en Italie, la journée n'en finissait plus et je n'avais plus que cette idée en tête. J'étais sur le point de ranger mes affaires quand j'ai entendu la porte. J'avais mis l'écriteau « Fermé » en devanture, puisqu'on n'avait rien à vendre, mais cette personne, une femme à en juger par le bruit de ses talons, a marché d'un pas résolu jusqu'à mon bureau au fond de la galerie.

— Elisabeth !

C'était la Russe que j'avais rencontrée au mariage de Carlotta.

— Elena. Hum. Salut. Quelle surprise de vous voir à Venise !

Elena portait une robe portefeuille bleu marine et des sandales compensées à talon en bois, ainsi qu'un chapeau de paille à bord rigide pour protéger du soleil ce qui restait de son teint d'origine. Elle tenait dans une main un sac Hermès et de gigantesques lunettes de soleil Tom Ford.

— Vous restez longtemps à Venise ?

— Rien que quelques jours, a-t-elle répondu, visiblement gênée. En fait, c'est vous que je suis venue voir.

— Vraiment ? Malheureusement, je n'expose rien en ce moment, comme vous pouvez le voir, mais...

— Je me suis dit que vous aimeriez peut-être prendre un café. Nous pourrions... bavarder.

— Oh. Mais bien sûr. Où êtes-vous descendue ?

— Au Cipriani.

— Oui, c'est évident. Écoutez, Elena, je suis libre tout de suite si ça vous va. On peut traverser la lagune ? Il y a de très jolis jardins qui gardent un peu de fraîcheur.

Son air légèrement angoissé me poussait à lui parler sur un ton rassurant, comme à une petite fille perdue. Elle a porté une main à sa gorge et dégluti avec difficulté, avant de faire un signe de tête vers la droite en aparté.

— J'aimerais un endroit plus... intime. Mon mari est très protecteur, voyez-vous.

Mon regard a suivi son geste et j'ai remarqué, devant les portes de la galerie, des épaules carrées engoncées dans un costume et surmontées d'un cou de taureau. Un col américain ne parvenait pas tout à fait à cacher le manche d'un poignard tatoué juste en dessous de la mâchoire de pitbull. Si c'était le garde du corps d'Elena, je comprenais parfaitement son envie de le semer.

J'ai rassemblé mes affaires et pris les clés qui traînaient sur mon bureau.

— Bien sûr… Je peux fermer sans problème. Pourquoi ne pas aller nous promener le long des Zattere ? Au bord de l'eau. Il y a plein de cafés, on en choisira un.

— *Spasibo*.

Après m'avoir remerciée en russe, elle est sortie parler à son molosse en faisant un geste vers la gauche, soit la direction qu'on allait prendre. Il est parti, et elle a attendu que je ferme tout.

— Il revient dans une demi-heure.

On a marché côte à côte en direction des Gesuati. Elena jetait des coups d'œil autour d'elle pour vérifier si son garde du corps était là. Après avoir échangé quelques remarques sur le réjouissant mariage de Carlotta, j'ai parlé de tout et de rien, du temps qu'il faisait, des sites touristiques que l'on voyait de l'autre côté du canal de la Giudecca.

— Vous voulez entrer dans l'église ? ai-je proposé devant la façade baroque toute blanche. Les plafonds sont très célèbres. Tiepolo.

Elle a acquiescé et j'ai ramassé quelques pièces au fond de mon sac pour acheter deux entrées. En passant du vestibule à la nef, j'ai vu Elena se signer de la droite vers la gauche, avec trois doigts repliés, à la manière orthodoxe. Je n'ai rien fait. L'atmosphère était étouffante, avec cette sempiternelle odeur d'encens et de pierre humide. Ni elle ni moi ne nous sommes extasiées sur la gloire de saint Dominique au-dessus de nos têtes.

— Elisabeth, je suis désolée de faire autant de mystères.

— Ne vous en faites pas. Dites-moi ce que je peux faire pour vous aider.

Mon intonation dissimulait mon impatience. Mais que voulait-elle, à la fin ?

— Pardonnez aussi mon anglais.

— Votre anglais est excellent.

— Mais soviétique. On n'arrive jamais à se débarrasser de l'accent. Mon mari dit qu'on paie tout trois fois plus cher rien qu'à cause de ça.

— Votre mari ?

Est-ce qu'elle allait cracher le morceau ?

— Mon mari est Pavel Yermolov.

Celle-là, je ne l'avais pas vue venir.

— Et il veut divorcer.

— Oh, Elena. Je suis désolée de l'apprendre, mais je ne vois pas ce que…

— Vous allez comprendre. Laissez-moi vous expliquer.

Elle m'avait reconnue à cause de la fois où Yermolov m'avait fait venir au sujet de sa collection. Elle m'avait vue dîner avec lui.

— Je voulais lui parler, a-t-elle dit avec tristesse, mais ce… ce porc ne m'a pas laissé une chance.

— C'était vous ? Sur la falaise ? Mais votre mari a dit qu'il s'agissait d'un intrus. Sur votre propriété ?

— Je sais. C'est lamentable.

Yermolov, m'a-t-elle expliqué, prévoyait cette séparation depuis un certain temps.

— Il voit d'autres femmes mais… pff ! Ça, je m'en moque. Par contre, on a aussi deux fils, scolarisés en Angleterre. Harrow, a-t-elle ajouté fièrement.

Il a fallu s'arrêter pour qu'elle sorte son téléphone de son sac Hermès et que j'admire les photos desdits enfants.

— Donc, quand je vous ai vue au mariage de Carlotta, je vous ai reconnue. Elle m'a dit que vous travailliez dans le milieu de l'art. Alors j'ai fait des recherches.

— Je vois.

J'avais les mains croisées devant moi. Je les ai senties se crisper. J'ai frissonné, et ça n'avait rien à voir avec la température ecclésiastique.

« Qu'est-ce qu'elle sait ? Qu'est-ce qu'elle veut ? »

— J'ai appris que mon mari vous avait demandé d'estimer sa collection. Vous a-t-il demandé de la sous-estimer ?

J'ai hésité, feignant d'être distraite par un guide qui détaillait les fresques d'une voix sonore, en allemand. Qu'est-ce qui se tramait ? Yermolov tentait-il la carte de la solidarité féminine ?

— Il n'a pas été question de chiffres. Et de toute façon, j'ai refusé son offre. Je ne me considérais pas comme suffisamment expérimentée.

— Mais il ne va pas vous lâcher comme ça.

Ça, j'avais pigé. Yermolov voulait me rendre dingue, mais j'avais été occupée à droite, à gauche. Le temps semblait avoir raison de moi, depuis la visite d'Alvin.

— Comment ça ? ai-je demandé, en essayant de me concentrer.

— Avez-vous remarqué quoi que ce soit de... bizarre depuis que vous êtes rentrée à Venise ? Est-ce qu'un fantôme a emménagé chez vous ?

Mais... comment était-elle au courant ?

Si Yermolov voulait que j'estime sa collection, a poursuivi Elena, c'était précisément à cause de mon manque d'expérience. Et s'il voulait un chiffre bas, c'était parce que, comme tous les hommes riches, il cherchait à diminuer la valeur officielle de ses biens avant de demander le divorce, afin de réduire ce qu'on lui demanderait de régler au terme des négociations. Il ferait la demande en Russie, croyait savoir Elena, car les tribunaux y étaient plus favorables aux maris, et moins prompts à exiger qu'ils révèlent tout de leur fortune. Pourtant, quelques affaires récentes avaient eu mauvaise presse, alors pour un homme aussi riche que Yermolov, il valait mieux que la procédure soit aussi discrète que possible. Si l'on venait à mettre en doute la valeur de sa collection, il avait besoin de quelqu'un sur qui rejeter la faute.

La vache. Celui-là, je l'ai senti passer. C'était une chose de savoir que je ne me trouvais pas à la hauteur des tableaux de Yermolov, c'en était une très différente de découvrir que lui non plus ne m'estimait pas digne de cette tâche. J'avais refusé par souci d'honnêteté, et le simple fait d'avoir vu cette collection, de m'en approcher plus que quiconque le ferait jamais m'avait consolée. Mais lui, tout ce qu'il voulait, c'était un pantin, un homme de paille. Peut-être qu'il n'appréciait pas qu'on lui dise non, peut-être que tout ce manège dans mon appart' était une tentative d'intimidation, mais ça n'expliquait pas la carte postale de Stubbs… Je me suis efforcée de revenir à notre conversation :

— Donc votre mari s'en tirera mieux s'il divorce de vous en Russie. Vous, beaucoup moins, évidemment. Mais pourquoi est-ce qu'il y attache tant d'importance ?

Elena a roulé des yeux. À son tour d'être impatiente.

— Mon mari est… bien vu des autorités. Disons qu'il a envie que ça continue.

— Je vois.

Je savais que Yermolov avait des relations dans le monde politique, un divorce à l'étranger provoquerait peut-être un scandale ?

— Bref, je le déteste. Il me traite comme une prisonnière, comme un animal ! Et maintenant, il me jette comme si j'étais une vieille chaussette ! Il dit que notre relation n'est plus « valide ».

De mon point de vue, Elena ne ressemblait pas franchement à une vieille chaussette. À elle seule, sa bague de fiançailles valait le prix de la location d'un appartement à Mayfair pendant un an.

— J'apprécie la confiance que vous me témoignez en me disant tout cela, et je suis sincèrement désolée pour vous, mais je ne vois toujours pas en quoi je peux vous aider.

Elle a regardé autour d'elle.

— Cet endroit me donne le frisson. Sortons.

Je l'ai suivie patiemment jusqu'à l'extérieur, où la lumière qui écrasait le quai nous a éblouies.

— Nous ferions mieux de rebrousser chemin.

Elle s'est mise en route lentement, en me prenant par le bras, comme si on était amies de longue date. Je pouvais sentir son parfum et voir les ridules autour de sa bouche, où sa base comblante commençait à filer.

— Mon mari croit pouvoir se débarrasser de moi comme ça ! a-t-elle repris en claquant des doigts. Et il sait que s'il fait une chose pareille…

— Elena, je vous en prie, soyez claire. Je ne comprends rien.

Elle s'est tournée vivement et m'a saisie par le coude.

— Je suis mariée à Pavel depuis des années. Trente ans exactement. J'ai vu, et entendu, beaucoup de choses. Sans le lien du mariage qui nous unit, je serai en danger. Je le sais. J'ai besoin de quelque chose pour garantir ma sécurité.

— Mais vous aurez de l'argent. Peut-être pas autant que vous pensez le mériter, après tant de temps…

— Ce n'est pas une question d'argent, m'a-t-elle interrompue en enfonçant ses ongles dans ma chair. Vous ne lisez pas les journaux ? La Russie, ce n'est pas l'Europe, malgré ce qu'ils prétendent. Si je ne suis plus mariée à Pavel, il leur sera… opportun de se débarrasser de moi. Les gens qui constituent une gêne pour les autorités se retrouvent en prison, ou pire. C'est ce qui m'attend à coup sûr, ne le voyez-vous pas ?

Avant que j'aie le temps de répondre que je ne voyais rien à part le fait qu'elle était cinglée, elle a fait un pas de côté et, à ma grande surprise et à celle des touristes, exécuté une pirouette parfaite, perchée sur ses chopines vénitiennes.

— J'étais ballerine autrefois !

Cette femme était folle à lier.

— Je passe vous prendre ce soir. Une petite sortie, pour rendre hommage à Diaghilev ! Ici, devant l'église, à sept heures ?

— Elena, arrêtez. Je ne crois pas que ce soit une bonne idée. Je suis navrée, mais je ne peux pas vous aider.

Elle s'est retournée, son sourire fragile avait disparu.

— Oh que si, vous le pouvez. La première fois que je vous ai vue avec Pavel, je vous ai prise pour une…

— Putain ?

— Une prostituée, oui. Mais quand Carlotta m'a parlé de votre métier, j'ai fait des recherches sur votre galerie. Un nom ravissant, Gentileschi.

— Hum, merci.

— C'était stupide de votre part de le mentionner à la police française, cela dit.

J'en suis restée comme deux ronds de flan.

Un matin sur les marches du Sacré-Cœur, mon dernier jour à Paris. Je sentais encore la puanteur des poubelles, les gaz d'échappement des bus de touristes, le cannabis, le café. Le téléphone de Renaud dans ma main, tout un escadron de gendarmes en poste à Charles-de-Gaulle, prêts à serrer une fille munie d'un faux passeport qui n'avait jamais pris son avion. `En route. Est-ce que le nom Gentileschi te dit quelque chose ?` leur avais-je envoyé par texto. Une dose de prudence, une dose d'insolence, le stupide amour du risque. J'avais réglé son affaire à Renaud, alors comment Elena pouvait-elle être au courant ? Est-ce qu'elle était aussi à l'origine de la carte postale de Stubbs ? À quoi rimait tout ce bordel ?

Manifestement, Elena était contente de son petit effet. Mon regard s'est perdu derrière elle, le long du quai ; j'ai résisté tant bien que mal à l'envie de la pousser dans la flotte, en proie à un sentiment soudain de claustrophobie, comme si l'entrelacs de circonstances qui m'avait conduite jusqu'ici se resserrait autour de moi, telle une hydre sifflante qui jamais ne me laisserait en paix. Je m'étais crue en sécurité, enfin débarrassée du passé ici à Venise, même si Alvin était toujours… « Stop. Ne pense pas à Alvin. Concentre-toi sur cette espèce de tarée qui essaie de te voler ta vie. »

— Je ne vois pas du tout de quoi vous voulez parler, ai-je dit sèchement.

— Je crois au contraire que vous comprenez parfaitement. J'ai besoin que vous m'aidiez au sujet d'un tableau.

Elle s'est penchée vers moi, sa bouche tout contre mon oreille, comme pour me confier un secret particulièrement sulfureux. Quelque part alentour, j'ai senti le regard du garde du corps sur nous.

— Vous vous y connaissez en tableaux, n'est-ce pas, Judith ?

10

J'AI PASSÉ LE RESTE DE L'APRÈS-MIDI sur mon lit, clouée là par mon cœur qui s'était figé en plomb. Yermolov était au courant. Elena aussi. Pourquoi ne pas faire passer une annonce dans le *Corriere della Serra*, tant qu'on y était ? Pour un peu, j'aurais regardé sous mon lit pour m'assurer que Romero Da Silva n'y était pas planqué. Ça n'allait donc jamais s'arrêter… Qu'est-ce que j'étais censée faire ? Balancer Elena dans la lagune, avec son garde du corps ? Très drôle. Du moins, j'entendais quelqu'un rire. Mentalement, je me suis donné une petite tape derrière la tête. J'avais eu raison : le *Zersetzung* était l'œuvre de Yermolov – le fait qu'Elena m'ait appelée par mon vrai prénom le confirmait. Alors qui le leur avait dit ? Je me suis repassé ma conversation avec Yermolov lors de notre dîner. Il avait évoqué Paris, non ? À bout de nerfs, je me rongeais les phalanges. Il était au courant de tout avant même de me faire venir chez lui. Et moi, toute fière, aux anges. Mais l'heure n'était pas à l'apitoiement sur soi. Les déclarations confuses d'Elena à propos du divorce s'expliquaient plus ou moins. Yermolov avait voulu que j'évalue sa collection à la baisse et pensé qu'il pouvait exercer sur moi une certaine pression – terriblement plausible. Mais qu'en était-il des menaces que craignait sa femme ? Je ne me fiais pas trop à ses explications vaseuses, mais l'intonation pressante dans la voix d'Elena suggérait qu'elle ne me racontait pas de salades. Elle était prête à défier son mari, et elle avait parlé d'un tableau. D'une manière ou d'une autre, tout cela avait rapport avec un tableau. Donc… la prochaine étape. Impossible de me protéger sans en savoir plus. J'étais forcée de la revoir dans la soirée. D'y aller pas à pas, pour en apprendre le maximum.

À sept heures, j'avais retrouvé mes moyens. Une main s'est tendue pour me faire monter à bord d'un Riva aux tons de miel et rejoindre Mme Yermolov dans la cabine. Le noir m'avait semblé de rigueur pour une sortie sur l'île cimetière de San Michele, un pantalon en soie Equipment et un pull tout simple à col rond, mais à la dernière minute, en voyant mon reflet de ninja, j'avais ajouté une étole en cachemire turquoise pour contrer la brise nocturne qui soufflait sur la lagune. Le bateau fendait l'eau de jade laiteuse tandis qu'on admirait en silence le panorama toujours parfait qu'offrait le Grand Canal, deux femmes en promenade romantique, quoique insolite. À l'avant avec le skipper, le garde du corps grillait clope sur clope. Le Riva a pris à droite vers Cannaregio et en quelques minutes le remous s'est fait plus important. Moi aussi j'aurais bien fumé, mais Elena commençait à avoir l'air barbouillée, alors c'était plus sympa de m'abstenir. À l'arrivée à San Michele, elle s'est tenue un instant debout avec la tête penchée vers ses genoux, pas la position la plus évidente dans une robe du soir corsetée et sur des talons de dix centimètres.

— Le bateau nous attend, a-t-elle lancé pompeusement. Vous êtes déjà venue ici ?

C'était la première fois. Même si Henry James avait dit que Venise était la plus belle sépulture du monde, ce n'était pas un sujet que j'avais particulièrement eu envie de creuser.

— Il est dans la section grecque. Venez.

À la différence du reste de la ville, San Michele est très bien entretenu, avec ses grands ifs longeant la brique orange des loggias. Les talons aiguilles d'Elena se tordaient dans le gravier, mais elle avançait les épaules bien droites, en hommage à Diaghilev.

— Le voilà.

La stèle était en pierre couleur crème et ivoire, avec une épitaphe gravée en alphabet cyrillique doré. Elena s'est assise sur la tombe voisine et a dégainé de son sac à main une bouteille de Stoli ainsi que trois grands verres.

— Un pour moi, un pour vous, et un pour le Maître, a-t-elle déclaré en versant la vodka.

On a trinqué et descendu un verre avant qu'Elena ne vide le troisième sur la tombe. Je me suis demandé si c'était les baptêmes réguliers à l'alcool qui la rendaient si brillante. J'ai allumé la cigarette qui me faisait tellement envie et j'ai tendu mon verre pour une deuxième rasade.

— Et on ne va pas trinquer avec Stravinsky ? ai-je demandé innocemment, ce qui ne me semblait pas dénoter dans ce cocktail de détraqués. Il est onze tombes plus loin.

— Han, ce vieux plagiaire, a-t-elle pesté.

Pas ma meilleure approche.

— Alors comme ça vous étiez danseuse ? ai-je demandé pour changer de sujet.

— Oh, si on peut dire. Pendant quelques années, j'ai eu l'espoir d'entrer à l'académie du Bolchoï, mais je n'étais pas assez bonne. Et puis j'ai rencontré Pavel, a-t-elle répondu avant de vider son verre. Je pensais que cet endroit serait parfait pour bavarder.

— Comme vous voudrez. Ce n'était pas quand je dînais avec votre mari que vous m'avez vue pour la première fois, n'est-ce pas, Elena ? Ce n'était pas non plus au mariage de Carlotta. C'était sur le bateau de Mikhail Balensky.

Balensky, connu sous le surnom d'« homme du Richistan », était un célèbre marchand d'armes devenu homme d'affaires, qui avait invité Steve à une soirée lorsque j'étais à bord du *Mandarin*. Carlotta avait joué la fiancée de Steve tandis que je m'étais livrée à un peu d'espionnage industriel sur les ponts inférieurs. J'ai une bonne mémoire des visages, et celui d'Elena, trop bronzé et mal maquillé, m'était revenu de plein fouet lorsque je m'étais remémoré ce dîner.

— Tout à fait. C'est pour ça que je vous prenais pour une… putain, comme vous dites.

Les cloches de la basilique miniature sonnaient les huit coups le long des avenues bordées de tombes.

— Le cimetière va fermer ses portes, non ?

— Il s'agit d'une visite privée, être mariée à Pavel a encore ses avantages, a dit Elena avec un sourire ironique. Autant en profiter tant que je le peux. Donc ?

J'ai inspiré un grand coup.

— Donc. En 2007, la collection Rostropovitch devait être mise aux enchères dans l'une des principales maisons de vente de Londres. Mais la vente a été annulée à la dernière minute car un acheteur russe a acquis la totalité des pièces pour une somme d'environ vingt-cinq millions de dollars. Il a alors fait la promesse de les faire revenir en Russie, un geste patriotique qui l'a rendu très populaire. Dois-je poursuivre ?

Elena m'écoutait à peine. Elle fouillait à nouveau dans son sac.

— Vous voulez me faire peur, ai-je repris, parce que vous êtes vous-même morte de trouille. Vous voulez un tableau à donner à l'État russe en garantie de votre protection. Comme cet homme d'affaires l'a fait avec la collection Rostropovitch ?

Elle a levé la tête en souriant et m'a tendu deux ou trois photocopies.

— Vous êtes très vive.

— Dans la vie, on est soit vif, soit mort.

— Pardon ? s'est-elle écriée en sursautant.

— Rien. Désolée.

J'ai jeté un coup d'œil aux papiers qu'elle m'avait donnés : des impressions de l'édition en ligne d'un journal italien ; un rapport sur le meurtre d'un marchand d'art anglais, Cameron Fitzpatrick, à Rome ; un court article en français sur l'enquête de police en cours concernant une mort mystérieuse dans un hôtel près de la place de l'Odéon, à Paris. J'avais déjà lu ces deux derniers.

— On dirait qu'on sait toutes les deux y faire côté recherches. Est-ce qu'on peut en venir à l'essentiel ? J'ai froid.

— Buvez un autre verre.

J'ai manqué m'étrangler avec ma vodka en entendant ce qu'elle a dit ensuite :

— Mon mari possède un dessin du Caravage.

Si elle n'avait pas l'étoffe d'une danseuse étoile, elle ne manquait pas de talent pour le théâtre.

— Impossible. Tout le monde le sait. Le Caravage ne dessinait pas. C'était en partie ce qui faisait sa réputation.

— Et pourtant.

— C'est forcément un faux. Quoi qu'il ait pu vous dire…

— Il ne m'a rien dit. Balensky et lui l'ont acheté ensemble. C'est le tableau que je veux.

— J'ai vu un Caravage, mais c'est une copie. Magnifiquement exécutée, mais une copie tout de même. Et votre mari le sait.

— Non, ce n'est pas de ce tableau qu'il est question. Je vous parle d'un dessin. Fait ici, à Venise.

— Elena, le Caravage ne dessinait pas, et il n'est jamais venu à Venise. Je ne sais pas où vous êtes allée pêcher tout ça, mais si vous croyez que je vais m'embarquer dans cette histoire, vous vous fourrez le doigt dans l'œil. Je suis navrée pour toutes les difficultés que vous rencontrez, si tant est qu'elles soient réelles, mais je m'en vais.

Je me suis levée et me suis mise en route d'un pas décidé en direction du ponton.

— Attendez. Je suis désolée. Attendez-moi, s'il vous plaît.

Dans le jour tombant, elle ressemblait à une statue funéraire, avec sa robe encombrante, une main contre sa gorge. L'accent de détresse dans sa voix m'a poussée à m'arrêter dans cette atmosphère immobile et grise.

— Je vous assure que je n'essaie pas de vous menacer. Je me fiche de qui vous êtes, ou de ce que vous avez fait. Je sais comment mon mari vous a trouvée. C'est en rapport avec cet homme, à Paris.

La voix d'Elena était déchaînée – j'ai compris qu'elle avait dû commencer à boire bien avant de me retrouver. J'avais assez d'expérience avec ma mère pour reconnaître les signes. Elle s'est mise à pleurer et à se tamponner les yeux frénétiquement tandis que les larmes creusaient des sillons dans sa poudre bronzante.

— Venez, Elena, il commence à faire froid. On va aller chez moi et je vais vous faire un café.

C'était bien le dernier endroit où j'avais envie de l'emmener, mais elle était trop mal en point pour un lieu public.

J'ai enroulé un bras ferme autour de ses épaules et lui ai parlé du même ton apaisant que j'avais employé toutes les fois où j'avais mis ma mère au lit.

— Allez. On y va tout doucement.

Elena était au courant. Yermolov était au courant. Si je ne me débrouillais pas pour mettre de l'ordre dans tout ça, je pouvais dire adieu à la belle vie d'Elisabeth Teerlinc. Et Yermolov m'avait humiliée. Il s'était foutu de moi, et rien que cette idée a suffi à ranimer une toute petite flamme presque oubliée en moi. Puisque je ne pouvais pas me débarrasser d'Elena, je devais l'utiliser. Faute de quoi Yermolov me détruirait, et elle le savait.

Elle a vomi par-dessus bord au début de la traversée, ce qui lui a apparemment éclairci les idées. J'ai demandé au batelier de nous approcher le plus possible de la piazza et expliqué au molosse que j'allais aider Mme Yermolov à se changer, vu qu'elle ne se sentait pas bien. Il s'est posté devant l'entrée de mon immeuble. Je me suis demandé si c'était la première fois qu'il venait là. En poussant la porte de mon appartement, j'ai reniflé, en quête d'une odeur suspecte, mais n'ai senti que la bougie Spiritus Sancti, de Cire Trudon. J'ai demandé à Elena si elle avait faim, mais elle a secoué la tête d'un air agacé, alors j'ai fait du café et ajouté du sucre dans sa tasse. Je suis allée lui chercher un pantalon en molleton, des chaussettes et un sweat et lui ai dit de les enfiler, après quoi on a pris place côte à côte sur la méridienne. Après s'être nettoyé le visage, et dans des vêtements tout simples, elle avait l'air beaucoup plus jeune. À nouveau, j'ai entrevu à quel point elle avait dû être jolie.

— Ils sont venus ici, me suis-je lancée. Les hommes qui travaillent pour votre mari. Ils ont déplacé des objets.

Je ne voulais pas divulguer quels objets, ni le message que son mari avait voulu me transmettre.

— J'en étais sûre. C'est comme ça qu'ils procèdent, au début. Lui et Balensky.

— Et vous dites qu'ils ont acheté ce prétendu dessin du Caravage ensemble. Ils sont amis ?

— Amis, collègues, mais plus maintenant. Pendant un temps, ils se sont fait beaucoup d'argent dans l'immobilier, à Moscou.

Je me suis rappelé l'anecdote de Masha sur le sort que réservait Yermolov aux locataires gênants. Savoir qu'il s'était associé à Balensky, qui s'était bâti une sale réputation, me laissait dubitative.

— Continuez.

— Mais ils ne sont plus amis depuis cette histoire.

De la pointe du pied, elle a renversé le contenu de son sac par terre et a déplié la seconde coupure de presse.

— Cet homme, celui qui est mort dans la chambre d'hôtel, il travaillait pour mon mari. Et aussi pour Balensky.

— Je l'ai connu sous le nom de Moncada.

Faire semblant de ne pas voir de quoi elle parlait n'aurait servi à rien. Surtout que je n'avais pas tué Moncada.

— Vous étiez là le soir où il a été tué, n'est-ce pas ?

J'ai acquiescé, lentement.

— Je lui vendais un tableau. Je l'ai apporté à l'hôtel, place de l'Odéon, oui. Je suis partie avant le… meurtre.

— Mon mari était au courant. Ses hommes surveillaient l'hôtel. Il y avait un autre tableau dans la chambre, que ce Moncada devait transmettre à mon mari et à Balensky via un intermédiaire. Mais il s'est fait tuer. Et lorsque mon mari a voulu récupérer le tableau, il s'était volatilisé. Il pensait que Balensky l'avait doublé, en faisant affaire avec vous.

— Attendez. Votre mari croit que j'ai pris son Caravage ? C'est pour ça qu'il m'a traquée ?

— Je crois, oui. Il pense que vous l'avez arnaqué. Vous et Balensky.

— Mais c'est dingue ! Je n'ai absolument rien fait !

— C'est ce que je sais sur vous. Une femme du nom de Judith Rashleigh est interrogée par la police italienne dans le cadre d'une enquête sur le meurtre d'un marchand d'art, Cameron Fitzpatrick. Elle ouvre une galerie d'art à Paris, enregistrée sous le nom de Gentileschi. Cette même femme est vue en train de sortir d'un hôtel où un homme a été assassiné, avec une sacoche sous le bras. Puis… pouf ! La galerie Gentileschi réapparaît à Venise comme appartenant à une certaine Elisabeth Teerlinc. Et le tableau a disparu.

— Comment êtes-vous au courant de tout ça, Elena ? C'est bizarre. Je pensais vous avoir entendue dire que vous et votre mari étiez séparés ?

— Nous sommes séparés, oui. Mais officiellement toujours mariés, le temps qu'il s'organise. J'ai toujours le droit, articula-t-elle avec mépris, de vivre dans nos maisons. Mais on ne se croise pas. Ce soir-là, en France, il n'attendait pas ma venue. Je voulais lui parler.

— Et vous avez découvert toute cette histoire ?

— Je suis douée pour l'espionnage. Après tout, je suis russe, non ? Quand j'ai su que Pavel voulait demander le divorce, j'avais besoin d'informations, a-t-elle ajouté avec un rire amer.

Même si Elena en savait plus qu'elle n'aurait dû, entendre son récit m'a presque soulagée. Si les manœuvres d'intimidation de Yermolov visaient à me forcer à rendre un tableau que je n'avais pas, je pouvais régler le malentendu fissa. Le tableau que j'avais apporté à l'hôtel place de l'Odéon était un petit Gerhard Richter, acheté en bonne et due forme aux enchères par Gentileschi. Dommage que je n'aie pas assisté à la vente en personne, car les enchères étant filmées, j'aurais pu lui montrer le moment où j'emportais le morceau, mais bon, les provenances étaient consignées ; j'avais ensuite donné le tableau à mon ami Dave, avec qui j'avais travaillé à la maison de vente aux enchères à Londres – il y avait été engagé comme manutentionnaire après avoir quitté l'armée. Grâce à des relations qui s'étaient avérées très utiles pour lui comme pour moi, il avait emménagé avec sa femme dans un charmant petit village près de Bath, où il s'était reconverti comme professeur d'histoire de l'art. Ils avaient vendu le Richter pour financer leur nouveau départ à la campagne. J'ai tout expliqué à Elena aussi brièvement que possible.

Ses mains lissaient ses coupures de presse. Elle semblait y tenir, comme à une sorte de talisman.

— J'accepte votre version des faits, *Judith*. Mais je veux le Caravage. Vous avez vos secrets – et comme je vous l'ai dit, ils ne m'intéressent pas. Mon mari ne s'en souciera pas non plus, j'imagine, s'il apprend que vous ne lui avez rien volé. J'aimerais que vous lui proposiez de retrouver ce tableau pour lui, et que lorsque vous l'aurez trouvé, vous me disiez où il est. C'est tout.

— Non mais vous vous croyez où, là ? Dans *Ocean's Eleven* ? Pourquoi me demander une chose pareille, Elena ?

— Si vous refusez, je lui dirai que je suis venue chez vous.

Elle a fait un signe de tête en direction de la fenêtre pour me rappeler la présence du molosse devant l'immeuble.

— « Quelle coïncidence de retrouver cette fille du mariage de Carlotta ! » Et je lui dirai que j'ai vu son tableau. En l'apprenant, d'abord il vous tuera, ensuite il le cherchera. Ou alors je pourrai suggérer à la police italienne de rouvrir un certain dossier, de vous demander pourquoi vous vivez sous une fausse identité. Et puis – c'est ma raison préférée – je pense que vous le ferez quoi qu'il arrive.

Elle me menaçait bel et bien, mais elle me proposait en même temps une sorte de jeu. D'une certaine façon, l'idée de l'aider à prendre sa revanche sur Yermolov n'était pas pour me déplaire. Pas dans son intérêt, mais le mien. Pour l'heure, j'allais accepter ses règles, ne serait-ce que parce que j'avais besoin de temps pour réfléchir.

— D'accord, Elena. Échec et mat. Mais je dois dire que je ne comprends pas pourquoi votre mari veut divorcer. Une femme brillante comme vous.

— Oui, a-t-elle dit tristement. Je l'étais, à une époque.

11

J'ai accepté de retrouver Elena le lendemain pour déjeuner au café du musée Guggenheim. J'avais passé le plus clair de la nuit sur mon ordinateur portable. J'avais sursauté de temps à autre en entendant le parquet grincer ou un rat gratter derrière le plâtre, mais maintenant que je connaissais le pourquoi de leurs venues précédentes, les fantômes de Yermolov ne m'inquiétaient plus. J'avais d'autres chats à fouetter, à commencer par la source qui m'avait identifiée à Paris.

Le soir où j'avais rencontré Moncada place de l'Odéon, il était également en mission pour Yermolov et Balensky, en charge de leur prétendu Caravage. Je savais déjà que Balensky était louche, et je n'étais pas surprise de découvrir que le passé de Yermolov n'était pas si reluisant que ça. Moncada était dans la mafia italienne ; il donnait dans le trafic d'œuvres d'art suspectes, et il n'y avait rien de plus suspect qu'un « dessin » du Caravage. Moncada pouvait très bien avoir averti les Russes du rendez-vous qu'il avait avec moi. Mais selon Elena, quelqu'un m'avait vue quitter l'hôtel avec le tableau. Ça ne pouvait pas être Moncada, parce qu'il était dans une chambre du quatrième étage, en train de se faire étrangler par Renaud. Ce quelqu'un était la personne que je devais retrouver, et Elena me faisait perdre mon temps. Contacter Yermolov pour lui dire que je n'avais pas le Caravage était inutile. D'abord parce qu'il n'avait aucune raison de me faire confiance, ensuite parce que, avant d'avoir découvert qui était cette personne, je ne serais pas libérée de la trace qui me reliait à ce stupide texto.

Ce qui me posait problème dans le fait de suivre le plan d'Elena, c'est que l'idée même de ce tableau était insensée. Tous les experts que j'avais consultés sur le Caravage étaient unanimes : il n'avait jamais dessiné – tout au plus avait-il planté des épingles dans ses toiles pour marquer la place de ses modèles. Cela dit, il y avait des dissensions sur le fait qu'il ait, ou non, mis les pieds à Venise. Dans les archives en ligne de la London Library, je suis tombée sur l'article d'un universitaire vénitien qui rejetait l'idée en bloc et j'en ai envoyé une copie sur mon téléphone pour la montrer à Elena. Il fallait qu'elle me lâche les baskets, que je contacte Yermolov pour dissiper le malentendu, puis que je découvre qui était ce fameux quelqu'un. Une vengeance sur les oligarques russes ne m'aurait avancée à rien, mais je me suis autorisé quelques petits scénarios de torture en chemin vers le Guggenheim.

Elena s'était remaquillée à la truelle et avait déjà bu la moitié d'une bouteille de pinot *grigio* lorsque je l'ai rejointe au café sur le toit-terrasse. J'ai versé de l'eau dans mon verre, espérant qu'elle suivrait mon exemple.

— Où est votre ami ? Encore en train de cambrioler mon appartement ?

— Youri ? Il s'est excusé pour aller faire une course. Alors je fête ça, a-t-elle répondu avec un air de défi, en se servant un autre verre.

J'ai pris la bouteille et l'ai retournée dans le seau à glace, où j'ai aussi jeté le contenu de son verre.

— Buvez un peu d'eau, Elena. Passer votre temps à geindre et à picoler ne vous mènera nulle part.

Elle a voulu protester mais la serveuse est arrivée. J'ai commandé une *bruschetta* au fenouil et à la menthe plus une portion de raviolis. J'aime vivre dangereusement, je prends des risques même avec les féculents. Elena a opté pour une salade verte, sans assaisonnement.

— Elena, j'ai bien réfléchi, me suis-je lancée lorsque la serveuse lui a apporté son assiette déprimante, et franchement, je ne pense pas être en mesure de vous aider. Pour commencer, nous savons toutes les deux que malgré ce... cette histoire à Paris, je n'ai pas le tableau. Je sais que vous me croyez. Donc ça doit être Balensky. Mais surtout, il est impossible que ce que Balensky a volé, ou non, à votre mari ait une quelconque valeur. Même si je pouvais le retrouver pour vous, ça demeurerait un faux. J'ai passé la moitié de la nuit à chercher partout sur Internet et n'ai trouvé absolument aucune mention de ce dessin. J'ai vérifié du côté des experts. Rien. Alors même si vous mettez la main dessus, parce que vous espérez qu'il vous aidera à peser dans je ne sais quelles négociations, il ne vous sera d'aucun secours dans votre divorce.

Elena se débattait avec une feuille de roquette qui pendait au coin de sa bouche.

— Pourquoi vous ne me tuez pas ? s'est-elle écriée, rageuse.

J'avais bien examiné en détail six façons de l'éliminer, mais aucune ne me paraissait envisageable sans risquer d'être découverte. Quand bien même Yermolov aurait pu m'offrir une récompense. Mais c'était peut-être la photo de ses fils, leur visage radieux sous leurs canotiers, qui m'avait attendrie – les ravages du grand âge. Elle mâchouillait sa salade.

— Je ne vois pas ce que vous voulez dire.

Elle a exagéré son accent russe, roulant ses « r ».

— Quelle est l'expression, déjà ? Vous en savez trop !

Elle a éclaté de rire et s'est mise à renifler bruyamment au-dessus de son assiette. Je commençais à m'ennuyer, mais le mélange potiron-amande dans ces petits chaussons de pâte luisante était vraiment excellent.

— Arrêtez de faire l'idiote, je vous en prie. Votre mari possède des tableaux extraordinaires – les Botticelli, par exemple, ils feraient l'affaire, non ? Et si vous jetiez votre dévolu sur ceux-là pour les offrir à l'État ?

Une fois le fou rire passé, elle a enfin bu un peu d'eau.

— Il ne me donnera rien. Je suis persuadée que le dessin existe pour de bon. Et que vous m'aiderez. Tenez.

Ce n'était pas une nouvelle coupure de presse, ouf. Bras tendu, elle me montrait une photo sur son téléphone. La photo d'une photo, en fait.

— Je l'ai prise dans le bureau de mon mari. C'était le jour où il a décrété que je ne pouvais plus avoir l'usage des maisons en même temps que lui. Il avait fait mettre toutes mes affaires dans des cartons, comme s'il virait une domestique.

Un sentiment que je connaissais bien. C'est peut-être pour ça que j'ai saisi le téléphone et me suis mise à zoomer et dézoomer du bout des doigts. Sur la photo originale, on voyait un salon dans les tons sépia, avec une grande fenêtre cintrée qui donnait sur le Grand Canal ; en dessous, un imposant bureau avec retour et, à côté, une banquette tapissée de soie à motifs. Au-dessus de la banquette, il y avait un tableau encadré. J'ai agrandi l'image, il s'agissait apparemment d'un portrait de femme. Le buste de trois quarts, avec les deux coudes en avant, comme si elle était appuyée sur quelque chose. Les cheveux attachés négligemment, le regard baissé. J'ai zoomé encore, pour mieux voir l'économie du trait, le modelage ténébriste de la tête, qui semblait exécutée d'une autre couleur que le noir et le blanc, mais c'était difficile à dire tant la photo paraissait vieille. L'ensemble était comme ondulé, peut-être à cause du reflet de la vitre du cadre, ou de la qualité de la toile.

— Cette photo a été prise dans les années 1890, dans une *pensione*, ici à Venise. C'est le dessin dont il est question.

— Le fameux Caravage ?

J'ai scruté le téléphone en approchant puis éloignant ma main.

— C'est du tissu ?

L'irrégularité de la surface semblait finalement due au support.

— Du lin. C'est ce que les notes indiquaient, mais j'ai manqué de temps.

— Les notes ?

— Il y avait une lettre, que je n'ai pas pu photographier. Mais la photo prouve bien que le dessin était là il y a plus d'un siècle, qu'il existe.

La certitude qui perçait dans sa voix faisait peine à entendre.

— Vous vous rappelez autre chose ?

— La description parlait d'une esquisse « à la craie à l'huile ». Je m'en souviens, parce qu'on dit plutôt « pastel à l'huile », ou alors « craie grasse ».

— Elena, je suis vraiment navrée, mais ça ne veut rien dire. Ces provenances peuvent tout à fait avoir été falsifiées, c'est très répandu. Il y a un couple en Allemagne qui a fait ça pendant des années. Il suffit de relooker une photo en cliché de l'époque victorienne pour prouver que son tableau existe depuis un petit moment. Et même si la photo est authentique, il est absolument impossible que ce portrait le soit. C'est peut-être de bonne foi, une erreur honnête, mais je vous en conjure, abandonnez cette idée. Tenez, regardez.

Je lui ai tendu mon téléphone avec l'extrait de l'article de journal à l'écran :

Malgré les affirmations selon lesquelles le Caravage aurait visité Venise lors de son périple entre Rome et Milan en 1592 (Provorsi et al. 2001, Filicino 1990), l'hypothèse d'une telle halte a été définitivement écartée (Raniero 2003), n'étant qu'un simple « mythe d'influence » (Raniero, ibid.*) concernant son tuteur milanais Peterzano. Il n'existe tout simplement aucune preuve de sa présence à Venise.*

Elena m'a dévisagée un long moment, avant de baisser les yeux. Je m'en voulais d'avoir vidé le reste de pinot *grigio*.

— Je quitte Venise aujourd'hui. Permettez-moi de vous envoyer la photo. Et de vous laisser mes numéros ?

— Je suis désolée, Elena. Sincèrement.

Son expression s'est débarrassée de sa gentillesse en même temps que de son ivresse. Elle s'est penchée vers moi pour articuler d'une voix glaçante :

— Non, c'est moi qui suis désolée pour vous. Si vous ne trouvez pas ce tableau, je pense que vous savez ce qui vous attend. Vous êtes jeune, vous avez encore de longues années devant vous. Où aimeriez-vous les passer ? Ici ? a-t-elle demandé en désignant d'un vaste geste la vue, toujours aussi stupéfiante bien que familière. Ou en prison ?

— Vous n'avez rien contre moi, Elena.

— Peut-être bien, peut-être pas. Mais quoi que je puisse vous faire, croyez-moi, il vaut mieux que mon mari ne vous tombe pas dessus le premier.

J'ai senti un petit sursaut dans mes pupilles. Soudain, les conversations plurilingues qui résonnaient et le tintement des couverts me sont devenus insupportables. Elle revenait, la pulsion que j'avais éprouvée avec Alvin, le décrochement presque extatique de la réalité qui durerait jusqu'à ce que j'en aie terminé et que je baisse les yeux sur ce que j'avais fait. J'ai enfoncé mes ongles dans mes paumes. « Contrôle les conséquences. » J'ai fermé les yeux et, résignée, lui ai passé mon téléphone pour qu'elle m'envoie sa photo et s'enregistre dans mes contacts.

Elena récupéra son sac et son chapeau.

— Je pense que nous allons rester en lien. Vous verrez. Prenez soin de vous.

Je l'ai observée s'éloigner de sa démarche d'ivrogne exercée. Malgré les « Tss » exaspérés d'un couple américain à la table voisine, je me suis allumé une clope. Mes doigts flottaient au-dessus de mon téléphone, comme une foutue ado. En attendant l'addition, j'ai craqué. J'ai regardé la photo, et fait apparaître une carte du Grand Canal sur Google Maps. La fenêtre – j'avais remarqué que les seuls bateaux visibles étaient des gondoles – donnait sur ce qui semblait être un coin du palais Grassi, ce qui placerait cette *pensione* dans l'un des édifices qui lui faisaient face. J'ai recensé tous les noms d'hôtels contenant le mot « palais ». Je n'aurais peut-être pas tant de mal que ça à retrouver l'endroit où avait été prise cette photo, juste pour m'assurer que ce tableau ne pouvait pas exister. Ça ne pouvait pas faire de mal. Ce serait un outil de marchandage lorsque je contacterais Yermolov : son putain de Caravage était bel et bien un faux. Un bon moyen de ne plus l'avoir sur le dos. Sans compter le plaisir certain que je prendrais à partager cette information avec lui.

J'ai repensé à Masha et à sa clique de vieilles bonnes femmes dont toute la famille, proche ou éloignée, travaillait dans l'hôtellerie. Elle connaîtrait peut-être quelqu'un susceptible de m'aider à retrouver l'hôtel de la photo ?

Comme Masha ne répondait pas à son interphone, j'ai fouillé dans mon sac pour trouver un bout de papier et lui griffonner un mot. Mais l'idée de le laisser sous la porte de l'immeuble ne me plaisait pas trop, alors j'ai sonné chez les voisins jusqu'à ce que quelqu'un m'ouvre et j'ai monté l'escalier.

Le silence n'a rien d'une constante. Il peut avoir différentes qualités – le silence après la sonnerie d'un téléphone dans une maison vide, le silence d'une pièce où quelqu'un s'est endormi. Sur le palier de Masha, le silence avait quelque chose de contracté, comme si, de l'autre côté de la porte entrouverte, on avait essoré l'air de tous ses bruits. Le silence d'un manque imperceptible. Elle était allongée face contre terre sur son tapis persan élimé, un bras dans sa manche noire tendu vers la fenêtre. Avait-elle tenté de ramper à travers la pièce, d'appeler à l'aide par-dessus les toits ? La blessure violacée à sa tempe droite dessinait une rose en haut de sa joue poudrée. Elle avait l'air si petite enveloppée dans son châle bigarré, une matriochka brisée qu'un enfant aurait laissée tomber. Sa robe s'était retroussée dans sa chute, exposant ses jambes fripées dans leur collant beige ; une forte odeur d'urine couvrait presque les effluves de thé et de graillon. Désemparée, je l'ai observée le temps de quelques battements de cœur, mais je savais que je ne décèlerais aucun souffle, aucun mouvement. Quiconque avait fait le boulot était allé jusqu'au bout. Et j'avais vu le vide chiffonné de la mort, son inhumanité insaisissable.

Le coude en crochet sous la poignée, j'ai poussé la porte avant de la refermer doucement derrière moi. À genoux, j'ai tiré sur son jupon du bout des doigts. Je pouvais au moins faire en sorte qu'elle soit présentable. Elle était allongée sur un objet dur, en partie caché sous le nylon noir. J'ai tiré dessus, avant de retirer ma main, comme si je m'étais écorchée. C'était l'icône encadrée, la Madone qui avait été endommagée pendant le cambriolage. La moitié du visage avait été déchirée.

J'ai contourné le corps de la pauvre Masha pour aller dans la cuisine de poche, où j'ai trouvé un torchon pour en envelopper ma main droite. Un haut-le-cœur m'a soulevé les côtes mais je l'ai chassé en toussant. De ma main protégée, j'ai ouvert le gros sac à main craquelé de Masha, posé sur un tabouret en bois peint dans l'entrée, et en ai sorti un répertoire en cuir bleu usé. Je l'avais vue s'en servir pour appeler ses élèves et noter leurs paiements – je lui donnais toujours du liquide, ce qui voulait dire que la seule chose la reliant à moi était mon numéro de téléphone dans ce petit carnet. Je ne pouvais pas laisser ce truc traîner ici. Je commençais à trembler, mais j'ai réussi à mettre le répertoire dans mon propre sac et à poser le torchon dans la cuisine. Je me détestais d'avoir eu cette présence d'esprit-là, mais on ne pouvait plus rien faire pour elle à présent. Quelqu'un finirait par venir, ne serait-ce qu'à cause de la chaleur.

12

J'ai couru. Entre les crocodiles publicitaires des bateaux de croisière, les piles de sacs à main de contrefaçon, les babioles en plastique, les étals de masques, les étals de verre, maudissant l'absence de taxi et les détritus qui jonchaient les rues. Je filais droit vers la galerie, le cerveau à plein régime, au même rythme que mes pas ; j'ai extirpé mes clés de mon sac en passant devant l'arrêt San Basilio et ouvert le rideau en métal d'un coup sec, secouée d'un nouveau haut-le-cœur, mais en voyant ce qui m'attendait à l'intérieur, j'ai trébuché à reculons jusque dans la rue, le souffle coupé. À peu près remise, je suis entrée à nouveau, prudemment, en prenant soin de tirer le rideau derrière moi. Dans le clair-obscur, j'ai vu le sol hérissé de papiers froissés et d'éclats de verre. Le plateau de mon beau bureau. Beaucoup moins beau à présent que ses mille morceaux s'étalaient par terre, mélangés à la peinture prévue pour les murs et à l'encre bleue avec laquelle je rédigeais mes reçus. Ils n'avaient pas eu grand-chose à casser sous la main – comme je l'ai dit, j'aime bien que les choses soient rangées – mais j'ai quand même vu parmi les fragments les jolies tasses dans lesquelles je servais le café aux clients, cassées elles aussi, ainsi que mon service pichet et gobelets Venini en verre orange et mon nécessaire de bureau – scotch, marteaux, punaises –, le tout écrasé, piétiné. Cet espace vide, qui la veille encore brillait de l'éclat des palais privés, m'apparaissait dans toute son exiguïté. Machinalement, je me suis accroupie pour ranger, mais à quoi bon. Détruits, tous mes objets choisis avec soin étaient bons pour la poubelle. J'ai contourné tout ce fatras pour aller ouvrir le tiroir du bas de mon bureau. J'ai fermé les yeux tellement j'étais soulagée. Le pistolet était toujours là.

Un saccage en règle qui n'avait dû leur prendre que quelques minutes. Ils ne cherchaient rien, sinon à me faire peur. Le pistolet de Moncada était à sa place, sous le faux fond du tiroir. Je l'ai glissé dans mon sac, en prenant garde de ne pas y laisser de traces de peinture. Je suis restée longtemps plantée là, à contempler le pillage de ce que j'avais cru désirer le plus au monde. J'avais vu des installations pires. Une meilleure galeriste aurait peut-être griffonné un titre sur une étiquette qu'elle aurait collée en vitrine et refourgué le tout à prix d'or, mais je n'avais plus de patience pour ces petites blagues typiques du milieu. L'ambiance tamisée me rappelait celle de la réserve de Londres où Dave et moi avions passé tant de temps parmi les tableaux. Seule la lumière ne mentait plus désormais.

Il m'a fallu un moment avant de digérer cette étonnante découverte. Ce que j'éprouvais face à cette destruction n'était pas de la rage, mais du soulagement. Jamais à court de coups bas, mon inconscient m'a soufflé une autre pensée. Franchement, j'en avais ras la casquette d'Elisabeth Teerlinc. Les hommes de Yermolov avaient brisé sa coquille, et elle m'apparaissait soudain dans toute son imposture. Elle avait peut-être dupé quelques acheteurs d'art stupides, mais moi, elle ne m'avait jamais convaincue. J'avais eu beau faire de mon mieux, j'avais toujours été mal à l'aise dans sa peau. Elisabeth savait ce que l'on attendait d'elle ; seulement, Judith n'avait pas franchement eu envie de suivre les directives. Le personnage que j'avais inventé – jeunesse dorée européenne bien sous tous rapports, vaguement instruite, monstre d'orgueil – était un concentré de tout ce que Judith Rashleigh détestait. Je découvrais avec embarras que depuis le début, j'avais façonné mon moi fictif d'après Angelica Belvoir.

Et je m'en étais sortie comme un chef. Si bien que je ne supportais plus la vue du résultat.

Après ça, il était peu probable que Gentileschi revienne dans la course. Néanmoins, je n'étais pas encore prête à attirer l'attention sur le fait que je me retirais des affaires. J'ai passé un bon moment à fourrer les débris de la vie d'Elisabeth dans trois sacs plastique géants que j'ai sortis pour le bateau-poubelle, comme une bonne citoyenne. J'ai baissé le rideau et fixé l'écriteau « Fermé » sur la face extérieure de la porte. Les petits copains de Yermolov avaient pété les serrures, mais en passant une main par la fente prévue pour le courrier, j'ai réussi à tourner le verrou du bas. De l'extérieur, rien ne signalait de quelconques dégâts.

Naturellement, l'étape suivante a été un crochet par la banque. J'ai encaissé un chèque personnel de dix mille euros et un second du même montant via Gentileschi. Je suis entrée dans mon appartement, canon pointé devant moi. Le Caracal F 9 × 21 était l'arme que Moncada avait dégainée le soir où Renaud l'avait tué place de l'Odéon. J'avais prévu de m'en débarrasser avec le reste des preuves – c'est-à-dire, pour être tout à fait honnête, avec la tête de Renaud – dans un sac de sport Decathlon que j'avais lâché dans la Seine, mais je l'en avais extirpé au dernier moment. Je m'étais occupée de Renaud avec un Glock 26 que je m'étais procuré grâce à Dave, et qui avait aussi réglé son compte à Julien, naguère propriétaire d'un club, mais je l'avais balancé par la fenêtre du train de nuit qui m'emmenait à Amsterdam. Le Caracal est léger, à peine plus de sept cents grammes ; encore mieux, il dispose d'une manette spéciale qui permet de le démonter en un clin d'œil. Je l'avais toujours gardé à portée de main, à la galerie, son magasin de dix-huit balles toujours bien rempli. Moncada n'avait pas eu le temps de tirer une seule balle avant que Renaud l'étrangle. Sur le palier, j'ai ôté la sécurité et visé la porte, imaginant un Russe tatoué arrivant dans ma direction. « Vise et tire. » Au début, j'ai cru que les fantômes avaient pris un jour de congé. Extraire mon ancien passeport de la vieille lingère a eu un effet presque apaisant ; au moins les spectres qui dormaient là m'étaient familiers. J'ai pris les deux – Elisabeth m'accompagnerait, mais j'allais redevenir Judith un certain temps.

Inutile de faire mes bagages ; j'en avais déjà deux prêts dans le dressing, deux valises Rimowa laquées noires à quatre roues. Les Rimowa sont lourdes, mais elles ont une doublure amovible à glissière, bien pratique en guise de planque. Chacune contenait un échantillon varié de ma garde-robe, ainsi qu'une tenue de sport et des produits de beauté. L'une donnait dans le style pouffe méditerranéenne, avec le genre de choses dont j'aurais eu besoin si j'étais partie en escapade avec Tage Stahl, l'autre était plus sobre et pratique – enfin, ce que ma garde-robe comptait de plus approchant. J'ai choisi la seconde, soulevé le contenu pour glisser le pistolet et les liasses de billets dans la doublure et tourné les molettes du cadenas. Puis, machinalement, j'ai fait un tour de l'appartement pour fermer les volets, vider le frigo, descendre les poubelles, construire un barrage mental avec des corvées de base. J'ai fait une pause pour envoyer un texto à Dave : J'ai besoin d'un chapeau gris, qqn de confiance, urgent. Merci comme tjs, J.

Dave s'était retiré dans un cadre bucolique mais avait toujours des contacts. J'étais bien contente que les choses se soient décantées entre nous et qu'on ne s'embarrasse plus avec les courtoisies d'usage. J'ai fini de faire mon sac en attendant sa réponse.

OK. Tu me laisses une journée ? J'espr q tt va bien. D.

Je n'ai pas une journée.

Je m'active. Te dis.

Je n'étais pas sûre de revoir mes tableaux, mais je pouvais tenter un sauvetage. J'avais un absorbeur d'humidité dans le salon que j'avais acheté à cause de l'humidité ambiante de la ville. Je l'ai mis dans le dressing, j'ai sorti des housses en coton pour protéger mes œuvres puis les ai décrochées une à une, les caressant avec les yeux, laissant mes paumes murmurer contre la toile. C'est en m'occupant de ma *Suzanne* que je me suis finalement aperçue du passage des fantômes.

Sur ce tableau, la jeune femme presque nue détourne la tête par-dessus son épaule droite, en signe de mépris pour les deux vieillards qui complotent derrière le mur contre lequel elle se tapit. L'histoire de Suzanne est celle du triomphe de la vertu sur le vice – les deux voyeurs la lorgnent avec convoitise après son bain et essaient de la faire chanter pour qu'elle se plie à leur désir, mais elle les défie et leur tentative de faux témoignage contre elle se retourne contre eux et ils se font exécuter. Cela dit, comme c'est le cas pour de nombreux sujets canonisés, la représentation de Suzanne est en général un prétexte à la pornographie.

Pourquoi la montrer en train de dénoncer ses accusateurs alors qu'on peut la montrer nue dans l'eau ? Le vrai sujet n'est pas l'innocence vengée, mais l'anarchie du désir sexuel, le talent avec lequel le peintre, dans cette représentation de la chair tentatrice de Suzanne, pousse le spectateur à se ranger du mauvais côté, malgré lui. Nous nous voyons nous-mêmes dans le complot des vieillards, tombés comme eux sous le charme de la jeune femme, et s'en rendre compte est toujours désarmant.

Le visage lumineux de Suzanne souffrait d'une entaille irréparable. Le *sfregio*. Dans la balafre, on avait inséré la moitié de la Madone déchirée de chez Masha. Comme si Yermolov n'avait pas été déjà suffisamment clair. J'ai retiré le morceau de papier et longé du bout du doigt la fente qui non seulement défigurait le visage de Suzanne, mais lui ôtait toute vie, pour en faire une simple tache de peinture à l'huile ne représentant plus rien. Hypnotisée par le mouvement de ma main, je regardais sans le voir le bois du châssis visible par le trou. Après tout, ça ne comptait plus. J'ai observé mes doigts s'insérer sous la toile pour tirer de toute leur force, vu le vernis craqueler et s'émietter, jusqu'à ce que la toile gondole et qu'un pan soit aspiré dans mon poing, le corps de Suzanne arraché à son support tandis qu'accomplissant le fantasme des vieillards je saisissais sa peau à pleines mains, la pétrissais, l'écorchais, la faisais frissonner pour finir par l'abandonner à sa béance, sa délicate beauté irrémédiablement déchiquetée.

Au bout d'un moment, j'ai remarqué que j'avais le bout des ongles déchiré et les bras couverts de griffures. J'avais des flocons de peinture dans les cheveux, dans les cils, des morceaux de toile éparpillés autour de moi. L'image de Masha rôdait dans un coin de mon esprit, et l'espace d'un instant je me serais bien allongée là pour les attendre, tous ces fantômes, ça m'aurait apaisée de demeurer là sans bouger jusqu'à ce qu'ils viennent m'extorquer ce qu'il me restait, jusqu'à ce que je sois aussi dépouillée que le châssis de Suzanne. Mais non. Pas encore. Les portes de la lingère étaient dans mon champ de vision. J'ai bondi sur mes pieds et entrepris de tout nettoyer.

Maintenant que j'en avais terminé avec mes préparatifs, mon appartement ne m'apparaissait plus comme un refuge. J'ai envisagé une sieste et une séance vivifiante de masturbation, mais le cœur n'y était pas. La masturbation peut vous donner l'impression de n'être qu'un objet. Et puis j'avais peur, si j'essayais, de ne tomber que sur un vide sans fin. En jetant un dernier coup d'œil autour de moi pour vérifier que je n'avais rien oublié, j'ai laissé les sacs en sécurité derrière la porte verrouillée et suis descendue sur le *campo* pour tuer le temps. J'ai pris un café, mais impossible de rester en place, alors j'ai marché le long des canaux de Dorsoduro, insensible aux touristes, cramponnée à mon téléphone auquel je jetais un coup d'œil toutes les cinq minutes. Enfin, Dave m'a envoyé un Snapcode et un horaire, dix-neuf heures. Bien. Je me suis assise dans un autre bar, j'ai commandé un autre café dont je n'avais pas envie, plus une bouteille d'eau, puis j'ai dégainé mon Montblanc et commencé à faire une liste.

Il fallait que je sache de quoi Yermolov était capable si vraiment il voulait me rendre la vie dure, et si c'était le cas, par quels moyens. Pour la plupart des gens, la mort de son professeur, c'était déjà beaucoup, mais je savais que c'était à peine un début, la promesse d'une suite. Le Caravage ne pouvait être qu'un faux, mais Yermolov croyait de toute évidence à son authenticité, et au fait que je l'avais eu en ma possession. Me contenter de lui dire que j'ignorais tout de ce tableau, même si ça semblait plausible, n'allait pas suffire. Et d'après les dires d'Elena, Yermolov savait que je m'étais trouvée place de l'Odéon, et que j'étais reliée, d'une façon ou d'une autre, à la mort de Cameron Fitzpatrick. Si les soldats de Yermolov ne me tombaient pas dessus en premier, la police ne mettrait pas longtemps à frapper à ma porte. Et Balensky dans tout ça ? Si Yermolov me croyait de mèche avec l'homme du Richistan, il serait sûrement impatient de se débarrasser de moi. Tant que ma gorge était encore intacte, je n'avais pas la moindre idée de la façon dont je pouvais contacter Balensky, à moins qu'il soit sur Tinder. J'ai surpris mon stylo en train de gribouiller un petit poignard dans un coin de page. Dans la symbolique du crime organisé russe, porter un poignard tatoué dans le cou signifie qu'on a tué quelqu'un en prison. A priori je n'allais pas recroiser Youri de sitôt, mais il fallait que je sache quelle distance et combien de temps je pouvais m'offrir.

Trois heures et demie, la bouche amère de trop de café, encore en train d'errer. Près du Campo San Polo, j'ai entendu la sirène d'un bateau-ambulance sur le canal. J'avais toujours trouvé hilarant qu'à Venise les urgences soient confiées à des bateaux, mais penser à ce vers quoi celui-là se dirigeait peut-être m'a coupé toute envie de rire. Une autre table, un autre expresso. À sept heures pile, j'ai composé le code.

Les « chapeaux blancs » sont des experts qui travaillent en toute légalité, enquêtent sur des problèmes ou des bugs dans des systèmes. Les « chapeaux noirs » profitent de leur expertise, parfois pour de l'argent, parfois juste pour déconner. Les « gris », de toute évidence, se situent quelque part entre les deux. Beaucoup d'entre eux louent leurs services à des groupes militaires, d'où ma requête adressée à Dave. Une fois mon chapeau et moi connectés grâce au

Snapcode, je l'ai mitraillé de questions, sans me présenter, ce qu'il ou elle n'a pas fait non plus.

Merci de m'aider. J'ai besoin de savoir si un compte offshore peut être piraté.

Non, à part par la CIA, mdr !

Vraiment ? Même par quelqu'un qui paierait très cher ?

C'est un truc qu'on voit qu'au cinéma.

Même par un Russe ?

Un Russe ? Vieille école.

C'est-à-dire ?

Les gouvernements, oui, ça peut trifouiller des comptes. Les gens pensent que des particuliers en sont aussi capables, mais ils n'ont pas la technologie. Un Russe, il te fera chier, c'est tout.

Comment ?

Physiquement.

Rien de tel qu'un petit euphémisme. Le cadavre d'une vieille femme, c'était donc « vieille école ».

Et la surveillance ?

AMHA (qu'est-ce que ce truc voulait dire ? Les gens ne pouvaient pas utiliser de vrais mots ?) inutile de t'inquiéter, à moins que tu sois en cavale (:

Seigneur.

Les lecteurs de carte posent problème, même si on ne s'en sert pas. Fais gaffe à ça.

Merci. Téléphone ?

Achète un jetable.

Merci. Si j'ai à nouveau besoin de toi ?

Je t'envoie un code.

Merci.

Y a pas de quoi.

J'ai envoyé un message à Dave : Chapeau gris très utile. Mille mercis. Où tu l'as trouvé ?

Nairobi. Prends soin de toi.

Kenya. La classe.

Comme je l'avais craint, j'ai dû faire sans mes cartes. Je manquais d'assurance sans elles, mais j'avais jusqu'alors passé un sacré bout de temps sans plastique. Je suis retournée prendre mon bagage, et je les ai jetées une à une dans l'eau, un spectacle qui a grandement intéressé un groupe d'Allemands qui passaient par là. À la dernière, j'ai hésité. Des chiffres noirs discrets et l'arabesque d'un nom écrit à la main : ma carte de la Klein Fenyves, ma chère banque panaméenne. Ce serait une connerie monumentale de m'en servir, après ce que je venais d'apprendre, mais tout aussi stupide d'être démunie de tout en cas d'urgence. Je l'ai remise dans mon portefeuille et j'ai tiré ma valise jusqu'au *tabaccaio* pour acheter des clopes et un ticket pour le bateau qui allait à la gare. J'ai marché d'un pas élégant jusqu'à l'arrêt, la vision périphérique en alerte, bien qu'à elle seule la valise soit une sorte de déguisement. Venise fourmille de femmes désorientées traînant des valises. Le livre sur le Caravage dépassait de mon sac à main, je l'ai feuilleté tandis que le vaporetto se traînait entre les chantiers navals et les bateaux de croisière géants. Aux marches de la gare, j'ai décliné le chariot qu'on me proposait et trimballé mon bagage jusqu'au guichet, où, après une seconde d'hésitation, j'ai acheté un billet de deuxième classe. « Bon retour parmi nous, Judith. » Je me suis installée aussi confortablement que possible dans un siège d'angle, j'avais un changement à Munich puis un autre à Utrecht.

Le retable de l'église Sainte-Irène à Lecce, qui a pour sujet l'archange Michel, est de Guido Reni, grand rival du Caravage. En 1602, Reni quitta Rome pour retourner dans sa ville natale, Bologne, un retour motivé par ce qu'il décrivit à un ami comme sa « défaite » face au Caravage. Selon lui, la peinture devait servir à montrer une belle version du monde, un idéal incorruptible, éternel. Comme beaucoup, il fut perturbé par l'irrévérence qu'il percevait dans le travail du Caravage, son refus de la bienséance et de l'angélisme. Ça le rendait nerveux. Au début de cette année-là, le Caravage peignit un tableau qui montrait en apparence trois hommes en train de dîner dans le genre de taverne romaine qu'affectionnaient les artistes ; la nappe est à peu près propre, mais le repas n'a rien d'un festin – miches de pain rassis, coupe de fruits qui ont vu des jours meilleurs, poulet rôti ayant apparemment vécu une vie très sportive. C'est un aubergiste à l'air sévère qui les sert, il se demande peut-être s'ils auront de quoi payer la note. Et puis, à y regarder de plus près, on voit que ce qui est peint là est un miracle. Le jeune homme au milieu de la tablée est le Christ, il s'agit du souper à Emmaüs, lorsque Jésus se présente à ses disciples après avoir ressuscité. Il n'y a pas de feuille d'or, pas d'angelots qui gazouillent. La scène se passe dans l'ombre, la silhouette penchée de l'aubergiste projette un halo sur le mur au-dessus de la tête du Christ, et sur la nappe l'ombre du raisin et du citron évoque celle d'un poisson, premier symbole de la chrétienté. Le divin se cache dans le banal, ne se manifestant qu'à ceux qui voient.

J'ai contemplé l'image tout le temps que le train traversait la plaine vénète écrasée de chaleur, les poings serrés. L'ombre profonde que projette la lumière des bougies autour de la table m'a rappelé les tristes plis de la robe de Masha. Du bout des doigts, j'ai suivi le contour des silhouettes, le regard écarquillé de l'un, les bras tendus de l'autre. J'avais envie de pleurer Masha, mais les larmes refusaient de couler, même lorsque j'ai forcé mon esprit à survoler une fois encore son cadavre.

« C'est pas ta faute, Judith. »

Rien ne l'était et tout l'était, et tandis que les heures défilaient dans la lumière du soleil hachée par les stores, ce compartiment désert m'apparaissait comme la seule miséricorde que le monde m'accorderait jamais.

Puis il a fait trop sombre pour y voir et mes jambes avaient besoin de se dégourdir. Des fourmis dans les pieds, j'ai traversé les voitures quasiment vides jusqu'au wagon-bar. Je ne pouvais rien avaler, mais acheter une banane et une bouteille de Tropicana ferait passer le temps. Ma montre indiquait vingt-trois heures vingt, encore toute la nuit à supporter. Je payais mon jus lorsque la porte qui donnait sur la première classe s'est ouverte. Un jeune homme en jean, chemise blanche, pull épais en cachemire bleu marine. Pas mal. Il a hoché poliment la tête à l'intention de la serveuse, et à la mienne.

— *Buonasera.*

— *Buonasera.*

Son regard a de nouveau croisé le mien tandis qu'il payait son *macchiato*. J'imaginais ce qu'il voulait dire : On voyage seule, mademoiselle ? Sa peau devait être chaude et satinée, de la même couleur que la crème de son café après une longue saison de soleil italien.

— *Sei da sola ?* Vous êtes seule ?

Sentant les vibrations de la petite table en plastique rythmées par les rails, j'ai réfléchi à sa question.

Bossun était un dealer à la petite semaine qui traînait devant mon école, distribuait des mini-paquets d'herbe et de speed en échange de billets de cinq que les gamins fauchaient à leurs parents. Il conduisait une vieille BMW blanche, soit le comble du chic dans notre cité, et il était beau garçon. Si tant est que les géants nigérians soient votre truc. Je n'ai jamais voulu de sa came, mais il arrivait qu'il me donne une Lambert & Butler, que je fumais en bavardant avec lui. Un jour, alors que ma mère traversait une sale période – on nous avait coupé l'électricité et il n'y avait rien d'autre dans la cuisine qu'un pot de margarine Utterly Butterly presque vide –, il m'a demandé si je voulais faire une livraison pour lui. Pour quinze livres. On a roulé vers le centre-ville dans cette super voiture bien chauffée, jusqu'à une grande maison mitoyenne de Hope Street, près de la cathédrale, et il a glissé un vieux manuel scolaire dans le sac en plastique qui me servait de cartable. La came était scotchée à l'intérieur, à la page d'introduction aux essais de Walter Benjamin.

— Des étudiants, a lâché Bossun avec mépris. Tu me rapportes le bouquin, hein ?

Le vent plaquait ma jupe de collégienne contre mes jambes tandis que j'attendais qu'on vienne m'ouvrir, mais je ne sentais pas le froid. J'étais en pleine montée d'adrénaline, je la sentais bander mes muscles, un vrai feu d'artifice dans tout mon corps. C'était la première fois que j'enfreignais la loi. J'étais persuadée que la moindre erreur m'enverrait direct au poste de police, et je vibrais littéralement à cette perspective. Je tenais le livre contre mon manteau en essayant d'avoir l'air calme et concentrée au cas où quelqu'un me regarderait. Le mec qui a fini par venir ouvrir achetait manifestement un truc vachement plus fort que de la beuh. Il était jeune, pas beaucoup plus âgé que moi, mais derrière ses cheveux châtain clair, ses yeux étaient jaunes, et quand il a tendu les mains vers le manuel j'ai vu les traces de piquouse sur ses avant-bras gris mal cachés par son pull miteux. Dans l'entrée, j'ai attendu entre deux sacs-poubelle pleins à ras bord qu'il décolle son paquet et le remplace par quelques billets froissés avant de refermer le livre avec soin.

— Merci. Euh, à bientôt.

À ma grande surprise, il avait la voix d'une personne posée, instruite.

Bossun avait l'air d'être très content de moi ; il m'a donné cinq livres de plus que prévu. Après ça, j'ai commencé à faire des livraisons régulières. D'après lui, l'uniforme scolaire était un atout qui écartait les doutes. La police était sans cesse après lui ; ils le prenaient pour un dealer rien qu'à cause de sa couleur de peau.

— C'est peut-être précisément parce que tu deales, ai-je suggéré un jour, et au bout d'une minute j'ai bien cru que j'allais me prendre une baffe, mais il a éclaté de rire en me disant qu'un jour ma perspicacité se retournerait contre moi.

Bossun avait son propre appartement, un deux-pièces crasseux qui puait les pieds et l'encens, mais il y avait un radiateur à gaz et des tissus africains aux couleurs vives sur les meubles pourris, et avec les rideaux tirés et la musique, ça allait à peu près. Au bout d'un certain temps, Bossun a dit que je pouvais pieuter chez lui si besoin, et si je lui taillais une gentille pipe avant de dormir. Et parce que quand on a quinze ans et qu'il ne nous est jamais rien arrivé, quand on n'est allé nulle part, qu'on n'a rien vu et que la moindre attention qu'on vous porte fait soudain rayonner le monde si on se force un peu, c'est ce que j'ai fait. Je disais que c'était mon petit ami, du moins dans ma tête, et au début j'étais fière quand il arrivait devant la grille du collège en faisant crisser les pneus de sa BM. Il ne m'embêtait pas, sauf pour que je lui taille des pipes, ce qui ne me dérangeait pas plus que ça vu que sa bite ressemblait à un parapluie télescopique, mais un jour, en arrivant chez lui, je suis tombée sur un mec blond tout maigre en survêtement en nylon dégueu assis à côté de lui sur le canapé, avec de la bouffe indienne et un pack de bière à moitié entamé.

— Ça va ? Je te présente Kyle. Un vieux pote. Kyle, c'est Judy.

— Salut, a dit Kyle sans lever la tête.

Il engloutissait son poulet tikka avec une cuillère en plastique comme s'il n'avait jamais vu de nourriture de sa vie.

— Viens t'asseoir. Moi, faut que je file.

Bossun nous a laissés dans un bruit ambiant de mastication. Au bout d'un moment, j'ai demandé à Kyle s'il voulait qu'on allume la télé, mais il a continué à bouffer. Je me suis demandé où Bossun l'avait trouvé, s'il était pas un peu simple d'esprit. Une fois la barquette en alu récurée de toute sa graisse, j'ai ramassé les boîtes pour les jeter à la poubelle, à côté de la cuisinière qui ne servait plus depuis longtemps, et lui ai ouvert une autre bière, en parfaite petite hôtesse. Je me demandais si ça serait grossier d'ouvrir un livre.

— Bossun a dit que…, s'est-il soudain animé.

— Que quoi ?

— Il a dit que tu…

— Que je quoi ?

— Tu vois, je viens de sortir. Genre, aujourd'hui.

Il a bu un long trait comme si ça expliquait tout.

— De sortir ?

— Ouais. De taule.

— Oh. Félicitations.

Évidemment, je mourais d'envie de savoir ce qu'il avait fait, mais ça aurait été mal élevé de demander.

— Et donc, tu vas habiter ici ?

— Ouais, un peu. Le temps que je me débrouille, quoi.

— Bon, je ferais mieux d'y aller, alors.

— Mais il a dit que…

Alors j'ai compris ce qu'il voulait dire, et pourquoi Bossun avait filé, et j'ai vu dans son visage pincé un espoir que j'ai reconnu. En le regardant, en voyant à quel point il avait envie de me toucher, sa main aux ongles rongés qui tremblait imperceptiblement, j'ai su que ce que j'avais sous ma jupe plissée et mon pull tout moche était un pouvoir.

C'est comme ça qu'ils nous domestiquent. À cet âge, un soupçon de ce pouvoir suffit à tout faire basculer, à nous convaincre que toutes les chansons pop disent la vérité, que c'est de l'amour, peu importe que ce soit de la contrainte, ou pire. Alors on le fait, et dix ans plus tard, on se réveille avec trois gamins sur les bras, à côté d'un bon à rien obèse, et on se demande où est passé ce pouvoir, et pourquoi on s'en est aussi peu servi. Pourquoi on a tout bousillé, pour du pathos, pour un peu d'attention. Mais moi, je n'ai jamais été comme ça. Même à cette époque-là, je n'étais pas comme ça. L'amour, ce n'était pas pour moi. J'allais faire en sorte de tout savoir sur ce que je pouvais faire faire aux hommes, et un jour j'allais m'en servir. C'était… nécessaire.

J'ai tendu une main vers lui pour effleurer sa bouche du bout des doigts. Puis je me suis dirigée vers la chambre glacée, j'ai tiré le store autant que possible et j'ai enlevé tous mes vêtements à part ma culotte. Je me suis glissée sous la couette Everton que je connaissais bien et suis restée immobile, sur le dos. Quand il m'a embrassée, il sentait le curry et le houblon. Il m'a dit que j'étais magnifique. Il s'est allongé sur moi, et dans l'ambiance saturée de tabac froid je me serais bien allumé un joint, mais quelques secondes après m'avoir pénétrée, il a soufflé : « Ah, merde, putain de merde ! » sans plus bouger, me serrant si fort que je respirais à peine, son visage pressé entre mes seins. Il s'est endormi comme ça, et je n'ai pas osé bouger, de sorte qu'on était toujours coincés dans cette position quand Bossun est revenu et s'est glissé au lit à côté de nous.

— Tout va bien, les tourtereaux ?

J'ai ouvert les bras et les deux corps, le sombre et le pâle, se sont tournés vers moi et deux bras se sont enroulés autour de ma taille. On est restés comme ça toute la nuit, blottis comme des chiots dans la lumière orange du lampadaire sous ce store déglingué. Je les ai écoutés respirer, ronfler, geindre, et ça faisait mal de savoir qu'ils étaient si jeunes, qu'on pouvait être clean quelques instants. Sous mon cul, le drap était humide, à cause du foutre de Kyle, mais aussi de mon sang. Ça ne m'avait pas semblé le moment indiqué pour mentionner que j'étais vierge. L'espace d'un instant, avant de m'endormir, je nous ai vus dans toute notre innocence, toute notre laideur.

Le type avait arqué un sourcil, perplexe, confiant dans l'attente. Je lisais son invitation sur son visage, je n'avais plus qu'à dire oui. Il pouvait me baiser tout son soûl pendant que les Alpes laissaient traîner au vent leurs volutes de brume neigeuse, telles des bandelettes autour de mon cœur. Facile.

— Non, ai-je répondu d'un signe de tête en direction de la deuxième classe. *C'e… c'e qualcuno*, il y a quelqu'un.

— *Allora, buonasera, signorina.*

— *Buonasera.*

Je suis retournée à ma place, seule, et j'ai passé la nuit assise tandis que le train roulait vers la mer du Nord.

13

QUATRE MILLE EUROS le simple bout de papier, ça peut paraître cher, mais je ne pouvais pas me permettre d'acheter de la petite qualité. J'avais envisagé un passeport américain, qui arrive à la même place dans le classement des documents les plus utiles dans le monde, mais je ne me faisais pas assez confiance du point de vue de l'accent, alors je me suis résignée à rester fidèle à mes origines. J'étais arrivée à Amsterdam en milieu de matinée, rouillée et crasseuse, et j'avais pris le métro jusqu'à Nieuwmarkt, où les *coffee shops* à la limite du quartier rouge bouillonnaient déjà d'activité. Évitant les grappes de mecs aux yeux explosés qui enterraient des vies de garçon, j'ai tenté ma chance dans divers hôtels bas de gamme et j'ai fini par me trouver une chambre sans intérêt mais avec tout ce qu'il fallait, payable en liquide. Après une délicieuse douche bien chaude, je me suis accordé trois heures de sommeil et suis partie en direction de chez Alex, près du Vondelpark.

À l'époque où je vivais à Paris, quand j'étais assez naïve pour croire que je m'en sortirais toujours, j'avais mis

Gentileschi sur les rails grâce à la vente d'un faux tableau – un Stubbs – que j'avais volé. Cette peinture étant une contrefaçon, je n'étais pas étouffée par la culpabilité. Mais à l'irruption d'un flic italien se faisant passer pour un chasseur de primes du nom de Renaud Cleret, j'avais dit adieu à ma sécurité. Cela dit, on avait été amants, et même amis, d'une certaine façon, du moins jusqu'à ce que je me rende compte qu'il envisageait de me livrer à son collègue de la brigade anti-mafia, Romero Da Silva. Dans un souci de respect des règles, j'avais dû m'occuper de ça, mais Renaud m'avait laissé quelques cadeaux d'adieu, dont Alex, son « cordonnier » d'Amsterdam.

Renaud avait vanté les mérites de son pote passé maître dans la production de faux papiers, mais Alex m'avait plutôt déçue la première fois que je l'avais rencontré. À Paris, après la disparition de ma copine Leanne, Renaud avait envoyé son passeport à Alex, qui avait remplacé la photo originale par la mienne. Ce document était censé m'envoyer droit en prison, mais Alex n'avait pas semblé surpris outre mesure quand je m'étais pointée pour lui en demander un autre peu de temps après. Rien à redire sur son professionnalisme, c'étaient ses locaux qui laissaient un peu à désirer. Dans le train de nuit à bord duquel je quittais la France, je m'étais imaginé un petit atelier avec un éclairage à la Georges de La Tour, dans une cave peut-être, ou qu'on atteindrait au terme d'une enfilade de greniers dignes de Dickens, où des employés bossus travaillaient avec des pinces et des loupes. Alex, jeune père barbu légèrement ridicule avec son jean moulant et ses baskets montantes, vivait en fait avec sa petite famille dans une jolie demeure du XIXe siècle au cœur d'une des banlieues les plus chics d'Amsterdam et faisait tourner son business depuis la chambre d'amis.

Dans ce genre de situation, un simple échange de banalités peut vite déboucher sur un fossé entre les interlocuteurs, mais Alex et moi nous sommes prêtés aux conventions autour d'un thé sans lait dans sa cuisine aux couleurs de Farrow & Ball, évoquant notamment nos lieux de vacances estivales, une conversation si anodine que j'aurais pu l'avoir avec mon dealer de coke. On est montés à l'étage et je me suis installée face à l'appareil photo sur trépied, mais avant de me tirer le portrait, il a demandé :

— On en est à combien, maintenant ?

— Deux. Enfin, trois, avec celui-ci.

Il a levé le nez de l'objectif.

— Tu es sûre ?

— Ouaip.

— OK. Ne dis pas *cheese* !

La même blague que la dernière fois.

En général, les faussaires produisent de faux passeports à partir de passeports volés. Le marché est énorme, pour ceux qui sont suffisamment doués. La zone d'information, le texte en bas du document destiné à la lecture électronique, doit correspondre aux données imprimées, l'espacement est crucial au millimètre près, le grammage du papier doit être parfait, il ne doit y avoir ni bord irrégulier ni une pointe de colle en trop. Alex s'en était bien tiré la dernière fois ; avec Yermolov à mes trousses, j'espérais que celui-ci aussi serait impeccable.

— Parfait. Tu peux le prendre, disons, vers huit heures ce soir ? Au même endroit que la dernière fois ?

— D'accord. Tu as le code ?

— 212B.

— Et il est encore valable ?

Il m'a lancé le sourire du pro blessé dans son orgueil.

— Ça craint pour toi dans le cas contraire, pas vrai ?

Je lui ai donné le fric enveloppé de mouchoirs en papier et il m'a raccompagnée à la porte d'entrée, sans oublier de me glisser une petite clé en me disant au revoir. Au début, je m'étais demandé quelle était sa couverture – je m'étais attendue à une fausse plaque de docteur, ou aux prétendus locaux d'une religion mineure –, mais bien sûr, les seuls endroits qui cherchent à se faire passer pour autre chose de nos jours sont les bars clandestins prisés des hipsters. Si vous avez un ordinateur portable, vous êtes free-lance, point barre. La clé me servirait à ouvrir une boîte aux lettres à l'autre bout de la ville. À huit heures, je récupérerais l'enveloppe contenant mon nouveau passeport et laisserais la clé à l'intérieur. En attendant, il y avait le Caravage.

J'avais ouvert la fenêtre de ma sinistre chambre d'hôtel autant qu'elle le permettait, et dans le soir tombant il flottait une odeur d'herbe, d'asphalte chaud et d'hormones. Une soirée de début d'automne à Amsterdam aurait dû briller de mille promesses – qui n'étaient pas spécialement en rapport avec les délices lubriques du quartier rouge –, mais je n'avais même pas l'énergie de partir en chasse, bien qu'un peu de compagnie ne m'eût pas posé de problème. Le Rijksmuseum était déjà fermé. Un joint, pour me détendre un peu ? « Mais bien sûr. Ouvre un peu les yeux, Judith. T'es rien qu'une pute au bout du rouleau qui sera seule toute sa vie. »

Contente qu'on ait mis les choses au point. J'ai décidé de dîner tôt, dans un restaurant malaisien, avec mon livre, mais m'enduire les artères de sauce à la cacahuète et d'huile de palme m'a écœurée. J'ai abandonné mon assiette pour partir à pied le long du canal du Lauriergracht.

On dit qu'une promenade à vive allure est un antidépresseur très efficace, mais bon, on dit beaucoup de conneries. Pourtant, en marchant, j'ai senti un changement, un allègement, comme si tout ce que j'avais laissé derrière moi, à Venise et au-delà, s'était nonchalamment déversé dans une de ces anciennes voies d'eau tranquilles. J'avais pourtant largement de quoi flipper, en théorie, mais bizarrement je n'arrivais pas à atteindre le niveau d'angoisse exigé. Je devais admettre que prendre ma retraite ne s'avérait pas aussi amusant que ce que j'avais imaginé. Qu'est-ce qu'on fait quand il n'y a pas d'étape suivante ? De la planche à voile en conditions extrêmes, de l'alpinisme au profit d'associations caritatives ? Très peu pour moi. L'ennui a beau être une maladie romantique, n'empêche qu'on s'ennuie.

Assise au bord de l'eau, je me suis allumé une cigarette et j'ai aspiré profondément la délicieuse fumée. Peut-être que je vieillissais, mais tout ce que j'avais cru désirer à tout prix – la sécurité, l'anonymat – ne valait soudain plus la peine que je m'emmerde. Les canaux s'enchaînaient avec fluidité entre les vieilles maisons étroites, une autoroute liquide de fric. Impassible et mystérieuse Amsterdam, qui faisait circuler la richesse du monde connu dans ses veines. J'ai songé aux tableaux dans les musées de la ville, à la quantité de choses – assiettes, éventails et homards, mappemondes, noix de muscade, rideaux de soie, clavecins, fruits, malles, ombrelles, bourses – savamment disposées sous les collerettes minutieusement peintes des bourgeois. Des natures mortes exposées dans leur cadre, éternelles. Je m'étonnais de m'être emmurée dans le personnage d'Elisabeth, tel un insecte prisonnier de l'ambre, une petite fille riche qui jouait à la femme d'affaires. Pourquoi avais-je mis tant de temps à comprendre que ma place était en fin de compte en marge de la société ? Je pouvais rejeter la faute sur le Caravage, je suppose. Après tout, on avait beaucoup de points communs. Le meurtre, pour commencer. Ça avait été un fugitif une grande partie de sa vie, avec un penchant pour la côte italienne, un opportuniste avec un faible pour les vêtements voyants, un pragmatique que les extrêmes n'effrayaient pas, pour qui presque tout, y compris le meurtre, pouvait être pardonné au nom de la beauté. Il savait que l'honneur était une langue de souffrances. Mais peut-être serait-il plus juste de dire que la plupart des problèmes du Caravage trouvaient leur source dans le sens aigu qu'il avait de son propre statut, dans son mépris du danger, ou dans l'attention exagérée qu'il lui portait. Le danger était tout ce que je comprenais. Je ne jouais plus à mon niveau de jeu depuis longtemps. Trop longtemps. Et malgré la peine que j'avais pour Masha, ou peut-être à cause d'elle, j'étais curieuse de savoir si je savais encore jouer.

Les archives Hafkenscheid se trouvent dans le musée Teylers, à Haarlem. Je l'ai trouvé à l'ancienne, avec un mini-plan de l'office du tourisme. C'est une collection d'échantillons assemblée par un marchand de couleurs d'Amsterdam au XIXe siècle, et l'un des principaux outils de recherche sur les gommes et les minerais utilisés autrefois dans la préparation de la peinture. Puisque je devais passer par Amsterdam pour le passeport, autant tâcher de découvrir quelles techniques de fabrication avaient pu convaincre Yermolov que ce « dessin » du Caravage était un vrai. Il avait sans doute envoyé le Dr Kazbich glaner des informations avant de l'acheter, ce qui pourrait avoir des conséquences intéressantes. Si c'était possible, j'avais envie de savoir comment une arnaque aussi monumentale avait pu être réalisée.

Une brise rafraîchissante soufflait de la mer sur l'ancien port, mais il faisait encore chaud, et j'avais choisi ma tenue avec soin – boots mastoc qui soulignaient la délicatesse de mes jambes de gazelle et robe-tunique en denim souple Margiela MM6 sur un soutien-gorge pigeonnant, quelques boutons ouverts, juste pour un peu d'air. Je n'avais pas de rendez-vous, mais j'imaginais qu'un gardien d'essence de térébenthine antique ne devait pas avoir beaucoup de visiteurs, et après avoir exposé mon « projet » au vieux guide en le regardant comme s'il était le seul homme que j'aie jamais vu, il m'a fait entrer. J'avais dit être étudiante en troisième cycle ; j'écrivais sur le Tintoret et une notice du *Technical Bulletin* de la National Gallery de Londres m'avait poussée à en savoir plus sur l'utilisation qu'avait faite l'artiste d'une couleur en particulier, le jaune de Naples, entré dans la pratique artistique italienne au XVIe siècle.

Autrefois comme maintenant, Venise était une ville mirage, sa lumière reflétée par tant de verre qu'elle scintillait comme un miroir immense, l'image même d'un paradis en bordure du monde. J'avais songé à l'éventualité de sa présence à Venise, entre son départ de Milan et son arrivée à Rome. Quel peintre aurait fait l'impasse sur cette ville, quelle que soit l'impatience avec laquelle il courait sur le chemin de l'ambition et du succès ? L'universitaire vénitien qui rejetait catégoriquement cette possibilité était contredit par les écrits antérieurs de Bellori, qui affirmait que le Caravage avait visité la ville « où il avait pu admirer les couleurs [...] qu'il imitait à l'époque ». J'avais vécu à Venise assez longtemps pour connaître ces couleurs, cette lumière dont le miroitement ne faisait qu'accentuer l'ombre. Personne ne peignait l'obscurité comme le Caravage, ne soignait comme lui la frontière entre ombre et lumière qui donnait à ses tableaux ces saisissants contrastes. Donc, à en croire ce trou intrigant dans la frise chronologique, il aurait bel et bien pu s'y trouver. S'il y avait une chose que je savais à propos des preuves, c'est que leur absence ne signifiait pas que rien ne s'était passé.

Les pigments étaient exposés dans une longue salle meublée de vitrines, contenant chacune des boîtes d'échantillons et des cartels explicatifs numérotés. J'ai adressé un sourire au guide censé lui laisser entrevoir la possibilité d'un déjeuner, et je me suis mise au travail. Je savais que le jaune de Naples était l'une des trois couleurs introduites vers 1500 pour enrichir la palette limitée de la peinture médiévale. La recette en avait été donnée pour la première fois dans un livre de Cipriano Piccolpasso en 1556, un ouvrage sur la céramique. Il fallait du sel, du plomb, de l'antimoine et de la lie, soit le dépôt au fond d'une bouteille de vin. Ça me plaisait. Piccolpasso était originaire d'Ombrie, mais il s'était rendu à Venise, qui était alors au cœur de l'innovation en termes de couleurs, et avait inclus dans son texte un chapitre intitulé « Colori alla Venziana ». Il y était question, entre autres, du jaune de Naples, dont l'analyse spectroscopique (quoi que ça ait pu être) avait permis de relever son utilisation dans divers tableaux du Tintoret. N'en déplaise au professeur Non-Non, plusieurs universitaires cités dans le livre que j'avais étudié suggéraient que le Tintoret avait influencé le Caravage, il était donc plausible, selon moi, que s'il était passé par Venise, il se soit non seulement penché sur la grande peinture du Tintoret, mais aussi sur ses secrets de fabrication.

J'ai progressé le long des vitrines jusqu'à ce que je tombe sur une série de craies. Je m'étais dit que si le Caravage avait fait un dessin, il aurait eu recours à la craie, peut-être une combinaison de sanguine, blanc et noir, la fameuse technique des trois crayons que les Français présentèrent à

Leonardo à Milan, où le Caravage avait appris à peindre, à la fin du XVIe siècle. Mais la craie n'aurait pas donné au portrait qu'Elena m'avait montré cette qualité contrastée, cette intensité de couleur ; et puis, pourquoi aurait-on utilisé de la craie sur du lin ? Le lin étant au final de la toile, qui nécessitait un liant, une sorte de colle appelée *gesso*, qu'on appliquait sur toute la surface. La craie était utilisée pour le dessin préparatoire, car une fois prise en sandwich entre le *gesso* et la peinture à l'huile, on ne la verrait plus. Pour avoir produit quelque chose d'aussi persistant, je me suis dit que peut-être l'artiste à l'origine du portrait avait travaillé directement à l'huile, ce qui aurait été cohérent avec la technique du Caravage.

Qui plus est, le Caravage était pauvre. Malgré les commandes juteuses que son talent avait attirées avant sa disgrâce, il semblait éprouver une sorte de mépris pour l'argent. Il s'habillait avec des vêtements récupérés aux couleurs criardes, mais il les usait jusqu'à la trame, et à part son matériel, il ne possédait rien d'autre que quelques dérisoires ustensiles ménagers et l'admiration aigrie de ses rivaux. Il voyageait léger. Le jaune de Naples aurait coûté une certaine somme, tout comme le papier vélin, mais pas le lin. Il était donc peut-être possible, tout juste possible, que ce supposé dessin rejoigne la fiction d'Elena infusée à la vodka.

J'ai aguiché le petit vieux avec deux questions très pénétrées, suite auxquelles je me suis tapé un laïus de vingt minutes sur le broyage des couleurs. J'ai enfin pu demander s'il y avait un livre d'or.

— Auquel cas je serais ravie de le signer. Et je pourrais peut-être prendre ma signature en photo. Le jury est très strict sur la recherche fondamentale.

Il m'a tendu un épais volume en cuir rouge et un stylo. Je l'ai feuilleté l'air curieux, avec l'espoir que les visiteurs aient été suffisamment rares pour que je puisse saisir les noms au passage. Et je suis tombée dessus : Dr Ivan Kazbich, en alphabet latin, avec une signature en cyrillique datée de 2011. Bingo. J'ai griffonné ma nouvelle signature et remercié le gentil petit vieux chaleureusement.

Un frisson d'excitation m'a parcourue, mais je me suis vite ressaisie. Je ne prévoyais pas de me reconvertir en spécialiste du Caravage. Que le dessin soit authentique ou non, je devais le récupérer de toute urgence. Et si mes suppositions étaient justes, j'étais persuadée de savoir où il se trouvait. En fin de compte, je l'avais peut-être bien volé.

II
RÉFRACTION

14

14

Dave était un mec qui avait résisté à des tireurs d'élite d'Al-Qaida en tant que soldat, mais je ne l'avais jamais vu aussi stressé que lorsqu'il m'a trouvée affalée devant un Whisky Mac au bar du Golden Lion, à Combe Farleigh. J'avais pris l'Eurostar via Lille, puis un autre train de Paddington à Bath et enfin un taxi jusqu'au village de Dave. Je m'étais étonnée de l'effet nostalgique que mon pays avait sur moi après tant de temps. Les gens mal fagotés à la gare, la chaîne Pret A Manger, la presse à scandale, les pigeons. J'avais eu la larme à l'œil lorsque le patron m'avait servi ma première tasse de thé digne de ce nom depuis des années, mais je devais admettre que je ne me fondais pas vraiment dans la foule. Naturellement, on se les gelait, alors j'avais acheté une polaire dans le hall de gare de St Pancras, et j'avais sur le dos presque tous mes autres vêtements. Le barman avait posé un regard dubitatif sur mon allure rom chic, mais une liasse de billets m'avait procuré une chambre et j'avais appelé Dave depuis la ligne fixe du pub.

— Qu'est-ce qui se passe ? Qu'est-ce que tu fous ici, Judith ?

J'ai grimacé. La complicité est si difficile à trouver, du moins pour moi. L'impression que quelqu'un vous comprend sans avoir besoin de parler, que vous partagez tant de choses que des explications ne seront jamais nécessaires. C'est peut-être ce que possèdent les familles. Mais si Dave était aussi consterné qu'il en avait l'air, alors la joie démesurée que me procurait notre réunion était unilatérale. Pour lui, j'étais surtout synonyme d'emmerdes.

— Je t'ai commandé une pinte, ai-je lancé, comme si ça répondait à sa question.

— J'ai essayé de te joindre. Qu'est-ce qui se passe avec ton téléphone ?

Il y avait de l'inquiétude dans sa voix, mais aussi de l'hostilité, et une sorte de lassitude qui me peinait.

— Tu veux sortir fumer une cigarette ?

Il s'est décrispé un peu.

— Je te suis. Y a un chauffage de terrasse derrière.

Le Lion n'était pas un de ces pubs gastronomiques chics et bio. De la brique des années 1950 toute moche, du foot à la télé, de la bouffe thaïe réchauffée au micro-ondes et des relents d'urine et d'eau de Javel en provenance de l'abri à chiottes du parking, où il y avait aussi une structure de jeux pour enfants, deux bancs et une lampe chauffante qui ressemblait à un champignon. J'ai porté les verres, Dave boitait derrière avec sa canne. Les seuls autres fumeurs étaient deux ados qui partageaient un joint au sommet du toboggan. Ils ont fait un signe de tête à Dave et se sont éclipsés.

— Il ne s'agit pas d'une visite de courtoisie, alors.

— Ah, Dave, toujours aussi perspicace.

J'étais contente de le voir, même dans ces circonstances. Je lui aurais bien dit à quel point il me manquait, mais ça l'aurait gêné. Collines gris-vert, crachin, ciel bas.

« C'est pas ta faute, Judith. »

— Judith ?

Je me suis ressaisie.

— Désolée, Dave. Écoute, je m'en veux de débarquer comme ça, mais tu sais que je ne l'aurais pas fait si…

— C'est bon. Je sais.

J'ai inspiré un grand coup. Il me semblait préférable de m'en tenir à l'essentiel. Je mourais d'envie de parler du Caravage avec lui, parce que je me doutais entre autres qu'il aurait adoré cette histoire, mais moins il en savait, mieux c'était.

— J'ai reçu un mail, a-t-il dit avant que j'aie le temps de continuer.

— Comment ?

— Deux, en fait. Regarde.

Il m'a tendu son téléphone. Le premier datait de quelques jours, au moment où je partais pour Amsterdam. Pas de signature, et l'expéditeur avait une adresse Gmail sans signification, rien qu'une suite de lettres et de chiffres. Le message disait : « Nous essayons de contacter Mlle Judith Rashleigh de toute urgence. Prière de répondre si vous êtes en mesure de nous aider. »

— Je croyais que c'était une arnaque, le genre de trucs que tu reçois d'un mec qui te demande d'envoyer du fric au Nigeria, mais après j'ai reçu celui-ci.

J'ai approché l'écran de mon visage, sous le halo rougeoyant du chauffage. Envoyé aujourd'hui : « Où est-elle, Dave ? »

Rien d'autre.

15

J'AVAIS COMMANDÉ MON COCKTAIL pour la forme, mais j'étais finalement bien contente de l'avoir. Dave avait l'air d'attendre des explications. J'ai bu un long trait.

— C'est quoi, ce bordel ?

Si Yermolov avait pu mettre la main sur l'adresse mail de Dave, il y avait de grandes chances pour qu'il sache aussi où il habitait. Et j'imaginais mal Youri ou son équivalent passer le temps à la buvette avec une pâtisserie et un roman de Jane Austen.

— Dave… où est ta femme ?

— En ce moment ? Elle est à son cours de zumba. Je lui ai dit que je passais au pub choper les résultats du foot. Elle sera de retour dans environ une heure. Pourquoi ?

— Il faut que tu rentres chez toi. Tout de suite. Tu récupères un truc et tu me le rapportes ici. L'étui. La sacoche dans laquelle je t'ai envoyé le Richter par courrier. Tu l'as toujours ?

— Qu'est-ce que ça a à voir avec ma femme ? Je ne veux pas…

Inutile qu'il termine : « Je ne veux pas que tu l'approches. »

— S'il te plaît. Si elle n'est pas chez toi, ça ne devrait pas poser de problème.

Je priais pour que ce soit vrai. Péniblement, il s'est levé.

— Je ne sais pas si je l'ai encore. Quand je l'ai vendu, j'ai acheté un étui différent, parce que…

— Vas-y, je t'en prie. Tout de suite. Essaie de faire vite.

Je m'en voulais de le brusquer comme ça. Dave allait galérer avec sa jambe, il fallait peut-être qu'il monte à une échelle ou que sais-je, mais je n'ai pas osé lui proposer de l'accompagner. Sa femme pouvait débarquer, et si sa maison était déjà sous surveillance, ma présence nous mettrait tous dans le même sac.

— Je suis pas ravi, là.

— Je sais.

— Mais bon, on dirait que j'ai pas trop le choix. Je reviens aussi vite que possible.

Il n'avait pas touché à sa bière. J'ai essayé de garder mon sourire rassurant jusqu'à ce qu'il sorte du parking en boitillant.

Combien de temps il allait mettre ? En combien de temps Yermolov pouvait-il envoyer quelqu'un ici ? Ou étaient-ils déjà sur place ? J'ai serré mes bras autour de mes genoux, serré encore pour me faire plus petite – si seulement j'avais pu me plier et me replier sur moi-même au point de disparaître.

Je passais à nouveau les possibilités en revue. C'était forcément le Richter. J'étais censée vendre le tableau à Moncada – la vente étant l'appât qui avait conduit Renaud Cleret à Paris. Mais j'avais récupé la petite toile pendant que Renaud assassinait l'Italien, et après m'être occupée de Renaud, grâce au Glock 26 fourni par Dave, j'avais « vendu » le Richter à ce dernier, lui permettant ainsi de démarrer une nouvelle vie. C'était une façon de me racheter car il s'était fait virer de la maison de vente aux enchères de Londres à cause de moi, mais aussi, je devais l'admettre, ce qui s'apparentait à des gages. Dave ne m'avait jamais demandé ce que je comptais faire avec l'arme, et je ne le lui avais jamais dit, mais on savait tous les deux que le fait qu'il accepte le tableau était un compromis. Sans que je sache comment, Yermolov était au courant de l'existence de Gentileschi, de mon passage et de ma couverture à Paris, de la mort de Moncada, alors il pouvait aussi bien être au courant pour le Richter. Apparemment, il en était venu à la même conclusion que moi. Il y avait eu quelqu'un d'autre ce soir-là, place de l'Odéon, qui attendait Moncada. La personne qui était censée recevoir le second tableau, sûrement caché dans la sacoche de Moncada. Le Caravage. Mais cette personne ne l'avait jamais eu, parce que c'était moi qui m'en étais emparée.

J'avais cru effacer toutes mes traces, suivre les conseils de mon hacker à la lettre, mais j'aurais aussi bien pu poster des photos de mon périple sur Instagram. « Super, Judith. »

Derrière moi, la porte du pub s'est ouverte d'un coup et j'ai tressailli. Juste un type avec un paquet de Benson et le *Daily Mail*. Il m'a saluée d'un signe de tête avant de s'installer à la table la plus éloignée. Si Youri débarquait en mode commando, il y aurait au moins un témoin. Mais si Dave avait la sacoche, s'il revenait ici, si Yermolov le laissait tranquille – « Faites qu'il laisse sa femme tranquille » –, je me fichais bien de ce qui pouvait m'arriver.

Toujours pas de Dave. L'homme au journal est reparti, le barman est sorti pour éteindre le chauffage. J'ai frissonné, réfléchi, entortillé mes mains au plus profond de mes poches mais je ne supportais pas l'idée de bouger. Une sorte de pénitence que je m'infligeais, cet interminable moment de froid anglais ; si je restais là, Dave s'en sortirait. Enfin j'ai entendu les petits coups de sa canne tant attendus.

— Judith ? Je te cherchais à l'intérieur, a-t-il dit gentiment. Qu'est-ce que tu fous encore dehors ? On se les gèle. Allez, viens.

— Où est ta femme ?

— Elle m'a envoyé un texto, elles vont manger un truc à Wagamama. La chance, hein ?

— Tu l'as ?

— Viens à l'intérieur.

Le bar s'était vidé, mais le patron n'avait pas encore signalé la fermeture, bien qu'il ait eu l'air dégoûté quand on l'a dérangé en plein Tottenham contre Manchester City pour lui commander deux thés. J'avais les mains si glacées que je pouvais à peine tenir ma tasse.

— Tu l'as ? ai-je répété.

— Oui, juste là. Quand on a emménagé, on s'est débarrassés de pas mal de trucs. C'est dingue le tas de conneries qu'on peut garder.

La sacoche était posée sur la banquette à côté de son blouson ; il l'avait laissée là avant de venir me chercher dehors. Il avait l'air tout content de lui. Seigneur.

— Quand tu as vendu ce tableau – tu sais duquel je parle –, sous quelle dénomination il apparaissait dans le catalogue ?

— Comme « bien personnel », bien sûr.

On a tous les deux souri.

— Et quand ils ont traité avec toi, qu'ils t'ont payé et tout, ils avaient tes coordonnées, ton compte, tout ça ?

— Bien sûr. Tout était légal, non ?

À nouveau cet air de panique.

— La vente était tout ce qu'il y a de plus réglo, ne t'en fais pas. J'essaie juste de savoir comment ils ont chopé ton adresse.

— Alors tu sais de qui viennent ces messages ?

— Oui.

— Ça a un rapport avec ce dont tu avais besoin – mon contact au Kenya ?

— Oui.

— Et ?

Qu'est-ce que je pouvais lui dire ? Dave, qui avait été si bon avec moi. Que je l'avais mis en danger ?

— Tu es sûr qu'il n'y avait personne dans le coin quand tu es repassé chez toi ?

— Écoute, je ne vais pas te demander de quoi il s'agit. Mais je te jure que si ma femme…

— OK. Est-ce que tu as toujours… tu sais quoi ?

L'inquiétude qui avait creusé sa ride du lion s'est effacée pour laisser la place à un sang-froid très professionnel.

— J'ai un permis pour mon fusil de chasse, oui. Je taquine le faisan ces temps-ci. Ça craint autant que ça ?

— Oui. Mais bon. Quand ta femme rentrera, ferme la maison à clé. Si quelqu'un vient, n'importe qui, si on te demande si tu m'as vue, dis-leur que oui. Dis-leur que tu m'as donné ça (j'ai désigné la sacoche en nylon noir à fermeture Éclair) et que je suis partie aussitôt à bord d'un taxi que j'avais fait attendre. Tu ne l'as pas ouvert, tu ne sais pas ce qu'il y a à l'intérieur. Et… est-ce que tu pourrais te mettre au vert pendant quelques jours ?

Il a réfléchi, puis acquiescé.

— Oui, c'est faisable, oui.

Jamais je n'ai été plus heureuse du fait que l'amitié qui me liait à Dave reposait essentiellement sur le silence.

— Bon. Je vais pas tarder à y aller. Je suis désolée.

— OK. Alors j'y vais moi aussi. Mais… ça va sinon ? Tu as de l'argent ?

— Je t'aime.

Il a arqué un sourcil.

— Je suis sincère. Mais ça va aller, merci.

— Au fait, j'ai autre chose.

Il m'a tendu une enveloppe marron format A4 apparemment pleine de papiers.

— Je me suis dit que tu pourrais peut-être y jeter un coup d'œil, a-t-il ajouté timidement. J'ai écrit un livre.

— Sérieux ? De quoi ça parle ?

— De moi, j'imagine. Je filais un coup de main dans un centre qui reçoit des vétérans de l'armée, tu vois ?

Dave avait perdu sa jambe dans le Golfe. Je n'étais pas étonnée qu'il fasse du bénévolat pour aider ceux qui avaient perdu bien plus.

— Et donc une des, euh, thérapeutes m'a suggéré d'essayer d'écrire quelque chose. Sur l'art. Sur l'aide que les tableaux peuvent nous apporter.

« Seigneur, pas ça. »

— Super, Dave ! C'est génial. Je le lirai, avec grand plaisir. Merci. Par contre, il vaut mieux que je ne te contacte pas pendant un certain temps. Mais je te promets de le lire. Tiens, moi aussi j'ai quelque chose pour toi.

J'ai dégainé le bouquin que j'avais acheté en gare de Paddington. Dave avait une passion pour les polars tapageurs tirés d'histoires vraies.

— *L'Ombre dans mes pas.* La nouvelle vie de Ted Bundy. En souvenir du bon vieux temps.

Comme Dave partait, la télé s'est mise à brailler. Je suis allée ouvrir la porte et lui ai lancé :

— Manchester City a gagné deux à zéro.

Il a esquissé un signe de la main sous le halo d'un lampadaire. Je l'ai regardé partir puis j'ai emporté la sacoche avec moi à l'étage. En faisant l'inventaire de mes biens dans cette chambre kitsch, je me suis sentie franchement mal barrée. Environ quatorze mille euros en liquide, la sacoche, et rien d'autre qui pourrait m'être utile. Sauf peut-être ma montre, ma magnifique Vacheron. Je me suis aperçue qu'il était onze heures du soir – impossible de rebrousser chemin vers Bath, puis Londres, à cette heure-ci. J'avais dans mon portefeuille le ticket de mon casier à la gare de Lille, où j'avais laissé le Caracal à la consigne après l'avoir démonté dans les toilettes et fourré en pièces détachées dans la trousse de toilette Hello Kitty que j'avais achetée au Relay. Ce qui voulait dire que j'étais obligée de repasser par Lille. Quelle tannée. Mais il était bien sûr hors de question que je tente de passer la sécurité internationale dans une gare française avec trois pièces d'identité et une arme à feu.

Sous ma chambre, le pub était calme, la télé éteinte ; on percevait à peine les gargouillis du lave-vaisselle derrière le bar. J'ai sursauté en entendant une voiture ralentir, bien trop audible dans le silence environnant de la campagne, et me suis instinctivement postée derrière ma porte, sans respirer, sûre que j'allais entendre celle du pub s'ouvrir d'un coup, puis des pas dans l'escalier, mais non, le conducteur a passé la première avant de repartir dans la nuit. Je n'avais pas allumé la lumière principale. Je suis allée jusqu'à la fenêtre à quatre pattes pour écarter le voilage jaune. Il n'y avait que la rue déserte, ponctuée par les halos de lumière des lampadaires, une fenêtre ici ou là éclairée par les reflets bleutés d'un écran de télé. Je me suis étirée, cherchant à me détendre, mais je n'arrêtais pas de me passer ces mails en boucle. Quelque chose m'échappait. Pourquoi Yermolov aurait fait ça ? Ça semblait trop… incompétent. S'il avait voulu menacer Dave, il ne se serait pas gêné. Comme il l'avait fait avec mon appart', ma galerie, cette pauvre Masha. Les mails semblaient provenir d'une personne qui avait moins de moyens, essayait d'obtenir des informations, pas de quelqu'un qui pouvait lever une petite armée privée. J'étais contente d'avoir pu dire à Dave de se tenir sur ses gardes, mais quelque chose ne collait pas. Pourquoi personne n'avait été envoyé cambrioler la maison de Dave ? Yermolov se disait peut-être que s'il avait le tableau, Dave, intimidé, essaierait de me contacter – et d'après ce que m'avait dit le chapeau gris, ça pouvait lui permettre de m'intercepter. Et si ces mails n'étaient qu'un leurre ? Destinés à opérer une diversion ? Peut-être qu'en ce moment même une voiture roulait vers le nord, vers Liverpool, vers ma mère…

Zersetzung. Il voulait me faire perdre les pédales, me piéger, m'attirer jusqu'à lui. Je ne devais pas me laisser faire. J'avais le tableau à présent, ce qui signifiait que la donne n'était plus la même. Il fallait que je garde mon calme, ce qui était le conseil le plus agaçant que je m'étais jamais donné. Quelles raisons j'avais de rester calme, bordel ? Je me suis forcée à prendre la douche à laquelle je songeais depuis le matin. J'ai enroulé mes cheveux dans la serviette, enfilé un tee-shirt et me suis soigneusement séché les mains, sans les enduire de crème, avant de m'approcher à nouveau de la sacoche.

J'avais mis un certain temps à comprendre ce qui avait dû se passer, mais je savais que la sacoche que j'avais sous les yeux n'était pas celle que j'avais apportée Place de l'Odéon. J'avais posé la mienne sur le lit dans la chambre d'hôtel, et Moncada s'était penché pour en retirer le Richter juste au moment où Renaud avait fait irruption. Distraite par leur lutte au corps-à-corps, je n'avais pas remarqué que Moncada avait transféré le tableau dans sa sacoche à lui, qui contenait le Caravage. Les ordres de Renaud me sont revenus en mémoire : « Magne-toi… Prends le tableau. » J'avais tout pris sans faire attention à l'échange. Pour être honnête, entre le cadavre et les flics qui arrivaient, il y avait de quoi être paumé.

Comme je m'y étais attendue, la partie principale, qui à une époque avait contenu le Richter, était vide. À l'aide de ma pince à épiler, j'ai soigneusement pratiqué un petit trou dans le nylon, après quoi j'ai déchiré le tissu millimètre par millimètre dans le sens de la longueur, jusqu'à ce que j'aie la place d'extraire l'emballage en carton plastifié entreposé dans la doublure. Le carton était scellé par du chatterton ; j'ai fait chauffer de l'eau dans la bouilloire de la chambre et tenu l'emballage à une quinzaine de centimètres au-dessus de la vapeur qui s'élevait. Petit à petit, j'ai tiré sur le scotch. Et quand j'ai vu ce qu'il y avait à l'intérieur, malgré l'atroce absurdité de la situation, j'ai éclaté de rire.

Sitôt réveillée, je suis allée courir. Sept, huit kilomètres sous une bruine glacée, le long du grand axe qui filait vers Bath, dans les gaz d'échappement des camions et malgré le regard noir des chauffeurs de bus scolaires, martelant le bitume jusqu'à ce que j'aie les poumons en feu et les idées claires. Quand je suis revenue dégoulinante au pub, le patron passait l'aspirateur en écoutant Radio 2. J'ai commandé un petit déj complet – saucisses, bacon, tomates au gril, haricots blancs à la sauce tomate, champignons, œufs au plat et pain grillé –, après quoi j'ai appelé depuis la ligne fixe un taxi pour me rendre à Bath. Une heure plus tard, le Caravage et moi on était à nouveau sur la route. Près de la gare, je me suis installée dans un Costa Coffee avec un téléphone jetable et un truc atroce appelé *frappucino* au caramel. J'ai passé ma manche sur la table couverte de grains de sucre pour y poser le carnet dans lequel j'avais noté tous mes numéros avant de quitter Venise, et j'ai composé celui de Kazbich. Je ne m'attendais pas à ce qu'il décroche, et en effet les sonneries se sont succédé jusqu'au déclenchement de la boîte vocale. J'avais répété mon message dans le taxi :

— Docteur Kazbich, vous savez qui je suis. J'ai l'objet dont votre employeur a besoin. Je vous recontacterai. Ne cherchez pas du côté de l'Angleterre, sinon je le détruis. Je l'ai vu, donc vous savez que je saurai comment.

Sur le trottoir d'en face, des adolescentes qui s'ennuyaient dans des fringues cherchant à imiter les tendances londoniennes, un groupe d'Américaines bien mises en visite guidée, chacune un exemplaire de *L'Abbaye de Northanger* à la main. J'ai envoyé un texto à Dave, dont je connaissais le numéro par cœur : `Donne-moi de tes nouvelles. Je t'appelle dans quelques jours. Merci, pour tout, comme toujours.`

J'ai tripoté le portable comme s'il s'agissait d'une carte à jouer jusqu'à ce que sa réponse arrive : `Jusqu'ici tout va bien. Fais gaffe à toi.`

Je suis allée aux toilettes, munies de poignées accessibles aux personnes à mobilité réduite, où j'ai enveloppé le téléphone de papier avant de le fourrer dans la poubelle destinée aux serviettes hygiéniques.

« Celui-là, bonne chance pour le retrouver, Youri. »

Le soir du meurtre de Moncada, qui était au courant de sa présence dans l'hôtel place de l'Odéon ? Moi. Moncada et Renaud Cleret, aucun des deux n'étant plus en mesure de parler. Romero Da Silva, le collègue de Renaud dans la police italienne. Et la personne censée acheter le prétendu Caravage. Qui était-ce, et qui l'avait envoyée ? Balensky ou Yermolov, c'était obligé. Mais Yermolov était aussi au courant de mon existence, de celle de Gentileschi. En toute logique, cette personne devait être le chaînon manquant. Le témoin qui avait, je ne savais pas encore comment, fait le lien, parlé de moi à Yermolov. S'agissait-il de Kazbich, ou de quelqu'un d'autre ? Je ne serais pas en sécurité avant d'en avoir le cœur net. Restituer le tableau ne suffirait pas. Il fallait que je me rende à Paris. Et me tape la corvée de passer par Lille.

16

DEUX JOURS PLUS TARD, en traversant les Tuileries en direction de la Concorde, je me suis rappelé la première fois que j'avais parlé à Renaud Cleret, sur un banc à l'extérieur du jardin. C'est étrange, la mémoire, ce qui s'échappe, ce qui reste. Renaud m'avait prise pour une imbécile, et je lui avais bien rendu la monnaie de sa pièce, mais tandis que le gravier croustillait sous mes pas, impossible de ne pas penser à tous les bons moments passés avec lui – le marché près de mon ancien appart' près du Panthéon, nos joggings au Luxembourg que je finissais avec une bonne longueur d'avance sur lui, la lecture paisible des journaux avec le soleil qui découpait des motifs sur le parquet. La relation la plus aboutie que j'avais jamais eue, et elle s'était soldée par une décapitation ; un thérapeute m'aurait peut-être diagnostiqué des difficultés à m'engager. Je suis passée devant le banc où il m'avait enveloppée de sa veste et m'avait fait du chantage pour que je l'aide. Je suis restée là un instant, dans les gaz d'échappement, caressant d'une main le dossier en bois peint en vert.

Dès mon arrivée à Paris, je m'étais procuré un ordinateur portable et un téléphone neufs, en piochant dans ma réserve de liquide qui fondait à vue d'œil. J'avais lu ce que les journaux avaient dit de la mort de Moncada bien avant qu'Elena Yermolov ne me montre son petit dossier de presse, mais je les ai parcourus à nouveau. Curieusement, la police s'était vite désintéressée de l'affaire. La presse française signalait simplement une enquête sur la mort d'un homme dans un hôtel parisien, puis une mise à jour indiquait qu'il était de nationalité italienne. Après quoi, plus rien. Que dalle dans les journaux italiens. J'avais consulté les enquêtes judiciaires en cours aux alentours de cette date, en vain. La bureaucratie transfrontalière de deux pays qui avaient pourtant la passion de la paperasse n'avait rien pondu d'intéressant. D'après ce que j'ai compris d'un guide très pratique sur l'expatriation des cadavres de citoyens non français, il était possible qu'une enquête judiciaire ait eu lieu en Italie, sans que l'accès au dossier français soit permis. Les formulaires nécessaires à la traçabilité des corps étaient sans fin et se mordaient la queue – si votre grand-mère italienne décédait pendant un voyage en car en Dordogne, son cadavre pouvait très facilement se perdre. J'avais supposé à l'époque que Da Silva étoufferait l'affaire pour protéger son ami et collègue Renaud, et il semblait que j'avais eu le nez creux.

Par contre, j'en étais toujours au point mort en ce qui concernait Ivan Kazbich. En dehors du site Internet de sa galerie à Belgrade, qui vendait un mélange d'icônes orthodoxes et d'art contemporain facile, sa présence sur le Web s'apparentait à un trou noir. Pas d'images, pas d'infos. Je trouvais curieux qu'un marchand d'art aussi important et aussi actif à une époque – il avait tout de même bossé pour Yermolov – laisse aussi peu de traces, mais même après avoir passé des heures à combiner les termes les plus improbables dans mes recherches, j'avais fait chou blanc. J'étais retournée plusieurs fois place de l'Odéon, dans l'espoir que la vue de l'hôtel ferait surgir un souvenir, un enchaînement logique, mais s'il existait des indices secondaires, ils étaient bloqués quelque part dans ma tête.

Je me suis donc retrouvée à errer aux abords des attractions touristiques, sans savoir où chercher. Je n'étais pas aidée par le fait que Paris et moi, on ne se parlait plus. La ville que j'avais tant aimée m'avait trahie avec ses fantômes. Peut-être qu'un endroit où l'on vit un certain temps devient un palimpseste, où s'inscrivent les ombres des vies passées. Poussiéreuse, bourrée de gens et de voitures, Paris me narguait avec mes précédentes incarnations, que je préférais toutes à ma vie actuelle. J'y avais vécu brièvement lorsque j'étais étudiante, y étais revenue monter ma galerie et passer quelques semaines intenses et intimes avec Renaud, mon amant et pire ennemi. J'essayais au possible d'éviter mes anciens lieux de prédilection mais ils revenaient quand même me hanter.

Un après-midi, dans une boutique de la rue de Turenne dans le Marais, je tripotais une pile de pulls en molleton chiné au prix exorbitant lorsque j'ai aperçu le reflet d'Yvette dans un miroir. Styliste de profession, elle avait été une sorte d'amie à une époque – ou tout du moins elle m'avait été utile, et elle était encore en vie. Elle était également avec moi dans notre repaire, un club échangiste appelé La Lumière, le soir où j'avais malheureusement été obligée de tuer le propriétaire. La boutique était petite, et Yvette se trouvait entre la porte et moi ; de manière langoureuse, elle essayait de convaincre le vendeur qu'elle choisissait des vêtements pour un shooting photo. Ses cheveux formaient une ziggourat de tresses bleu cobalt, assorties à ses cuissardes Vetements qu'elle avait sans doute fauchées sur un plateau. J'ai souri à l'idée qu'elle était encore dans cette branche, mais je me suis cachée comme j'ai pu derrière les pulls, priant pour qu'elle parte sans me voir, ce qui fait que, bien sûr, elle m'a aussitôt remarquée.

— Lauren ?

Comme Steve, elle me connaissait sous mon vrai deuxième prénom. J'ai gardé un visage inexpressif et tiré sur la manche de mon manteau pour cacher ma montre, la seule chose que je portais qu'elle aurait pu reconnaître.

— Pardon ? ai-je répliqué en anglais.

— Mais c'est bien toi, non ?

— Désolée. Je ne parle pas français, ai-je répondu avec le sourire de l'indécrottable monoglotte anglaise.

— Ah, excusez-moi, a-t-elle dit en anglais avec un accent très prononcé, puis elle est retournée à sa négociation.

Je me suis dirigée vers la porte en lançant un « Merci ! » innocent, mais Yvette m'a dévisagée quand je suis passée à sa hauteur, et j'ai senti son regard incrédule me suivre jusqu'au bout de la rue. Au moins, ça me changeait des autres regards que j'imaginais braqués sur moi. Impossible de faire un pas dans la ville qui m'avait été si chère sans craindre les sbires de Yermolov à chaque coin de rue.

J'avais payé en avance et en liquide un séjour de deux semaines à la Herse d'Or, non loin du métro Bastille et de l'adorable place des Vosges. Le jeu de mots avec l'anglais *hearse*[1] m'amusait, et c'était un hôtel pas trop cher, environ cent euros la nuit. Mon tas de billets se réduisait comme peau de chagrin, et j'ignorais combien de temps encore il devait me faire vivre. La porte de ma chambre avait un verrou et une chaînette, qui ne me seraient pas d'un grand secours si Youri décidait de me rendre une petite visite, et à

1. « Corbillard » en anglais. *(N.d.T.)*

cause des cloisons ultrafines je ne dormais que d'un œil, sursautant au moindre bruit sur le palier. À chaque fois que je partais ou revenais, je demandais au concierge chinois s'il y avait eu des visites ou des messages pour moi – je lui renvoyais peut-être une image romantique, l'amoureuse éperdue qui attend un rendez-vous galant –, tout en sachant que je n'étais rien d'autre pour lui qu'une chieuse qui l'interrompait sans cesse en pleine partie de poker en ligne. Ma conversation avec le contact de Dave au Kenya m'avait rassurée. Logiquement il y avait très peu de chances pour que Yermolov puisse me localiser, mais la logique est une piètre défense contre l'insomnie. Il y avait tant de détails non résolus, tant de choses que j'ignorais encore. Même Yvette m'est apparue comme une menace à quatre heures du matin. J'ai essayé de mettre en place une sorte de routine – jogging le long de la Seine, promenade à pied jusqu'à la bibliothèque de la rue Vivienne, derrière le Palais-Royal, pour me servir des ordinateurs à disposition, dîner-pique-nique déprimant à base de bouffe achetée au Franprix – mais au bout de quelques jours, j'étais pétrifiée d'angoisse.

D'où la marche à vive allure jusqu'au Louvre, où je m'étais affalée sur un banc, béate d'admiration, comme l'idiote du village. J'étais venue de la bibliothèque, où j'avais passé en revue les articles de presse sur microfiches contenant le mot « oligarques ». Il aurait été bien plus pratique de souscrire à un abonnement Internet, mais c'était impossible à la Cosette que j'étais devenue. J'essayais de découvrir si une personne liée de près ou de loin à Yermolov ou à Balensky avait pu se trouver à Paris la dernière fois que j'y étais, et pour quelles raisons. Je cherchais sans grand espoir, mais un article du *Figaro* – le journal préféré de Renaud – mentionnait le nom de Balensky. L'homme du

Richistan avait été photographié l'année précédente à la cérémonie commémorative en l'honneur d'Oskar Ralewski, avocat parisien d'origine polonaise mort lors du crash de son avion privé qui l'emmenait en Suisse, auquel son pilote n'avait pas survécu non plus. Avait assisté à cette cérémonie, en la cathédrale orthodoxe Alexandre Nevsky rue Daru, un certain Pavel Yermolov. Les deux hommes avaient pris soin de ne pas apparaître sur les mêmes clichés, mais le journaliste soulignait avec un malin plaisir que le cabinet de Ralewski représentait un certain nombre de nouveaux riches de Russie. L'article mentionnait le livre d'un journaliste britannique, une analyse fracassante sur la façon dont l'argent russe s'immisçait dans les plus hautes sphères de la politique européenne, l'auteur suggérant que la mort de Ralewski n'avait peut-être rien d'accidentel. N'ayant rien de prévu en particulier, j'ai décidé de faire un crochet par la librairie anglaise rue de Rivoli pour voir s'ils en avaient un exemplaire. Une fois debout, je me suis étirée et j'ai chassé de mon cou le souvenir de l'odeur de la veste de Renaud, qui me collait à la peau comme une toile d'araignée.

La notice biographique de Bruce Eakin le décrivait comme un « croisé du Web free-lance », rien de moins. La couverture rose fluo promettait des révélations exclusives sur le « culte » des oligarques, sous le canon fumant d'un pistolet et une pile d'euros, au cas où on n'aurait pas bien compris. En feuilletant les pages, il m'a semblé clair que les recherches de Bruce ne l'avaient pas mené plus loin que le grenier de ses parents, car les révélations en question était un prévisible copié-collé de ce qu'on pouvait trouver gratuitement sur Internet. Il y avait tout de même un index, et j'y ai cherché le nom de Ralewski pour aller direct au passage qui m'intéressait. L'avocat avait entretenu des liens professionnels étroits avec Balensky et Yermolov, ainsi qu'avec nombre de leurs compatriotes, et Bruce racontait l'accident dans ses moindres détails. Il faisait de son mieux pour insinuer des circonstances suspectes, mais étant donné que l'avion, pris dans une tempête soudaine, s'était écrasé contre une montagne, sans aucune visibilité, je penchais plutôt pour un gros coup de malchance. Il y avait une photo de Balensky ; je me suis penchée sur son visage ridé. Il serrait la main à un homme grisonnant plus grand que lui. La légende disait : « Balensky et Édouard Guiche, associé du cabinet Saccard, Rougon & Busch, à l'enterrement de Ralewski. » Je suis retournée à l'index, mais Guiche n'apparaissait pas. J'ai remis le livre à sa place sous le regard acerbe de la fille à la caisse et suis allée faire un tour dans les livres d'art. J'avais l'habitude de venir ici quand j'étais étudiante, avant que les bruits de conversation française n'aient du sens pour moi, et je me nourrissais autant que possible de ces beaux livres inabordables, jusqu'à ce qu'un regard du genre que la fille venait de lancer ne me pousse à partir.

Qu'est-ce qui s'échappe, qu'est-ce qui reste ? Guiche était avocat de premier plan dans le cabinet qui avait représenté Balensky en France. Si Yermolov avait assisté à l'enterrement du malheureux collègue de Guiche, c'était peut-être parce que le cabinet le représentait aussi ? Ce n'était pas grand-chose, mais c'était le premier début de lien que j'avais. De retour à la caisse, Bruce a fait une vente. Un chocolat chaud chez Angelina, si épais que la cuillère tenait debout dedans, un petit tour sur le Net, et j'étais en chemin vers la place des Victoires, à la limite du 1er arrondissement, où les bureaux de Saccard, Rougon & Busch occupaient une maison Louis XIV avec vue sur la statue du roi. Le cabinet était enregistré en ligne dans une sorte de « cercle magique » d'avocats français, apparemment spécialisé dans les « acquisitions et audits haut de gamme ». Il n'aurait pas été très malin d'aller sonner pour demander à parler à M. Guiche sans avoir de plan, alors je me suis contentée de rôder dans le coin, émaillant ma séance de lèche-vitrines de coups d'œil en direction de la porte d'entrée qui s'ouvrait de temps en temps pour laisser sortir ou entrer une série d'hommes en costumes sombres bien coupés qui se ressemblaient tous plus ou moins. Au bout d'une heure, j'ai eu droit à Guiche en personne, parlant avec une collègue avant qu'ils s'engouffrent dans un taxi qui les attendait et s'en aillent. La tentation de sauter dans un taxi pour lui ordonner de suivre le leur était irrésistible, mais il n'y a jamais de taxi dans cette putain de ville, alors je suis rentrée à l'hôtel en traînant les pieds et j'ai continué mes recherches.

J'ai fini par découvrir un ensemble de sites Web hébergés par le Conseil national des barreaux, duquel j'ai appris qu'Édouard Guiche était passé associé après le décès de Ralewski, et qu'au cours des dix dernières années son cabinet s'était occupé de transactions immobilières via une société suisse, concernant des immeubles d'habitation à Paris, Clermont-Ferrand et sur la Côte d'Azur. En creusant un peu, il s'avérait que la société suisse avait Balensky pour directeur et que les permis de travail de ses employés avaient été délivrés par diverses municipalités françaises. J'ai tenté ma chance sur des sites russes, mais mon vocabulaire n'était pas à la hauteur. Rien d'extraordinaire pour un oligarque – si on avait la richesse et les intérêts de Balensky ou de Yermolov, évidemment qu'on avait des armées d'avocats à pied d'œuvre partout dans le monde. Je ne me faisais pas d'illusions : Guiche ne me mènerait pas tout droit à la résolution du mystère de la place de l'Odéon, mais en ce qui concernait ma quête de ce fameux témoin, je n'avais rien d'autre à me mettre sous la dent.

Raison pour laquelle le lendemain et le surlendemain, je suis retournée place des Victoires. À dix-sept heures le troisième jour, Guiche a quitté le cabinet et marché en direction du fleuve d'un pas vif, avec ce qui ressemblait à une mallette importante. Je ne m'y connaissais pas trop en techniques d'espionnage, à part ce que j'avais appris en lisant des romans de genre, mais le suivre n'a pas été trop difficile, principalement parce que ses mocassins sur mesure Aubercy étaient équipés de fers en laiton qui résonnaient sur le pavé comme des talons aiguilles. C'était même drôle, à vrai dire. Guiche a marché jusqu'à l'Hôtel de Ville, puis traversé la Seine au niveau du pont Marie pour atterrir sur l'île Saint-Louis, virant à gauche quai d'Anjou. J'avais traversé cette même île la première fois que j'avais parlé à Renaud, et la dernière aussi, lorsque j'avais déposé sa tête dans le courant de la Seine. Un si long au revoir.

Guiche s'est arrêté et a répondu au téléphone ; il tournait en rond, parlait, scrutait le trottoir et le fleuve comme s'il cherchait quelqu'un. Est-ce qu'il m'avait repérée ? Il a repris son chemin, plus doucement, a rangé son téléphone et sorti des clés qui ont étincelé contre le tissu foncé de sa veste. Il rentrait chez lui ? Il s'est arrêté devant un bâtiment au bout du quai, à l'extrémité est de l'île, puis il s'est passé quelque chose. Il a posé sa mallette et s'apprêtait à ouvrir la porte noire lorsqu'un jeune homme qui arrivait par le côté opposé au mien, près du pont de Sully, l'a interpellé. Guiche a fait volte-face et de toute évidence l'a reconnu ; il lui a fait signe de s'en aller. Je me suis approchée sans quitter le fleuve des yeux ; j'ai sorti mon téléphone pour faire comme si j'étais une touriste en train de filmer les bateaux-mouches. J'ai lancé l'appli Mirror Contrast et observé le couple derrière mon épaule.

Le garçon qui avait accosté Guiche avait vingt et un ans à tout casser. Cheveux bruns, visage à la beauté sauvage sur un corps de danseur dont j'ai aperçu les muscles lorsque sa veste à col clouté (collection Valentino de l'année précédente) s'est ouverte au moment où il a pris l'avocat par les épaules pour le forcer à lui faire face. Le soupçon de dépravation qui émanait de sa bouche pulpeuse m'a fait penser au Cupidon du Caravage, si beau, si moqueur. J'ai remarqué une montre en or à son poignet, mais son pantalon et ses chaussures étaient bas de gamme. Intéressant. Ils n'avaient pas l'air de se disputer, le garçon semblait plutôt demander quelque chose à Guiche, mi-implorant, mi-enjôleur. Guiche a secoué la tête, ouvert la porte, avant de se retourner pour ajouter quelque chose. Le garçon a acquiescé, et est reparti par la rue par laquelle j'étais arrivée, sur le trottoir d'en face. La porte s'est refermée. J'ai rangé mon téléphone et traversé en direction de l'immeuble. Je me suis figée sur place lorsque la porte s'est rouverte avec un petit clic. Mais Guiche n'avait d'yeux que pour le garçon ; il l'a observé jusqu'à ce que ce dernier tourne à gauche dans la rue Saint-Louis-en-l'Île et soit hors de vue. Dès que j'ai entendu la porte se refermer, j'ai couru dans la même direction que le garçon, dans les rues encombrées de gens qui rentraient chez eux les bras chargés de courses, et de touristes qui sortaient en quête d'un restaurant, à la recherche du scintillement d'un col clouté. Je l'ai repéré, il était à la moitié du pont en direction de Notre-Dame. J'ai accéléré, soulagée de voir qu'il s'était arrêté pour s'allumer une cigarette ; il s'est donné en spectacle, débitant des injures à la Seine, entre hargne et désespoir.

« Il sait qu'il est beau mec. »

Pendant qu'il fumait, j'ai sorti de mon sac une étole orange achetée un peu plus tôt sur l'un des étals qui longent le fleuve. J'avais prévu de m'en servir comme déguisement pour filer Guiche. À présent, si le garçon me voyait avec, son regard l'enregistrerait, et je redeviendrais invisible une fois que je l'aurais ôtée. En tout cas, d'après John le Carré, ça marche. Il a fini sa clope et jeté son mégot dans le fleuve. Un coup d'œil machinal à son téléphone et il était reparti. Cette histoire de filature m'amusait, en fait. « Être au centre du monde et rester caché au monde… L'observateur est un prince qui jouit partout de son incognito. » C'était peut-être le sentiment que je préférais, l'isolement total que procure l'anonymat, lorsque personne ne sait qui ni où vous êtes.

J'ai suivi le garçon sans peine jusqu'à la fontaine Saint-Michel, puis dans les ruelles du Quartier latin avec ses enseignes de kebab criardes. Il commençait à faire froid, et j'étais bien contente, lorsqu'il est entré se restaurer, de le suivre dans la chaleur et l'odeur de graisse. J'ai fait semblant de scruter le menu tandis qu'il serrait la main au jeune qui s'occupait de la friteuse, avec qui il parlait en arabe. J'ai fait la queue pendant qu'ils bavardaient, se foutant pas mal des clients de plus en plus impatients, jusqu'à ce que le jeune hausse les épaules et lui serve avec un clin d'œil un kebab poulet avec une énorme portion de frites et de salade fourrée dans le pain pita. Quand le garçon a tendu les mains pour le prendre, j'ai vu que sa montre était une Rolex. Elle avait l'air vraie – alors pourquoi un type avec une montre pareille venait quémander un *shawarma* ? Il est sorti le manger dehors, accoudé à une table haute ; tout en sirotant le café que j'avais commandé, je l'ai observé couper le sandwich en morceaux et le manger non sans difficultés, prenant bien soin de ne pas salir ses mains ni ses vêtements. Puis on est repartis. Arrêt au McDo pour une pause pipi, traversée de la Seine en direction du centre Pompidou, avant de virer vers l'est. Il était vraiment facile à suivre, il s'arrêtait régulièrement pour jeter un coup d'œil à son téléphone, mais ça commençait à être un peu longuet et, bien que l'expresso m'ait asséché la bouche, je ne voulais pas m'arrêter pour acheter une bouteille d'eau au risque de le perdre. On a marché environ une heure. Il était huit heures passées quand il s'est enfin attablé en terrasse à Belleville. C'était une partie de la ville qu'à une époque je n'aurais pas rêvé de connaître : même les tables des cafés semblaient déplorer ce qu'était devenu le quartier. À contrecœur, j'ai retiré mon étole orange et me suis installée à l'autre bout de la terrasse. Le serveur n'était pas pressé de prendre les commandes – il a fini par m'apporter un horrible beaujolais, et un Ricard au garçon. Bon pour l'haleine. J'ai fait durer mon verre aussi longtemps que lui, ce qui m'a semblé une éternité. Il tripotait son téléphone, je lisais le dernier Houellebecq, entre coups d'œil à la dérobée et gorgées de piquette.

J'étais persuadée qu'il ne m'avait pas remarquée jusqu'alors, mais il n'y avait que deux autres tables occupées en terrasse, et j'ai senti ses yeux se poser sur moi tandis que je tournais une page. J'ai levé la tête et croisé son regard brièvement – l'ignorer obstinément n'aurait pas semblé naturel. Ses longs cils noirs ont cligné d'un air aguicheur. J'ai baissé les yeux sur mon livre. Un peu plus tard, il s'est levé. J'avais déjà mis le montant de ma consommation dans la soucoupe, prête à bondir, mais j'ai attendu et me suis attaché les cheveux. Il marchait d'un pas décidé. Il n'avait fait que tuer le temps ; à présent il avait quelque part où aller. Une trentaine de mètres entre nous, on a dépassé une femme en boubou africain avec une poussette, un camion frigorifique qui livrait une boucherie halal. Il s'est engagé dans une impasse bordée d'immeubles gris, un gros cube moderne formant un L au bout de l'allée, révulsant même pour le 20e arrondissement. Un vieil Arabe en djellaba brun grisâtre était assis à une table dans l'entrée, sous un néon à la lumière vacillante, absorbé par son jeu de réussite. Ses dents en or ont étincelé lorsqu'il a salué le garçon, qui est entré dans le hall avant de descendre une volée de marches sur la droite, sous un panneau de sortie. C'était peut-être ici qu'il habitait.

Le portier n'a pas levé la tête.

— Tu es une amie d'Olivier ?

— Euh, oui.

J'ignorais qui c'était.

— Vingt euros.

Je lui ai tendu un billet et me suis engouffrée à l'intérieur.

Au temps où le Caravage peignait, il existait tout un tas de mondes nouveaux à portée de main, et il y en avait un en particulier dont les courants parcouraient la vie quotidienne de toute l'Europe, sous la surface, depuis les steppes slaves jusqu'aux enclosures d'Angleterre. On parlait à l'époque d'« épiement » ; c'était le monde parallèle de l'espionnage, dont les méthodes étaient parfois à peine plus élaborées que le jus de citron en guise d'encre et les noms de code latinisés ; les espions allaient au rythme d'un cheval au galop et pourtant ils avaient le pouvoir de redessiner les frontières des royaumes, de massacrer des villes entières, d'élire un pape ou de salir le nom d'une reine. On s'en serait bien tirés dans ce monde-là, me suis-je dit plus tard, ceux d'entre nous qui écument la nuit. On se reconnaissait entre nous, et on gardait nos secrets, du moins jusqu'au matin. J'avais écumé ce monde quand j'avais habité Paris pour la première fois, puis Renaud m'y avait trouvée, et à présent, en bas d'un escalier en béton taché d'urine, derrière une laverie abandonnée, j'étais à nouveau chez moi.

On était loin des clubs tape-à-l'œil que j'avais fréquentés avec Yvette, bien que l'endroit eût été une mine d'or pour les hipsters de Londres ou de Manhattan. Une fois passées les machines à laver et les toilettes indescriptibles, le chai miteux ressemblait à n'importe quel endroit, sauf que le papier peint rouge effet velours ne se voulait pas décalé. La faune m'a plu d'emblée, un mélange d'échangistes venus de banlieue, avec les yeux comme des soucoupes, de bobos parisiens venus s'encanailler, travestis perplexes qui ressemblaient à un troupeau de bibliothécaires paumées, barbe de trois jours héroïquement camouflée sous une couche épaisse de fond de teint, escarpins taille 46 vaillamment cirés, noyés dans une civilisation qui exigeait soudain de vous couper la bite pour prouver votre engagement. Totalement déprimant, mais ça me plaisait aussi pour ça.

L'endroit tenait plus du bordel que du club à partouze : l'air de rien, des mecs en costard bon marché faisaient leur choix parmi une brochette de minets qui se dandinaient et échangeaient des ragots au bar. Je n'ai pas été surprise de voir que ma proie les avait rejoints. Au bout d'un moment, il a quitté ses copains pour se diriger vers ce qui devait être la *backroom* avec un mec assez jeune qui tripotait son alliance en passant derrière les rideaux de velours. Ils sont revenus dix minutes plus tard, laps de temps pendant lequel j'avais découvert que ce bon vieux Olivier proposait du Maker's Mark. Le client du garçon s'est cassé aussitôt, prêt à faire ronfler le moteur de sa Renault pour le trajet coupable jusque dans sa banlieue. Ma proie est partie peu de temps après. Je n'ai pas pris la peine de le suivre ; j'avais déjà pas mal de trucs auxquels réfléchir. Et puis j'avais envie d'un autre verre. Peut-être trop de verres. Je me suis dit que je pouvais facilement me glisser dans ce rôle-là : je n'avais jamais cru avoir la fibre alcoolique, mais par rapport au premier venu, j'avais un putain de paquet de trucs à oublier.

En sirotant mon verre, j'ai pensé à Guiche et au jeune garçon, à ce que pouvait bien être leur relation. Guiche travaillait pour Balensky et sûrement pour Yermolov, ce qui lui permettait clairement de bien gagner sa vie puisqu'il vivait sur l'île Saint-Louis, et je n'imaginais pas que les jeunes prostitués faisaient partie de ses fréquentations habituelles. La première fois que j'avais vu Balensky, au cours de l'été que j'avais passé sur le bateau de Steve, j'étais déjà au courant des bruits qui couraient sur sa vie privée – notamment des rumeurs sur des soirées avec de jeunes garçons dans la résidence marocaine de l'oligarque. Peut-être que Guiche était gay, et alors ? La Russie était célèbre pour son intolérance à l'encontre des homosexuels, mais on était en France. J'ai commandé un autre verre, ça passait toujours aussi bien.

J'avais besoin de savoir qui avait parlé de mon passé à Yermolov. À l'heure qu'il était, Kazbich avait dû lui dire que j'étais en possession du tableau, mais hors de question que je cède la seule monnaie d'échange dont je disposais avant d'avoir ma réponse. Tenter de le rendre pouvait facilement me valoir la mort, ou au moins une arrestation. La relation entre le jeune garçon et Guiche semblait être le seul lien exploitable. Ça faisait longtemps que je ne m'étais pas sentie aussi impuissante, et c'était par la faute de Yermolov, Yermolov qui m'avait jugée trop incompétente pour ses tableaux. J'étais pourtant en possession de celui après lequel il courait, non ? La troisième pièce qui compléterait les Botticelli de sa galerie. L'idée qu'il enrageait parce que je lui avais échappé jusqu'à maintenant m'offrait une sorte de consolation – pitoyable. Qui était Yermolov pour me sous-estimer ? Il n'était pas le seul à pouvoir se montrer impitoyable. J'ai porté un toast à Alvin et vidé mon verre, mais il y avait quelque chose de déchaîné en moi, et mon verre a glissé pour se briser sur le bar. Une goutte de liquide ambré a coulé sur mes genoux.

— Je vous en offre un autre ?

Je me suis retournée. Un jeune homme de mon âge, barbu. Son haleine sentait le chou. La dernière chose dont j'avais envie était un petit tour dans la *backroom*.

— Non, merci.

J'ai essayé de relever la commissure de mes lèvres, mais mon sourire avait fui ce bâtiment depuis un moment, alors je me suis contentée de laisser glisser mon cul du tabouret pour me lever, ce qui n'était peut-être pas mon geste le plus élégant. Le type a gentiment tenu mon sac à main pendant que je me rassemblais, mais il m'agaçait autant que moi-même.

— Je vais juss... fumer u clope dehors, ai-je articulé en m'élançant vers la porte, ravalant une gorgée de vomi au whisky.

Je l'ai gardée jusqu'à ce que je déboule dans la rue, et j'ai tout gerbé dans le caniveau, sous l'œil impassible du portier arabe.

17

LE MÉTIER DE DÉTECTIVE commençait à rentrer. Au moins, j'avais la gueule de bois. J'avais écarté l'idée d'appeler le cabinet de Guiche pour lui parler – même si on me le passait, il était peu probable qu'il soit disposé à évoquer ses clients avec une inconnue, et si je lui disais que j'avais le Caravage, il irait direct prévenir Yermolov. Je devais retrouver le garçon, me servir de lui, voir si je pouvais approcher Guiche sans éveiller ses soupçons, de façon à découvrir s'il savait quoi que ce soit sur le soir du meurtre de Moncada. S'il ne savait rien, il me faudrait un plan B. Je suis retournée chez Olivier à onze heures le soir venu, et cette fois je me suis contentée d'eau.

Comme la veille, les jeunes prostitués étaient agglutinés au bar. Ma proie n'était pas avec eux, mais j'ai reconnu un des garçons avec qui il avait discuté : mince comme une brindille, en jean blanc moulant et haut chic avec empiècement cuir, mèche savamment brushée au-dessus d'une mine boudeuse. J'avais choisi le top le plus court de ma garde-robe de voyage et un soutien-gorge ampliforme, histoire de passer pour une fille en quête d'action, et je lui ai fait de l'œil jusqu'à ce qu'il me rejoigne en s'acquittant d'une petite grimace de lassitude à ses potes. Il ne devait pas avoir plus de dix-neuf ans, et je n'allais pas y couper – à ses yeux, j'étais clairement une cougar.

— Bonsoir, mademoiselle.

Au moins, il n'avait pas dit « madame ».

— Bonsoir. Je t'ai vu ici hier soir.

Il a souri avec modestie, convaincu que j'étais revenue pour goûter à ce qu'il avait à offrir dans la *backroom*.

— J'espérais que tu me présenterais ton copain, ai-je poursuivi avec naturel. Le garçon avec qui tu parlais hier.

Je le lui ai décrit de mon mieux et j'ai mentionné la Rolex en or, l'élément décisif.

— Qu'est-ce que tu lui veux ? a-t-il demandé, méfiant.

— La même chose que tu as cru que je voulais de toi, bien sûr.

— Désolé, mais vous faites erreur, a-t-il dit avant de se retourner pour partir.

J'ai posé un billet sur le bar entre nous. Plus que je ne pouvais me permettre, mais je n'avais pas le temps de marchander.

— Je serais vraiment très heureuse de lui parler. Si tu pouvais essayer… ?

Il a penché son nez épaté vers moi pendant que le billet de cinquante trouvait son chemin jusqu'à sa poche arrière.

— Oui, je peux… demander un peu autour de moi.

— Merci. C'est très gentil.

Il est sorti du club, sûrement pour passer un coup de fil – on ne captait pas au sous-sol. Dix minutes plus tard il était de retour ; l'air frais lui avait donné des couleurs, il ressemblait à un petit jeune plein d'entrain.

— Mon ami dit qu'il peut vous rejoindre dans pas longtemps, mademoiselle. D'ici une demi-heure ?

Ses yeux étaient braqués sur mon sac. À contrecœur, j'en ai extrait un billet de vingt que je lui ai tendu. D'un hochement de tête, il m'a souhaité une bonne soirée. Je me demandais quel genre de message il avait pu envoyer à mon rencard mystère.

J'ai bu mon eau et observé la foule au son de « J'aime les filles », de Jacques Dutronc. Une main s'est posée sur mon épaule. Il était là.

— Mon ami m'a dit que je vous trouverais ici. Vous me cherchiez ?

À sa façon présomptueuse de pencher la tête et au petit sourire vicieux qui déformait ses lèvres couleur prune, j'ai compris qu'il se livrait à une estimation rapide de mon âge, ma solitude, mon degré de désespoir, et je me suis surprise à apprécier son professionnalisme ; je lui ai offert un verre. Il s'appelait Timothée, et bêtement, je n'ai pas pu m'empêcher de penser à la marque de shampooing. Il portait la même tenue que la veille, avec un tee-shirt trop fin pour la saison sous sa veste tape-à-l'œil, et sa montre bien en évidence. Donc son amant, ou ses amants, étaient riches, mais lui, non. Parfait. Il a galamment proposé une deuxième tournée, que j'ai déclinée, et j'ai levé mon verre de Perrier à demi plein pour trinquer avec lui.

— Allez, tu ne crains rien, tu sais.

— « Sauf si tu veux que je sorte mes griffes. » Je sais, je sais.

On a trinqué.

— Haut les cœurs.

— Haut les queues !

J'ai arqué un sourcil.

— Excellent. Dis-moi, d'où est-ce que tu viens ?

— Du Maroc, a-t-il répondu avec fierté.

— Je ne suis jamais allée au Maroc.

Alors il m'en a parlé un peu, une description digne d'une carte postale du sable d'Essaouira et des délices de Jemaa el-Fnaa, puis il m'a demandé si je voulais aller dans la *backroom*.

— Ce n'est pas tout à fait ce que j'avais en tête.

— Oh.

J'avais envie de mieux le connaître, de lui tourner un peu autour avant d'évoquer Guiche.

— J'espérais plutôt… un peu de compagnie. Pour la nuit, en fait.

Il s'est égayé.

— On peut s'arranger. Ce serait avec plaisir.

— Combien ?

Il a eu l'air blessé par ma question – très convaincant.

— Je serais vraiment ravi de passer la soirée avec une aussi belle femme. Une aussi belle dame.

Ça m'a rappelé tout le cinéma qu'on faisait aux clients du Gstaad Club – « N'agis jamais comme si tu étais motivée par le fric, même si bien sûr c'est tout ce qui t'intéresse. »

— Comme tu voudras, ai-je fait. On va dans un endroit plus calme ?

— Bien sûr.

Il m'a aidée à remettre mon manteau, sans croiser le regard de ses potes à l'autre bout du bar, et dans la rue il a même obtenu du portier qu'il nous appelle un taxi, dans lequel il m'a fait monter en me tenant la main. Il était parfait, étant donné qu'à mon avis les filles n'étaient pas son truc. J'ai dit : « Place des Vosges » au chauffeur, et en un rien de temps on était dans un bar de nuit près de la rue de Turenne, douillettement installés sous le chauffage électrique d'une terrasse couverte d'un auvent en plastique. Comme souvent, l'intérieur était désert. J'ai commandé une bouteille de rouge et l'ai servi généreusement.

Au fil de la conversation, j'ai appris que Timothée rêvait de travailler dans la mode, qu'il avait bossé un temps comme serveur à l'hôtel Costes, mais qu'en ce moment il guettait la « bonne opportunité ». Il prétendait vivre chez un oncle à Aubervilliers. Un scénario habituel pour les gens de la nuit, mais j'étais tellement contente de parler à quelqu'un d'autre que le concierge chinois qu'il m'arrivait presque d'oublier pourquoi j'étais là. À la fin de la bouteille, qu'il avait presque entièrement bue, il m'a demandé si je voulais aller à une soirée.

— Carrément.

On a rejoué la scène du taxi, traversé la Seine et pris les quais vers l'ouest.

Paris déployait pour nous sa robe de lumière, mais le scintillement de la ville ne faisait qu'accentuer la noirceur du puits qui avait remplacé mon cœur. La fête, sur une péniche amarrée près du musée d'Orsay, n'avait pas grand-chose de plus à offrir que moi, des jeunes prostitués désœuvrés comme Timothée et quelques filles à pédés qui hurlaient pour un rien, mais j'étais censée me payer du bon temps, alors j'ai fait semblant de m'amuser, dansé un peu, bavardé avec ses amis. Au bout d'un moment, ils ont dégainé la coke, et ostensiblement effectué des allers-retours aux chiottes puants, mais comme d'habitude j'ai résisté à la tentation. Assise sur un coussin de sol humide, je hochais la tête en rythme avec la musique et suivais à moitié leurs fanfaronnades, leurs confessions débitées comme si leur vie en dépendait, ils parlaient en fait sans s'écouter. Timothée s'était rendu pas mal de fois aux toilettes et exhibait sa montre, qui lui avait été offerte après un « week-end de malade mental à Tanger ».

— Vous devriez voir la maison de ce mec ! disait-il à qui voulait l'écouter, c'est-à-dire personne à part moi. C'est, genre, un putain de château quoi, genre avec une forteresse, des gardes et tout ! Et on en a eu une chacun ! (La Rolex dansait à son poignet.) Dingue, hein ?

— C'était qui ?

— Je sais pas trop, un Russe. Ils sont tous blindés de thunes, ces Russes. C'est mon ami Édouard qui m'a emmené.

« Bingo. »

— Édouard ?

— C'est un mec que je vois, quoi. Il est avocat. Il vient d'une famille très riche. Il est marié, évidemment.

— Ils le sont tous…

Mon commentaire se voulait ironique, mais il a mal compris et il est venu coller son visage contre le mien, mâchoires serrées et exagérément inquiet.

— Qu'est-ce qui se passe ? Tu as eu une histoire avec un homme marié ?

— Si on veut. Les mecs, tous les mêmes, non ?

La montée de sérotonine s'est calmée un instant.

— Ouais. Mais c'est comme ça que ça marche. Ils pensent qu'ils peuvent nous acheter. Édouard, par exemple, il est génial, mais des fois il me traite comme si je me prostituais, tu vois ?

— Mais tu te prostitues, en fait.

La phrase est restée en suspens entre nous un moment, et je me suis dit que j'avais déconné, mais il s'est mis à rire et je l'ai imité, avant de choper la bouteille de bière la plus proche pour porter un toast.

— On les emmerde ! j'ai crié. Allez vous faire foutre, les mecs mariés !

Il m'a donné un baiser houblonné avant de se faufiler vers les chiottes pour une énième ligne, absorbé par un groupe d'éphèbes en marcel qui ressemblaient à des mannequins Abercrombie pour qui le vent avait tourné. J'ai reposé la bière sans y toucher et suis montée sur le pont extérieur, où les gens fumaient et parlaient moins fort. La tour Eiffel m'a fait un clin d'œil.

J'avais vu juste : Guiche était l'amant de Timothée. Encore mieux, Guiche l'avait emmené en week-end à Tanger chez Balensky, pour le style de fête que les Russes virils comme M. Poutine ne trouveraient sûrement pas à leur goût. Les associés de Guiche au cabinet Saccard, Rougon & Busch ne verraient peut-être pas non plus d'un très bon œil ce genre de séminaire d'entreprise. Ce n'était pas grand-chose, mais si je pouvais faire en sorte que Timothée me présente Guiche, je réussirais peut-être à lui faire dire ce qu'il savait de la personne qui attendait le Caravage le soir du meurtre de Moncada place de l'Odéon, et qui avait probablement mis Yermolov au courant de mon passé. À partir de là, je saurais quoi faire du tableau, qui poireautait actuellement dans mes bagages à l'hôtel.

Timothée a passé son visage et ses cheveux acajou ébouriffés par une écoutille.

— Ben alors, t'étais où ?

— Juste là. Tu veux partir ?

Je me suis dit que je pouvais l'héberger quelque temps. L'oncle d'Aubervilliers n'arrivait pas à la cheville de la Herse d'Or. Et en plus, c'était moi qui payais.

— On va chez toi ?

Une pointe de lassitude dans sa voix.

— Bien sûr.

J'ai sorti un rouleau discret de quatre billets de cinquante.

— Mais comme je te l'ai dit, je veux seulement un peu de compagnie.

Je savais que les femmes étaient purement du business pour lui, mais une nana qui avait moins de sens pratique que moi aurait sûrement été déçue par son soulagement manifeste. Tout ce qui comptait, c'était que je me le mette dans la poche, et pour ça, j'avais besoin d'une histoire.

En homme d'expérience, Timothée avait une brosse à dents dans la poche intérieure de sa veste, à côté des préservatifs et du Diazépam pour la descente. Cette nuit-là, j'ai dormi mieux que je ne l'avais fait depuis des semaines. Au réveil, je me sentais alerte et déterminée, et sa présence, qui en temps normal m'aurait agacée, me rassurait. Je mourais d'envie de passer aux choses sérieuses, mais je savais que je ne pouvais pas le brusquer si je voulais atteindre Guiche. Dans les jours qui ont suivi, je me suis appliquée à devenir sa nouvelle meilleure amie. J'avais aussi eu raison de croire qu'il était fauché, du moins semblait-il heureux de ne pas payer son couvert et son logis, alors nous avons fait connaissance autour de dîners pas chers dans le 11e arrondissement et de quelques joints fumés en douce à la fenêtre de la Herse. Je crapotais, juste. Je savais ce qu'il était, mais on n'en a plus jamais reparlé, ce qui lui a permis de recouvrer une certaine dignité et m'autoriserait à faire de lui ce que je voudrais.

D'après ce que j'ai compris, il était né en France mais avait grandi à Rabat, où il avait étudié à l'université quelque temps. Sa mère espérait qu'il deviendrait ingénieur, mais la beauté de Timothée et son penchant pour les hommes l'avaient mené à Marrakech, où il avait vécu aux dépens de nombreux touristes français et expatriés anglais qui pimentaient leurs histoires d'amour en faisant comme si l'homosexualité était toujours illégale en Europe. Un de ses clients l'avait ramené avec lui pour du bon temps à Paris, où l'oncle – qui apparemment existait bel et bien – lui avait obtenu une carte de séjour et le job de serveur à l'hôtel Costes. Il avait envisagé d'économiser pour faire une école de mode, mais le cœur n'y était pas, pas plus que l'envie de servir des tajines aux touristes. Il n'était pas resté serveur très longtemps : il avait rencontré Édouard au Costes, et ils avaient vécu plusieurs mois ensemble dans l'appartement de l'avocat sur l'île Saint-Louis, où je l'avais vu pour la première fois. Il s'est pas mal étalé sur cette période. Édouard l'emmenait en soirée, au restaurant, en voyage, mais ne lui avait jamais donné plus que de l'argent de poche. Et puis, il y avait six mois de ça, il lui avait demandé de partir – sa femme revenait de la campagne, il avait plein de boulot –, et Timothée était retourné dans le monde de la nuit. Il avait trouvé bizarre cette soudaine insistance sur la discrétion. Il continuait à voir Édouard, qui lui filait un « coup de main », mais il n'avait plus le droit de rester à l'appartement. Ses journées consistaient à dormir jusque tard le temps de cuver, puis à se pomponner avant d'aller traîner dans les boutiques de Saint-Germain ou de l'avenue George-V en attendant l'ouverture des clubs. Timothée ne manquait pas de motivation – il passait plus de temps que moi à faire de l'exercice et à prendre soin de lui – et il semblait en connaître un rayon dans le domaine de la mode, mentionnant au passage Nicolas ou Demna comme s'il les voyait dans la vraie vie et pas seulement sur Instagram, mais il avait vingt et un ans, et comme la majeure partie de la génération en dessous de la mienne, il attendait, très serein, le moment où il serait découvert.

En échange, je lui ai confié que j'étais à Paris pour faire des recherches concernant ma thèse, d'où mes voyages quotidiens à la bibliothèque. Il s'est égayé lorsque je lui ai dit que j'étais en histoire de l'art – apparemment Édouard « kiffe grave l'art » – mais je voulais étouffer au maximum sa curiosité, alors j'ai précisé que c'était sur le plan technique, sur les couleurs et les matériaux utilisés en peinture ancienne. Il ne relevait pas les trous qu'il y avait dans mon histoire tandis que je l'interrogeais sur ceux que je repérais dans la sienne – mais bon, comme je signifiais pour lui la possibilité de dormir gratos dans Paris intra-muros, il n'allait pas m'embêter avec ses questions. C'était du moins ce que je pensais, jusqu'à ce qu'en rentrant d'un jogging matinal je le prenne la main dans le sac, toutes mes affaires étalées autour de lui. Il fouillait dans les billets au fond de mes bagages. Il était tellement concentré qu'il n'avait pas entendu le bruit de mes Nike dans l'escalier.

« Oh non, pas encore. S'il a ouvert la doublure… »

Je m'apprêtais à lui foutre un coup de pied dans la mâchoire avant d'improviser, mais j'ai aperçu la doublure du sac vidé de son contenu, intacte. Le Caravage et le Caracal étaient toujours en sécurité. Pour l'instant. Il m'a regardée avec les yeux écarquillés du mec pris en flagrant délit et a posé les billets sur l'horrible moquette. J'ai ri. Je n'avais pas prévu de lui faire mon petit laïus sur Guiche si tôt, mais ça paraissait le bon moment.

— Sale petit escroc. On peut savoir ce que tu es en train de faire ?

— Je cherche des trucs à voler. Désolé. Je n'aurais rien pris. Je m'en vais.

— C’est bon. Alors t’es fauché ?

— Ouais.

— Donc tu m’aurais volée.

— Ouais, j’avoue. Je me disais bien que tu devais être riche. Tu as de super belles fringues.

Il a posé ses yeux tristes sur le tas chiffonné de cuir, de cachemire et de soie.

— C’est vrai qu’elles sont belles. Tu aurais dû me demander.

— Mais tu ne voulais même pas que je te…

— Tu n’aurais pas fait ça gratuitement ?

Sa grimace était on ne peut plus sincère.

— Eh ben, j’ai bien fait de pas demander ! Écoute, tu es un mec sympa, tu es un très fin psychologue…

Je le brossais dans le sens du poil.

— Genre.

— Donc quand on s’est rencontrés, au club, tu as vu que j’étais triste. Tu te rappelles la fois où je t’ai dit que j’avais eu une relation avec un homme marié ?

J’ai scruté mes affaires éparpillées en quête du bouquin d’Eakin et lui ai montré les passages que j’avais surlignés.

— C’était mon petit ami. On est restés ensemble trois ans. Il devait quitter sa femme mais…

J’ai cligné des yeux pour refouler mes larmes.

— Et maintenant il est mort, a-t-il achevé sur un ton empreint de respect.

— Oui. Ça fait déjà quelques années. Mais quand tu as parlé de ton amant… Édouard ? Édouard connaissait… (Merde ! C’était quoi déjà le nom du Polonais ?) Oskar. Je n’arrivais pas à y croire. Je me suis dit que c’était un signe. J’aimerais beaucoup lui parler, rien qu’une fois. Je n’ai pas pu assister à l’enterrement, par respect pour sa famille.

— Tu as besoin de faire ton deuil.

Il avait vu assez d'émissions de téléréalité pour connaître ses répliques par cœur.

— C'est ça.

— Je ne crois pas aux coïncidences, a-t-il ajouté, très solennel.

On prenait tous les deux notre pied.

— Et donc, je me disais que si tu pouvais m'aider, moi aussi je pourrais te rendre service…

Mon regard a dévié vers les billets qui gisaient par terre.

— Bien sûr que je vais t'aider.

— Et après on verra. Merci.

Si je lui avais extorqué sa compassion, Timothée semblait en revanche convaincu de la véracité de mon histoire, alors après notre satisfaisante petite improvisation, je l'ai encouragé encore un peu en l'emmenant déjeuner chez Thoumieux et en lui achetant une paire de boots Saint Laurent à bout pointu. Il était aux anges. J'ai coupé court à toute discussion sur le deuil de mon histoire avec Oskar, prétextant que je n'étais pas prête, ce que Timothée comprenait parfaitement, après quoi nous sommes allés trinquer aux nouvelles chaussures avec un kir royal tandis qu'il envoyait un texto à Édouard. On s'était installés dehors pour pouvoir fumer, mais l'air d'octobre était frais, et Édouard ne répondait pas.

— Quand est-ce que tu lui as parlé pour la dernière fois, en fait ?

Bien sûr, je savais que Timothée avait approché Édouard quelques jours auparavant, mais ça ne s'était pas très bien passé.

— Je t'ai dit, ça fait un petit moment. Il est bizarre depuis quelque temps. Je vais le contacter via WhatsApp.

— Il vaut sûrement mieux que tu ne parles pas de moi. Je ne veux pas être indiscrète. Vois juste quand tu peux le rencontrer, et je me grefferai au rendez-vous, comme ça.

— Il est peut-être à l'étranger. Il voyage beaucoup.

Il avait flashé sur un blazer en velours bordeaux dans la boutique Saint Laurent, et je voyais bien qu'il était agacé – s'il n'arrivait pas à convoquer Guiche pour notre émouvante scène du souvenir, adieu la jolie veste.

— T'en fais pas. Je me gèle, je rentre à l'hôtel. À plus tard.

J'ai profité de l'absence de Timothée pour m'assurer que le canon était propre et le lubrifier avec la fiole d'huile pour armes à feu que je gardais dans ma trousse de maquillage, avant de vérifier la sûreté. Je le remettais à sa place quand Timothée a déboulé, tout sourire.

— Il dit qu'on peut se voir demain !

Il s'est allongé pile sur le Caracal.

— Il m'a rappelé et m'a invité à un vernissage, très chic. La fondation Vuitton.

— Une soirée ? Mais je croyais qu'il voulait rester discret ces temps-ci ?

— Justement. Il a sûrement changé d'avis. C'est peut-être un nouveau départ, tu crois pas ?

— Alors je pourrais le rencontrer ?

— Oui, évidemment. Je lui ai demandé si je pouvais venir avec une amie, et on est sur la liste. Moi plus un, a-t-il ajouté non sans fierté.

— Génial. Je me présenterai à lui, on verra comment ça se passe.

— Je serai là pour te soutenir, a-t-il marmonné, l'air de penser à autre chose.

J'imaginais que c'était le blazer qui occupait son esprit, mais il avait l'air de nourrir un espoir si grand qu'il me faisait pitié.

— Tu es amoureux d'Édouard ?

Il a roulé sur le ventre. Les derniers rayons du crépuscule parisien ciselaient ses pommettes saillantes.

— Avant, j'imaginais la vie qu'on pourrait avoir. Si tu voyais son appart' !

J'avais tellement entendu parler de l'appartement du quai d'Anjou que j'aurais pu y accueillir des gens pour un dîner les yeux fermés. L'art moderne, la douche à l'italienne, la chambre de bonne au dernier étage décorée dans le style fumoir marocain. Avec une vénalité tout innocente, Timothée m'avait même informée de la densité de tissage des draps Frette d'Édouard et de la gamme complète de cosmétiques Tom Ford disponible dans le dressing. Le cabinet d'Édouard devait profiter pleinement de ses relations russes.

— Il connaît tellement de gens, a poursuivi Timothée, et c'est un vrai gentil. Attentionné, quoi. C'est juste que son boulot le préoccupe beaucoup en ce moment. Mais il a dit qu'il avait quelque chose à me dire, un truc important. Et puis, la soirée, comme ça, en public… Si ça se trouve, il divorce ?

J'ai voulu lui dire qu'ils ne divorçaient jamais, pas pour des petits gigolos à la noix en tout cas, mais les restes de mon cœur n'étaient pas encore complètement froids.

— Merde, qu'est-ce que je vais mettre ?

Il portait encore le sweat qu'il avait trois jours plus tôt sur la péniche, et ses dessous Calvin Klein semblaient un peu fatigués après ces nuits humides sur la tringle du rideau de douche.

— T'inquiète, on ira t'acheter des fringues demain. J'apprécie énormément ton aide. Ça veut dire beaucoup pour moi.

Je me suis empressée de me frotter les yeux. Il a tendu les bras vers moi et m'a attirée contre lui.

— Ne me remercie pas, Judith. Tu comptes vraiment pour moi, tu sais.

Pour un homme qui s'apprêtait à me dépouiller quatre heures plus tôt, il avait l'air d'une sincérité remarquable.

18

J'AI INSISTÉ POUR QU'ON PRENNE LE MÉTRO jusqu'au bois de Boulogne. Il a grogné, mais ses fringues m'avaient coûté bonbon et je n'avais toujours pas le moindre indice sur la personne qui m'avait balancée. Ma propre garde-robe n'était pas un souci. Depuis le temps, je savais qu'un air trop apprêté vous rangeait immédiatement dans la catégorie des nouveaux riches ; tout résidait dans la confiance en soi, raison pour laquelle un duc pouvait se pointer à un dîner en vieux polo. C'est en tout cas ce que j'avais lu dans *Tatler*. Un pantalon noir taille haute Miu Miu avec des boutons fantaisie, une chemise blanche masculine Comme des Garçons et des ballerines me semblaient parfaits. Il n'y a que les serveuses qui portent des robes de cocktail de nos jours. Timothée resplendissait dans son blazer et ses bottes neuves, assortis d'un tee-shirt propre et d'un foulard Paul Smith pour la touche anglaise. Il avait passé un temps infini à se raser, deux fois, et à appliquer un peu de Touche Éclat sur son visage, et je devais admettre que le résultat était ravissant. Il aurait pu être mannequin ; j'espérais que son histoire avec Édouard marcherait et lui donnerait une chance de réussir.

Les coques emboîtées de Gehry, soit un opéra de Sydney renversé, sont apparues au-dessus de la cime des arbres tandis qu'on approchait de l'édifice. L'exposition commémorait les vingt ans de l'Espace 798, quartier d'art contemporain de Pékin ; des caractères chinois lumineux noir et or apparaissaient et disparaissaient au-dessus du logo de la fondation. En arrivant, j'ai eu l'impression de mettre un pied dans mon ancienne vie, ou du moins dans celle d'Elisabeth Teerlinc. Tandis qu'on se dirigeait vers l'hôtesse d'accueil, nos pas écrasaient des éclats de porcelaine, une référence au photomontage d'Ai Weiwei de 1995, où il brise un prétendu vase de la dynastie Han. Des serveurs en pyjama Mao doré circulaient avec des plateaux de cocktails servis dans des tasses ornées de slogans communistes. J'ai demandé de l'eau en promenant un regard méfiant sur la foule, prête à me glisser dans la peau d'Elisabeth si jamais quelqu'un du milieu me reconnaissait. Une fois qu'on a eu nos verres à la main, Timothée m'a tirée à travers la foule, sans même un regard pour les œuvres d'art. On a fait le tour de l'expo dans le sens inverse des aiguilles d'une montre, puis une seconde fois avant qu'il repère enfin Édouard, en costume sombre et chemise blanche à col ouvert. Je suis restée en retrait tandis que Timothée allait vers lui. Ils ont échangé une discrète poignée de main. Je les ai observés quelques minutes ; Guiche était légèrement penché vers l'avant, comme s'il lui racontait une histoire. Édouard était l'incarnation du mec qui se fait passer pour hétéro – d'une beauté sans relief, avec une confiance très pro. Si je n'avais pas entendu parler de leurs frasques à Tanger, jamais je n'aurais cru que ces deux-là étaient plus que de simples connaissances.

Tandis qu'il attirait Édouard à l'écart des convives, vers l'ombre que projetait une gigantesque sculpture en caoutchouc noir d'un bouddha en pleine cabriole, Timothée m'a fait un signe de tête et j'ai avancé à leur rencontre. Il s'est retourné pour faire mine d'admirer les œuvres et je me suis adressée à Guiche :

— Monsieur Guiche ? Bonsoir. Je me demandais si je pouvais...

J'avais seulement prévu de lui demander si nous pourrions nous parler en privé, mais il n'a pas tout à fait réagi comme je l'avais espéré. Son sourire de façade s'est figé quand ses yeux se sont posés sur moi, puis il a chancelé vers l'arrière, comme si je l'avais frappé.

— Monsieur Guiche ?

Il a regardé par-dessus mon épaule et le choc s'est mué en panique.

— Vous deux ? Ici ? C'est quoi, ce bordel ?

— Je...

Mais ce n'était pas à moi que Guiche s'adressait. Il m'a brutalement poussée sur le côté et, en suivant son regard, j'ai remarqué une tête chauve avec un tatouage familier derrière l'oreille, sous les bourrelets de la jambe du bouddha. Youri. J'étais dos à lui, et pendant qu'il marchait vers Guiche, j'ai pris la tangente, mon corps en mouvement avant que mon cerveau ne comprenne ce que la présence du Russe impliquait. J'ai commencé à fendre le groupe agglutiné autour des plateaux d'alcool en direction de la sortie – « Non, ne sois pas aussi conne » –, puis j'ai fait demi-tour, baissé la tête pour passer sous le bras squelettique d'une concubine réalisée en grillage et affublée d'un masque de Mme Mao, et j'ai marché à une cadence soutenue, sans courir, vers l'escalier, d'où j'avais vu émerger les serveurs. Un couloir donnait sur une cuisine où une brigade de chefs en blanc préparait des plateaux de rouleaux de printemps miniatures au homard.

— Madame ? Les toilettes sont par là, m'a gentiment lancé l'un d'eux, mais j'ai posé mon verre d'eau et continué mon chemin, sachant qu'il y aurait une issue de secours. Madame ! Vous ne pouvez pas…

— Désolée, excusez-moi.

J'ai appuyé sur la barre en travers de la porte du fond et me suis glissée dans le soir qui tombait avant qu'ils puissent m'arrêter. J'ai couru sans savoir où j'allais, portée par l'urgence mais aussi une bizarre euphorie. Je me sentais forte, habitant mon corps pour la première fois depuis longtemps, enjambant allègrement une pelouse, cherchant à mettre autant de distance que possible entre ce bâtiment et moi. Au bout d'une vingtaine de secondes, je me suis retournée vers l'issue de secours, d'où émergeait un visage perplexe coiffé d'une toque. Il y avait une file de voitures dont les chauffeurs fumaient et discutaient en attendant leurs clients. Les lasers de la fondation balayaient le ciel et je me suis retrouvée dans leurs feux, ma chemise brièvement illuminée du logo. Je me suis accroupie pour me faire toute petite le temps qu'ils passent, puis j'ai avancé comme un crabe vers un bosquet d'arbustes entretenus aux ciseaux, avant de me glisser sous une clôture – est-ce qu'ils avaient des gardiens ? Pas le temps de vérifier – et de me faufiler entre les troncs. J'ai rejoins une route qui traversait les espaces verts du Bois. J'ai pris une avenue qui coupait à travers le parc, je suis arrivée à un carrefour avec plusieurs panneaux, et j'ai pris la direction « Étoile ». Les chemins étaient déserts, bien que des phares de voiture apparaissent de temps en temps et me fassent tressaillir. « Les âmes en quête de chaleur humaine », ai-je songé. Fut un temps où le bois de Boulogne était le terrain de manœuvres du demi-monde de Paris, des splendides courtisanes – des croqueuses de diamants qui se prélassaient dans leurs voitures tapissées de satin. Je suis passée devant un minivan bercé par des mouvements qui m'ont fait constater que les lieux perpétuaient la tradition. Plus loin, la route se divisait en deux, sans aucun panneau indicateur. J'ai cherché en vain un taxi, et pris à droite au hasard. À chaque seconde qui passait, j'imaginais Youri me devancer perpétuellement, faire un signe de tête au concierge chinois, monter l'escalier qui menait à ma chambre…

« Arrête. C'est peut-être une coïncidence. Si ça se trouve, Yermolov est à Paris pour le vernissage. Rien qu'une étape parmi toutes celles qui jalonnent le calendrier des expos. Ça ne veut pas forcément dire quelque chose. Mais oui, t'as qu'à croire. »

Il faisait nuit noire à présent, et comme ma sueur séchait sur ma peau je commençais à me geler dans ma pauvre chemise. Soudain, j'ai senti une odeur de saucisse, si appétissante que mon ventre a grogné. Au détour d'un virage, j'ai failli tomber sur une femme dodue plantée dans une chaise de camping sur la bande étroite qu'il y avait entre la route et les arbres.

— Oh pardon, je suis désolée !

— On cherche de la compagnie, chérie ?

— Non, désolée. Je suis un peu perdue. Si vous pouviez me dire…

Elle s'est levée, et malgré le fait qu'elle mesurait un mètre quatre-vingt-cinq à l'aise, il m'a fallu un moment, dans la faible lueur de la lampe tempête, pour me rendre compte qu'elle était en fait un il. Maquillage, perruque en nylon rouge, mini-robe zébrée que tendait au max une colossale paire de faux nibards, la totale.

— Perdue ?

— Je voudrais aller à Étoile, et je suis un peu pressée.

La façon la plus rapide de rentrer dans le Marais était de prendre la ligne 1 du métro jusqu'à Bastille. Une fois mes yeux habitués à la lumière, j'ai vu qu'elle était très bien équipée. Il y avait sur la table une bouteille de rouge à moitié vide, deux verres, des assiettes, une baguette, des couverts et un pot de moutarde. À côté de la table, un réchaud, avec une poêle où grésillaient gaiement des merguez. Un autre minivan était garé sous les arbres, portes arrière ouvertes sur un matelas accueillant, une glacière et un petit vase avec des roses artificielles.

Ma pochette ne pouvait contenir qu'un portefeuille et des clés. Pas de place pour un téléphone. J'ai fouillé dedans en quête de liquide.

— Si vous pouviez m'appeler un taxi – tenez, j'ai de quoi vous rembourser l'appel.

— Sérieux, chérie, t'es née de la dernière pluie ou quoi ?

Franchement, je n'avais pas le temps pour ces simagrées. Youri était sûrement en train d'essayer ma Crème de la Mer en attendant de m'assassiner quand je reviendrais dans ma chambre. J'ai fait demi-tour, mais j'ai senti une grosse patte se poser sur mon épaule. J'ai failli grogner comme un chien.

— Tu vas où comme ça ?

J'ai carré les épaules.

— Je vous l'ai dit, je suis pressée. Je me fous que vous ayez une machette en plus de ce que vous cachez déjà dans votre string ficelle, vous pouvez prendre mon fric, d'accord ?

Elle a reculé en levant ses poignets velus en l'air.

— D'accord, c'est bon. Ça va, quoi. Je voulais juste dire que je pouvais t'emmener.

— Vous voulez m'emmener ?

— Pour cinquante euros. J'ai une mobylette, là, derrière.

— Euh, merci. C'est gentil.

— Oh, de rien. Y a rien à faire ici ce soir de toute façon. Y a une fête huppée là-bas, ça effraie le chaland. Ça te dit, une petite merguez ?

— Merci, mais je ne peux pas. Faut vraiment que j'y aille.

— Comme tu voudras. J'ai un casque en plus.

Tout en mettant un couvercle sur la poêle avant de ranger tout son nécessaire à l'arrière de la camionnette, elle m'a dit qu'elle s'appelait Destiny-avec-un-y. Un sandwich me tentait drôlement, à vrai dire. Je pouvais peut-être rester ici, vivre dans les bois, dormir dans le van, sans personne pour m'emmerder. Je pourrais chercher des fines herbes, faire quelque chose pour cette perruque, améliorer le business. Ça ne serait peut-être pas si mal.

— C'est parti. Tiens, mets ça, chérie, a dit Destiny en faisant rouler sa mobylette jusqu'en bordure de route. J'ai l'habitude de laisser le camion ici, c'est plus pratique. La police garde un œil dessus.

— Je vais dans le 11e en fait, est-ce que c'est bon ?

— Aucun problème, on y est dans une petite minute.

Elle se remettait du rouge à lèvres dans le rétroviseur et arrangeait les boucles de cheveux artificiels qui rebiquaient de sous son casque.

— J'étais chauffeur de taxi avant. Allez, grimpe.

Ce n'est pas tous les jours qu'on dévale les Champs-Élysées en mobylette avec un travelo. J'aurais davantage apprécié la balade si je n'avais pas eu l'impression que chaque arrêt aux feux de circulation était une pause sur le chemin qui me menait vers ma propre mort. En faisant le tour de la place de la Bastille, je m'agrippais si fort aux hanches de Destiny que j'ai eu peur de lui laisser des bleus.

L'idée folle de lui demander de m'accompagner jusqu'à ma chambre m'a traversée, mais elle ne méritait pas ça, alors je lui ai dit de s'arrêter au coin de la rue ; je lui ai donné les cinquante euros avant de lui adresser un au revoir jovial, et elle a disparu.

J'ai voulu savoir si on m'avait demandée, mais le concierge s'est contenté d'un bougonnement. Mon cœur s'emballait à mesure que je montais les marches, mais la peur panique que j'avais ressentie en voyant Youri avait été remplacée par une sensation plus familière, une dilatation des pupilles, une montée en flèche d'adrénaline. Il se pouvait même que j'aie un petit sourire vicieux accroché aux lèvres. « Salut, bébé. » À quel moment avais-je oublié à quel point cette rage pouvait faire du bien ?

Mais la chambre était déserte, tout était comme Timothée l'avait laissé, le seul bruit audible étant celui de mon souffle saccadé. Assise sur le lit la tête entre les jambes pour récupérer, curieusement j'ai éprouvé de la déception. Le pic d'adrénaline était passé, la peur revenait meubler le vide. Les mains tremblantes, les paumes moites, j'ai sorti le Caracal de sa planque et l'ai glissé dans la ceinture de mon pantalon. Passeports et fric rangés, j'ai divisé mes fringues par deux pour alléger mon sac. J'avais la bouche tellement pâteuse que j'ai dû la rincer tout en remettant toutes mes affaires de toilette dans leur trousse. C'est bizarre cette manie qu'on a de toujours veiller à bien prendre sa brosse à dents avec soi, alors qu'on peut en acheter partout. Et puis j'ai entendu les pas. Enfin.

Il n'y avait pas de serrure intérieure, seulement le badge, qui ne marchait pas la moitié du temps, mais Youri ne devait pas avoir eu de mal à persuader le concierge de lui en donner un. Clic. Pause. J'ai imaginé la lueur de la détonation. Je me suis préparée, dos au mur, face à la porte, les deux mains sur le pistolet pour plus de stabilité. « Vise et appuie. »

Je ne suis pas très bonne en tir, mais une chambre d'hôtel parisienne, c'est tout petit. Heureusement que Timothée a eu la bonne idée de dire mon prénom avant d'ouvrir la porte, sinon je lui aurais fait sauter la cervelle.

— Judith ? Où t'étais passée ?

Il lui a fallu un moment avant de capter ce qu'il y avait dans mes mains, oui, un pistolet, et j'en ai moi-même mis un autre à comprendre que ce n'était pas le premier qu'il voyait. La vie à Rabat n'avait pas dû être aussi rose que ce qu'il avait laissé entendre. Son visage avait pris dix ans quand il a recouvré la parole, d'une voix ténue :

— Pose ça s'il te plaît. Tu veux bien ? Allez, pose-le.

J'ai réfléchi.

— Je crois que je ne vais pas le poser tout de suite. Ferme la porte. Bien. Ne bouge plus.

Il s'est exécuté.

« Tu pourrais le buter quand même. Regarder ses poumons éclater, le gros bouillon de sang, le voir se débattre, se noyer dedans. Allez, vas-y. Attrape ton avant-bras et presse la détente. Ce n'est pas comme si tu ne l'avais jamais fait. »

J'ai baissé le canon non sans mal, comme si mes bras étaient pris dans la mélasse. « Pas maintenant. »

— Ton ami m'a reconnue.

— Mais de quoi tu parles ?

— Édouard Guiche. Il me connaissait. Ce qui peut vouloir dire deux choses : soit tu réussis à me convaincre que tu n'es au courant de rien, soit ton visage se retrouve collé de l'autre côté du couloir. Prends ton temps.

— Ça a un rapport avec ce Russe, là, c'est ça ?

— À toi de me le dire.

— Édouard avait l'air en forme ce soir, enfin au début, comme au bon vieux temps. Il m'a dit qu'il partait demain pour un certain temps, mais que je pouvais passer la nuit chez lui. Il a dit qu'il avait quelque chose à me donner. Que tout allait changer. Et puis…

— Oui, qu'est-ce qui s'est passé ?

— Comment veux-tu que je le sache ? Tu nous as rejoints, et d'un coup t'as disparu – j'ai rien compris à ce qui se passait. Édouard a parlé en russe avec un mec costaud. Il parle russe, tu sais.

La fierté qui perçait dans sa voix était convaincante.

— On s'en fout. Continue.

— Je suis allé voir si je te trouvais, et quand je suis revenu, ils étaient partis. J'ai essayé de l'appeler, mais son téléphone est éteint. Alors je suis revenu ici. C'est gênant, je trouve, que tu te sois enfuie comme ça. Enfin bon, il a dit qu'il avait quelque chose pour moi…

J'ai soupiré et dégagé mes cheveux de mon visage. Timothée a sursauté. J'avais oublié que j'avais toujours le Caracal à la main. Je l'ai tenu devant moi pour qu'il voie bien que j'enclenchais le cran de sûreté.

— Désolée. Assieds-toi un moment, tu veux ?

La réaction qu'avait eue Guiche en me voyant ne pouvait vouloir dire qu'une seule chose : c'était lui qui avait attendu place de l'Odéon ce fameux soir. Qui était censé réceptionner le second tableau dans la sacoche. Mais il ne l'avait jamais eu, parce que c'était moi qui l'avais pris. Mais à cette époque, il ne pouvait rien savoir sur moi, sur ce que j'avais fait. Il n'avait pas rapporté le tableau à Yermolov, et Youri venait de nous voir ensemble. Youri était avec Guiche en ce moment même. Prudemment, j'ai posé le pistolet à l'écart.

— Tu ferais mieux de partir, ai-je dit. Prends tes affaires et tire-toi. Inutile que tu sois mêlé à tout ça.

— Mêlé à quoi ? S'il te plaît, dis-moi. Qu'est-ce qui se passe avec Édouard ?

J'ai réfléchi.

— Tu as dit qu'Édouard avait l'air… affectueux ?

— Oui. Ce n'est peut-être pas grand-chose, mais à sa façon de me regarder, j'ai senti…

Je pouvais encore me servir de lui. Si Youri et Guiche étaient à mes trousses, Timothée ferait un barrage efficace entre eux et moi. Un otage, quoi.

— Il se peut qu'Édouard soit en danger, ai-je fini par lâcher.

— Est-ce qu'on doit appeler la police ?

— On ne peut pas. Enfin, je ne peux pas. Mais il faut que je le voie.

— Alors je reste avec toi. Si Édouard est en danger, je veux l'aider à s'en sortir.

C'était peut-être la première fois qu'il était entièrement sincère.

— D'accord. Dans ce cas il faut qu'on s'en aille, tout de suite.

Timothée a fourré ses affaires dans le sac de la boutique Saint Laurent et m'a suivie, à la fois obéissant et paumé, jusque dans la rue de la Roquette, où après quelques minutes d'angoisse j'ai repéré un taxi. J'ai demandé au chauffeur de nous emmener au pont de Sully, où j'avais vu Timothée pour la première fois, près de chez Guiche sur l'île Saint-Louis.

L'île était animée, les restaurants et les cafés pleins de gens qui bavardaient et fumaient en terrasse, sous les braseros. Un coup d'œil à ma montre m'a indiqué qu'il était encore tôt, seulement dix heures. J'ai trouvé une table et commandé deux verres de blanc.

— Va dans sa rue et sonne chez lui. Envoie-moi un texto s'il te fait entrer.

Il s'est éclipsé. Je me suis demandé s'il reviendrait avec Youri à ses trousses, ou s'il reviendrait tout court, mais il a réapparu au bout de quelques minutes et s'est glissé sur sa chaise.

— Les lumières sont éteintes et personne n'a répondu à l'interphone. J'ai essayé son téléphone aussi.

— Bon. Alors on attend.

— D'accord. Tu peux me raconter ce qui se passe, du coup.

J'ai pensé à Elena, à son rire hystérique au-dessus de sa salade : « Parce que j'en sais trop. »

— Timothée, je ne peux pas. Je pense simplement que quelqu'un cherche peut-être des ennuis à Édouard.

— C'est en rapport avec ce Russe, là, ce mec pour qui il travaille ? Comme ton petit ami dont tu m'as parlé, le type du bouquin ?

— Si on veut. Écoute, je sais que ça a l'air dingue, mais je ne plaisante pas. Il faut qu'on attende Édouard, c'est tout.

J'ai commandé deux moules frites, histoire de passer le temps. C'est Timothée qui a mangé les deux, entre ses allées et venues au coin de la rue en quête de nouveau. Les clients ont fini par partir les uns après les autres et, après quelques regards appuyés et des coups de balai rageurs, le serveur s'est mis à empiler les chaises avant de poser l'addition d'un coup sec sur notre table. On est retournés vers le pont et on est restés assis une heure de plus sur le parapet avec nos sacs ; Timothée jetait des coups d'œil à son téléphone, mais personne n'est venu.

— Il est presque deux heures. C'est sans espoir, ai-je admis.

— Il a dit qu'il devait s'absenter, mais qu'il voulait me voir d'abord, tu te souviens ? Il sera peut-être là au matin.

— Peut-être.

On a péniblement marché jusqu'à l'hôtel Ibis près de la place d'Italie, où j'ai demandé à Timothée de nous enregistrer avec sa carte d'identité. Je lui ai donné suffisamment de liquide pour qu'il paie la chambre. Je refusais de penser au peu qu'il me restait. On s'est allongés tout habillés sur le lit, chacun s'en tenant respectueusement à son côté, mais aucun de nous n'a vraiment dormi. Peut-être parce que j'avais les deux mains sur le Caracal. J'ai perçu les phares de la circulation qui commençait à reprendre derrière le store, une incitation à la réflexion en attendant le matin. J'avais fait savoir à Kazbich que j'étais en possession du Caravage. Guiche était la personne qui aurait dû le récupérer. Je pouvais dire à Guiche que c'était moi qui l'avais, lui proposer de le lui redonner en échange d'informations, s'il en avait, sur la source qui m'avait balancée à Yermolov. Mais qui ça pouvait être ? Je me suis retournée sous la couette peu épaisse, désemparée. Je n'arrivais à rien. Les noms tournaient en boucle dans ma tête. Comment disait Brodsky déjà – la vitesse de la lumière équivaut à une vision fugace ? Enfoirés de Russes. Masha était morte. Youri était à Paris. Pour trouver Guiche. Finalement, ça craignait peut-être pour lui. Merde.

— Timothée ! Lève-toi. Tout de suite. Faut qu'on y retourne.

19

IL FAISAIT ENCORE SOMBRE À HUIT HEURES, mais le boulevard était déjà saturé de bagnoles. Les emplacements de taxis étaient évidemment vides ; on a couru en petites foulées jusqu'au fleuve, dans les senteurs typiques de Paris au petit matin – nuage de pâtisserie au beurre devant les boulangeries, bouffées piquantes de fromage à l'ouverture d'une épicerie fine. Trente minutes plus tard, le temps qu'on arrive quai d'Anjou, avec ses feuilles de marronniers qui jonchaient le trottoir, le ciel derrière nous s'éclaircissait. Le fleuve était sombre et agité, avec une pellicule d'écume, et l'eau étouffait les bruits de circulation, même si nous parvenaient à l'occasion les habituels coups de klaxons et autres injures lancées par les automobilistes. Quand on l'a entendu, ça ne nous a donc pas semblé si inhabituel, un bruit mat assez sonore, comme une gifle amplifiée, peut-être un taxi qui avait arraché la portière d'un camion de livraison, ou un scooter malheureux renversé au carrefour. On a continué à marcher normalement. C'est là que le cri a retenti, une femme qui hurlait, incontrôlable, et, comme dans un film en accéléré, les quelques piétons dans les parages se sont mis à courir, nous emportant dans leur mouvement. Le cri ne s'arrêtait pas, le volume a seulement baissé un peu lorsque la femme a repris son souffle avant de hurler de plus belle. Je pensais que quelqu'un était blessé, avait besoin d'aide, mais alors j'ai senti que Timothée ralentissait, j'ai vu son front en sueur, le choc et l'incrédulité qui se peignaient sur son visage.

— Qu'est-ce qu'il y a ? Ça va ?

Il s'est arrêté net, le doigt pointé devant lui. Alors j'ai compris pourquoi je n'avais pas reconnu ce bruit : c'est parce que je n'avais jamais entendu un corps heurter un trottoir après une chute de six étages.

— Est-ce que c'est l'immeuble d'Édouard ?

Le doigt toujours pointé devant lui, il articulait des mots qui ne voulaient pas sortir.

— Viens. Viens, je te dis.

Je l'ai tiré par la manche pour dépasser l'attroupement de badauds, qui parlaient tous en même temps. Quelqu'un dirigeait son téléphone vers le corps, un homme s'accroupissait pour essayer de le recouvrir avec son manteau, un autre tenait maladroitement dans ses bras la femme qui hurlait. J'ai aperçu une manche de veste sombre, une montre en or au poignet. Timothée l'a peut-être reconnue ; son bras était toujours tendu devant lui, comme paralysé, sa bouche s'activait en silence. Je ne vois pas comment il aurait pu reconnaître son amant sinon, car la tête de Guiche avait explosé comme une citrouille sur les pavés.

Un épais filet de sang coulait vers le caniveau. Je me suis rendu compte que la femme avait dû passer là au moment précis de l'impact : elle en était éclaboussée des genoux à la tête, comme si elle s'était penchée au-dessus d'une fontaine sanglante. Même ses cheveux bien coiffés pour aller travailler étaient mouchetés de magenta. Nous sommes restés plantés là un moment, tous autant que nous étions, témoins malheureux d'un martyre.

Autour de moi, la scène se déroulait au ralenti, à l'opposé du tourbillon de mes pensées. Trois choses. Un : j'avais raison. Deux : on arrivait trop tard. Trois : si Guiche avait sauté, il y avait des chances pour qu'il l'ait fait en l'absence de sa femme ; si on l'avait poussé, le coupable s'était sûrement déjà fait la malle. Il régnait un tel chaos que personne ne nous remarquerait, et la porte de l'immeuble était ouverte. J'ai filé en direction de l'escalier, tirant Timothée par le poignet. Premier étage, deuxième.

— C'est où ? Au sixième ?

Mais je connaissais la réponse. Timothée m'avait parlé de la magnifique vue. Les marches étaient couvertes d'une épaisse moquette rouge maintenue en place par des baguettes en laiton. Seule résonnait dans l'escalier la respiration difficile de Timothée. La porte du 5A était entrouverte – Guiche n'avait donc pas sauté. Je l'ai poussée doucement, tombant sur un long couloir parqueté avec des portes menant de chaque côté.

— Il n'y a personne, ne t'en fais pas, ai-je murmuré, même si je n'étais pas aussi sûre de moi que je voulais en avoir l'air.

On aurait dit que Timothée avait fait une attaque. Je l'ai secoué jusqu'à ce que son regard croise le mien.

— Tu sais où est la cuisine ? Mais oui, bien sûr. Va te chercher un verre d'eau, verse du sucre dedans et bois-le. Si quelqu'un entre, tu dis que tu es un ami de… juste un ami. D'accord ? Ça va aller ?

Il a acquiescé.

— Bien. Édouard a un bureau, j'imagine ?

Un autre hochement de tête. C'était désespérant. J'irais plus vite toute seule.

— Allez, va.

Il a disparu derrière la première porte à droite. J'ai entendu un robinet.

Timothée avait parlé d'un splendide double salon avec vue sur la Seine. Ça devait être à gauche, côté façade. J'ai marché dans le couloir sans faire de bruit et ouvert la troisième porte de gauche : une petite salle à manger qui donnait d'un côté sur le salon et de l'autre sur une bibliothèque. L'une des trois grandes fenêtres était ouverte, le rideau en lin blanc claquait au vent. L'appartement était propre et moderne, meublé de vraies antiquités mélangées à des pièces plus contemporaines ; le bureau en noyer de la bibliothèque datait du XVIIIe siècle, avec un Prampolini aux couleurs vives accroché au mur blanc satiné juste au-dessus. Timothée avait raison d'être impressionné par le goût d'Édouard. Il y avait une enveloppe sur le bureau, marquée d'un T. Je l'ai fourrée dans ma poche. Il régnait dans cette pièce un ordre surnaturel ; la seule décoration était ce tableau, le mur du fond étant intégralement occupé par des armoires métalliques à tiroirs. J'ai tendu l'oreille. La femme ne criait plus, mais l'attroupement devait être plus important. Les secours et la police allaient arriver d'une minute à l'autre. Hésitante, j'ai tenté ma chance avec les tiroirs du bureau. Tous fermés à clé. Ceux des armoires – impossible, je n'avais pas assez de temps. Des secrets ? Où est-ce que je cacherais un secret dans cette pièce austère ?

Bien qu'il soit tentant de bricoler sous le bureau à l'aide d'une épingle à cheveux, je n'avais pas le temps de jouer les Auguste Dupin. Les meilleures planques sont souvent les plus évidentes. Cachées en plein jour. Qu'est-ce qu'Édouard aurait pu vouloir cacher ? Sa passion secrète des jeunes garçons ? Il avait son téléphone pour ça. J'ai reculé d'un pas et promené mon regard sur les surfaces lisses qui m'entouraient. Dans un coin, j'ai remarqué un tiroir entrouvert. J'ai tiré légèrement et le tiroir-classeur s'est ouvert tout seul, rempli de dossiers portant des noms et des dates. Rangés par ordre alphabétique, de A à D. Guiche avait dû être dérangé pendant qu'il cherchait un dossier. J'ai passé en revue les étiquettes en accéléré, et je suis tombée, à la lettre B, sur une mention inscrite en cyrillique : BALENSKY. J'ai extrait la boîte correspondante pour la poser par terre et j'ai tiré sur les autres dossiers pour que le trou soit moins flagrant. Je me relevais avec mon larcin sous le bras lorsque j'ai entendu les sirènes. Un rapide calcul au fil des tiroirs m'a fait dire que la section Y serait trop haute pour que je l'atteigne, il fallait qu'on se tire.

— Timothée ?

J'étais dans le couloir, dossier encombrant sous le bras. Merde. Il y avait quelqu'un dans l'escalier. Des voix agitées. Timothée était immobile dans la cuisine, un verre d'eau à la main.

— Tu as dit qu'il y avait une chambre de bonne ? Où ça ?

Il y avait une porte à côté du frigo, je me suis débattue d'une seule main avec la poignée. Au-delà, une buanderie et un escalier étroit.

— Monte. Allez. Garde ton verre.

J'ai refermé la porte aussi doucement que possible et j'ai poussé Timothée pour qu'il gravisse les marches.

— Continue.

C'était un escalier en bois, nos pas résonnaient, et j'espérais que les voisins faisaient assez de bruit pour ne pas nous entendre. En déboulant dans le fumoir dont j'avais entendu parler, j'ai trébuché contre un grand plateau en métal martelé qui faisait office de table basse et roulé pour finir ma course dans un tas de coussins en kilim. Timothée est tombé sur moi et m'a renversé son verre d'eau sur les pieds.

— Bon sang. Ne bouge plus. Respire. Respire calmement.

J'entendais les voix à l'étage inférieur, qui passaient de pièce en pièce. Des appels aléatoires, rien à voir avec la vigilance de la police. On s'est crispés quand la porte de la cuisine s'est ouverte.

— Allô ? Y a quelqu'un ?

Puis, comme personne ne répondait :

— Non, y a personne. Alors, on attend les flics ?

— On ferait mieux de ne toucher à rien.

— T'as raison. On va aller attendre en bas. Pour ne rien compromettre.

Les preuves – tout le monde connaît la conduite à tenir sur une scène de crime de nos jours. Merci, Netflix. J'ai attendu que la porte se referme et que les pas s'éloignent. Je suis descendue, j'ai trouvé un seau en plastique de ménage dans lequel j'ai fourré le dossier et je l'ai tendu à Timothée.

— Enlève ta veste. Donne-la-moi. Descends par l'escalier de service – il aboutit à une cour.

Je lui ai montré l'endroit par la minuscule fenêtre décorée de petits lampions colorés semblables à ceux qui étaient pendus dans les orangers d'Ibiza.

— Tu marches sans t'arrêter, la tête baissée. Tu reprends le chemin par lequel on est arrivés, jusqu'à l'hôtel. Moi je te rattrape dans quelques minutes. Tu vas y arriver ?

Un nouveau hochement de tête muet. Difficile de lui faire confiance, mais je n'avais pas le choix. Si Youri était dehors, je ne m'en tirerais jamais avec le dossier.

— Allez, vas-y.

Avec son seau, son tee-shirt froissé, et un peu de chance, il passerait pour un agent de ménage. J'ai enfilé le blazer par-dessus ma propre veste et je suis descendue, une main plongée dans mon sac en quête de mes lunettes de soleil. La cage de l'escalier principal était déserte, mais la foule à l'extérieur avait considérablement augmenté, parsemée de badauds aux penchants morbides qui prenaient des photos. Une femme, téléphone à la main, en short et gilet violet, se tordait le cou pour voir le corps. Une touriste.

— Qu'est-ce qui s'est passé ? lui ai-je demandé en anglais.

— Je crois que quelqu'un s'est suicidé, a-t-elle répondu avidement, avec un accent australien appuyé.

— Oh mon Dieu, c'est terrible, ai-je bafouillé avant de partir.

Une fois au coin de la rue, je me suis retournée pour scruter la foule une dernière fois. L'ambulance était arrivée mais les passants bloquaient le passage ; deux secouristes en gilet fluorescent fendaient l'attroupement tant bien que mal avec un brancard roulant.

— Écartez-vous, s'il vous plaît, laissez passer ! criaient-ils, passablement agacés.

Dans le délitement de la foule, j'ai aperçu un homme plus âgé à la mise soignée, un peu en retrait, qui levait les yeux vers la fenêtre du salon d'Édouard Guiche. Kazbich. Ce n'était décidément pas un suicide. Je ne me suis pas attardée. J'ai fait quelques pas à reculons, lentement, puis j'ai traversé le rue Saint-Louis-en-l'Île et me suis mise à courir. Combien de temps me restait-il avant que Youri et Kazbich me tombent dessus ? Yermolov pouvait avoir déployé des dizaines de molosses dans toute la ville pour retrouver son précieux tableau. Inquiète, j'ai ralenti et effectué des boucles, repassant parfois par les mêmes endroits, scrutant le visage des passants, attentive à la moindre impression de déjà-vu, au cas où on m'aurait suivie. Le jeu du chat et de la souris auquel je m'étais livrée avec Guiche ne m'amusait plus autant maintenant que les règles avaient changé et que c'était moi la souris.

— C'était des conneries, pas vrai ?

— Quoi ?

C'était la première fois que Timothée parlait depuis que j'étais rentrée à l'hôtel.

— Ton histoire de petit ami. L'avocat. C'était des conneries.

— Tu l'as dit toi-même : les coïncidences, ça n'existe pas.

Le dossier était entre nous dans le seau, ça me démangeait de me plonger dedans. Pendant qu'on était assis là, la police devait passer l'appartement au peigne fin, interroger les témoins, visionner les vidéos des détectives amateurs. Je n'avais vraiment pas le temps de jouer les psys spécialistes du deuil. Mais je me suis reprise. Rien de tout ça n'était de sa faute, il n'avait rien fait. Si j'avais été moins longue à la détente, on aurait pu joindre Guiche, le prévenir. Et maintenant il était mort. « C'est pas ta faute, Judith. » J'ai parlé avec autant de douceur que possible.

— Écoute, tu viens de vivre un choc terrible. Je sais que je te dois des explications, et je te promets de le faire. Mais pour l'instant, tu vas prendre une douche bien chaude. Et après, tu vas te reposer.

Si je pouvais lui faire avaler deux de ses Diazépam avant que les larmes surgissent, je pourrais enfin me plonger dans le dossier. Pour l'heure, abruti par l'horreur de ce qu'il avait vu, il me faisait une confiance aveugle. Je préférais ne pas penser à ce qui se passerait s'il cédait à la panique et essayait de s'enfuir. Il faudrait que je sache quoi faire de lui une fois que j'en aurais appris davantage. Quand il s'est glissé dans la minuscule cabine de douche, j'ai entrouvert la fenêtre de quinze centimètres – soit son maximum – et fumé une clope en biais avant de lui dégoter de l'eau-de-vie dans le minibar. La chambre devait être libérée à onze heures, je suis descendue, toujours dans mes vêtements débraillés de la veille, et je me suis dépouillée de quelques billets supplémentaires que j'ai tendus à l'imperturbable réceptionniste. J'ai trouvé Timothée recroquevillé sous la couette, en proie aux frissons. Il a tendu les bras vers moi, et lorsque je l'ai serré contre moi il s'est mis à pleurer en émettant des petits miaulements. D'un geste maladroit, je lui ai caressé les cheveux, tout en cherchant le verre d'alcool et la pilule de l'autre main.

— Allez, allez. Ça va passer. Tiens, bois ça. Et puis prends ça aussi, hein ? Ça va t'aider à dormir. Voilà, c'est ça. Tu as subi un tel choc...

J'enchaînais les phrases dénuées de sens pour le réconforter et, entre hoquets et sanglots, il a fini par tout avaler. Je l'ai à nouveau pris dans mes bras, et j'ai senti son rythme cardiaque s'apaiser. Ça a pris tellement de temps que j'ai bien failli m'assoupir, mais dès que sa respiration s'est faite régulière, j'ai dégagé mon bras et filé sous la douche, d'abord bouillante, puis glacée. Je mourais de faim. J'ai englouti un paquet de palets bretons en enfilant un sweat et une culotte. J'ai mis une couverture sur Timothée, étalé le dossier par terre et commencé à passer en revue tous ces papiers.

Ils semblaient classés par sujet, certains en jargon juridique français, d'autres en russe. Je les ai tous parcourus en diagonale, à la recherche de tout ce qui se rapporterait à des tableaux. Mais j'ai fait chou blanc, sans compter que je comprenais à peine ce que je lisais. Les premiers sous-dossiers m'ont pris plus de deux heures. Il y avait beaucoup de paperasse sur des transactions immobilières, des demandes de visas, de permis. Et puis, dans une chemise séparée, je suis tombée sur les provenances. Un résumé tapé en anglais accompagnait les documents originaux en français, russe et une autre langue que j'ai prise pour du serbo-croate. Le premier nom qui m'a sauté aux yeux était celui de Kazbich. J'avais toujours eu du mal avec les initiales en cyrillique. Une photocopie de certificat pour le tableau d'un artiste dont je n'avais jamais entendu parler, dont le nom n'était constitué que de « j » et de « v », décrit comme « paysage, huile sur toile », signé par l'artiste en 1929 et vendu à une collection privée via une galerie de Belgrade en 1997. La Serbie – c'était là-bas que se trouvait la galerie de Kazbich. Balensky avait acheté le paysage pour cinquante mille dollars américains, ainsi qu'une dizaine d'autres tableaux du XXe siècle, émanant tous de « collections privées », en l'espace de six mois. À chaque tableau correspondait une liasse de papiers agrafés ensemble, avec une photo de l'œuvre sur la première page. La Serbie était en guerre dans les années 1990. Les périodes de troubles donnent souvent un coup de fouet au marché de l'art. Les monnaies s'effondrent, les gens ont besoin d'argent pour fuir, ils liquident leur héritage. Certains des tableaux avaient été exposés, il y avait des photocopies de catalogues d'expo et de brochures de musée, des reçus, manuscrits pour la plupart, qui remontaient jusqu'à la date de création des œuvres. Les preuves papier assurant l'acheteur du chemin qu'a parcouru un tableau et qui garantit sa valeur. Donc Kazbich faisait affaire avec Balensky depuis des années. Un nom revenait plusieurs fois, un propriétaire qui était souvent passé par

Kazbich. Un certain Dejan Raznatovic. Il n'avait pas seulement vendu, mais aussi acheté, et pas que des œuvres du XXe siècle, mais aussi plusieurs icônes russes de grande valeur. Or il existait une loi contre ça. J'ai bien retenu son nom.

Au début des années 2000, ce bon vieux Dr Kazbich avait apparemment décroché le gros lot. Un petit Cézanne, un autre paysage, que Balensky avait acheté vingt millions avant de le revendre, environ un an plus tard, pour trente-cinq millions, à un dénommé Pavel Yermolov – Kazbich avait servi d'intermédiaire dans les deux transactions. Le même procédé se répétait avec un Giacometti et un Klimt, peut-être un de ceux que j'avais vus dans la résidence française de Yermolov. Alors comme ça Balensky fourguait des tableaux à Yermolov. Est-ce que les oligarques s'étaient rencontrés via le monde de l'art, via Kazbich ? J'ai étalé tous les certificats sur la moquette élimée, et les ai scrutés un à un, stylo à la main, en espérant que quelque chose me sauterait aux yeux. Rothko. Kazbich avait vendu un Rothko à Balensky en 2005, le tableau ayant fait un passage par la collection d'une banque italienne puis par celle du collectionneur de Belgrade, Raznatovic.

Timothée pionçait. Je me suis étirée et me suis mise à faire les cent pas dans l'espace exigu. Tant de variables, tant d'éventualités à prendre en compte. « Va doucement. »

Il n'y avait rien d'inhabituel à ce que des banques ou des grandes sociétés possèdent des tableaux. L'art était une marchandise comme les autres, entretenu grâce aux fonds d'investissement – les actionnaires de Dorking possédaient peut-être un centimètre carré d'un Francis Bacon sans le savoir. Je savais d'expérience qu'il existait des réserves immenses où dormaient des chefs-d'œuvre, à l'abri de la lumière et des variations de température, qu'ils en émergeaient pour quelques semaines dans une salle des ventes avant de disparaître à nouveau – les Botticelli de Yermolov étant un cas d'école. Les marchands d'art pouvaient stocker des œuvres pendant des années, jusqu'à ce que le marché soit prêt. Mais il y avait quelque chose qui clochait avec le Rothko. Je le savais parce qu'à Paris, le soi-disant chasseur de primes Renaud Cleret m'avait dit qu'il était à la recherche d'un faux Rothko pour un client. C'était le stratagème dont il s'était servi comme couverture pour me faire chanter et attirer Moncada dans ses filets. En conséquence de quoi je connaissais par cœur le catalogue raisonné de l'œuvre de Rothko, que j'aurais même pu réciter à l'envers. J'avais eu besoin de vérifier que Renaud me mentait. Et ce Rothko-là – deux mètres de haut, dans les tons noir et argent, divisé en parallélogrammes qui se chevauchaient – n'avait jamais paru dans le moindre catalogue. J'ai étudié les provenances. Une banque italienne – la Societa Mutuale di Palermo – avait prétendument acheté le tableau peu après qu'il avait fait partie d'une exposition new-yorkaise dans les années 1960. Le nom du galeriste de Chelsea figurait en annexe avec la brochure de l'expo. La banque avait conservé son bien pendant vingt-cinq ans, jusqu'à ce que Raznatovic l'achète en faisant appel à Kazbich comme courtier, et le revende ensuite à Balensky.

Comme je l'avais expliqué à Elena à Venise, les provenances pouvaient être falsifiées. Des photos, des reçus tapés sur de vieilles machines à écrire, du papier vieilli au four, des annexes ajoutées aux archives, une fausse toile glissée dans un lot de tableaux authentiques dans une vente aux enchères de façon à apparaître dans l'agenda – il y a des centaines d'arnaques possibles, car à la différence des autres marchandises, la valeur d'un tableau réside en fin de compte dans la perception qu'en a son acheteur. Si la provenance est béton, les marchands fermeront les yeux sur des défauts évidents, en toute bonne foi ou non. Donc je savais que Kazbich avait introduit un faux Rothko, via l'Italie puis la Serbie, dans la collection privée de Balensky.

La vente suivante concernait un autre achat italien, avec le même enchaînement de propriétaires, cette fois en 2008, l'année de la crise financière mondiale. La banque de Palerme procédait apparemment à des ajustements de patrimoine car elle avait cette fois refourgué un tableau du peintre baroque Antonio Bacci, pour la somme extraordinaire et néanmoins plausible de quatre millions. Raznatovic avait des moyens impressionnants. Mes mains se sont mises à feuilleter les pages plus vite, comme si mes doigts savaient sur quoi ils allaient tomber.

Une sirène dans la rue. J'ai retenu mon souffle jusqu'à ce qu'elle s'éloigne. J'avais réglé ma chambre à l'avance à la Herse d'Or, où la moitié de mes fringues étaient restées – mais je doutais que la femme de ménage ait déjà remarqué mon départ. Est-ce que la police se lancerait à la recherche du mystérieux jeune couple remarqué sur la scène de la tragique chute d'un avocat distingué ? Là aussi, j'avais de sérieux doutes. Retour à la paperasse.

Il était là, mon vieil ami. Le Caravage, de son vrai nom Michelangelo Merisi da Caravaggio. Portrait d'une femme, sur lin. Kazbich était encore l'intermédiaire, Balensky et Yermolov les acheteurs conjoints pour la bagatelle de deux cents millions d'euros. La moitié de l'argent versée en avance via des capitaux placés aux îles Turques-et-Caïques, la seconde moitié payable à la remise du tableau au convoyeur.

Guiche avait déjà apposé son nom, signé à l'encre avec une belle arabesque. La signature de la personne chargée de remettre le colis en mains propres était absente. Et pour cause : le tableau était en sécurité dans sa sacoche à un mètre à peine de moi.

Guiche savait qu'ils allaient lui tomber dessus. D'après Timothée, cela faisait plusieurs mois que son amant était distrait, angoissé, qu'il l'évitait, qu'il le tenait à l'écart de son appartement. Je me suis à nouveau penchée sur la chronologie. Je quitte Paris avec le tableau en novembre. Guiche n'est pas en mesure de le transmettre, naturellement. Yermolov pense que je l'ai, attend que je refasse surface quelque part. J'ouvre Gentileschi à Venise au printemps – ce putain de texto à la con – mais la galerie reste assez discrète, aussi bien en ligne que hors ligne, jusqu'à l'ouverture de l'expo Xaoc au début de l'été. Bingo, Kazbich fait son entrée. Yermolov et lui ne réussissent pas à me piéger. Je leur échappe pendant quelques jours. Yermolov fait surveiller Guiche, il se méfie de lui – je vois les rouages qui ont pu se mettre en marche dans son esprit. J'arrive à Paris, apparemment avec le tableau, où je rencontre Guiche. Ce dernier continue à proclamer qu'il ne sait rien, mais eux pensent que lui et moi sommes de mèche. Un Caravage à deux cents millions aurait corrompu n'importe qui.

Guiche avait simplement manqué de temps. Je me demandais comment ça s'était passé. Youri l'avait-il balancé par la fenêtre, ou l'avait-on laissé partir dignement et se jeter lui-même dans le vide ? Le suicide était peut-être plus avantageux fiscalement que le meurtre. Kazbich parmi la foule, prêt à confirmer que le boulot avait été fait. Où était Youri en ce moment ? En train de me chercher, certainement. Mais j'étais en sécurité ici, pour l'instant. J'ai chassé la parano et continué ma lecture, et en épluchant les documents, je ne pouvais m'empêcher de sourire. Je n'avais pas été la seule à peaufiner mon travail d'archives. Les provenances que Kazbich fournissait pour le Caravage se lisaient pratiquement comme un roman.

C'était peut-être le patrimoine vénitien de la banque de Palerme qui avait donné l'idée à Kazbich. Alors que la plupart des universitaires doutaient que le peintre ait un jour visité la ville, d'autres étaient persuadés du contraire. Son premier professeur, Peterzano, avait été un élève de Titien, lui-même élève de Giorgione, dont l'influence, de l'avis des spécialistes, était manifeste sur l'œuvre du Caravage. Comme lui, Giorgione ne pratiquait pas le croquis préparatoire, préférant mettre l'accent sur la couleur plutôt que sur le dessin. L'étendue de la palette du Caravage, cette lumière surnaturelle qu'il faisait crépiter sur ses toiles étaient attribuées à l'influence de Venise. Dans la version de Kazbich, en 1592, le jeune peintre, en chemin vers Rome, avait passé du temps à Venise. Il y avait une rumeur, citée par plusieurs articles universitaires, selon laquelle un des nombreux portraits perdus du Caravage était celui d'une « femme qui lui avait donné le gîte » – le docteur, très en verve, avait brodé une variante à partir d'un classique : l'artiste dans le dénuement qui paie ses notes avec des œuvres. La photo qu'Elena m'avait montrée figurait ici également, dans l'inventaire très convaincant d'un déménagement du XVIIIe siècle duquel ce tableau faisait partie. Après quoi le tableau était apparemment resté au même endroit, vendu et revendu avec le reste du mobilier à mesure que le bâtiment changeait de propriétaire. Pour l'attribution, Kazbich avait mis le paquet. Il y avait une lettre d'un « voyageur du XIXe siècle », un amateur d'art américain, dans laquelle il évoquait à son correspondant la présence dans sa chambre d'hôtel de ce qui pourrait être un Caravage. Il y avait aussi deux rapports de la Fondation internationale pour la recherche artistique, qui bénéficie d'un service d'authentification. Les rapports de l'IFAR ne sont pas à proprement parler des certificats d'authenticité, mais les acheteurs impatients les considèrent souvent comme irréfutables. Cela dit, la fondation n'est pas incorruptible. Les experts engagés par le service d'authentification peuvent choisir de rester anonymes, ce qui implique qu'ils peuvent produire un rapport douteux sans nuire à leur image – si le prix est juste. Kazbich prétendait être en quête de ce tableau depuis des années, et l'avoir enfin obtenu grâce au décès d'un proche du propriétaire de la *pensione* qui tombait à pic, avant de le soumettre à l'IFAR.

Depuis que j'avais vu le Caravage, je savais qu'il ne pouvait pas être authentique. Mais le boulot était stupéfiant. Et puis, quelle audace. Enfin, ce n'était pas la première fois. Il était déjà arrivé qu'on découvre des tableaux de grands maîtres dans des greniers. Un pseudo-Vermeer réalisé par un faussaire du nom de Han Van Meegeren avait dupé ce célèbre connaisseur qu'était Hermann Goering. J'ai pris un Coca et regretté de l'avoir fait dès la première gorgée sirupeuse. Ce sur quoi Kazbich comptait, comme tous les faussaires, c'était le désir de croire de ses clients. Le besoin de posséder qui lie inexorablement l'escroc et le pigeon, la victime faisant acte de foi en payant. Plus il y avait d'argent en jeu, plus le désir de croire était fort – le besoin lui-même étant aussi inestimable que l'œuvre. Si Kazbich avait fixé un prix plus bas, je doutais qu'un collectionneur aussi clairvoyant que Yermolov ait mordu à l'hameçon. Et pourtant il l'avait fait et, victime d'un retournement de situation, il avait déjà tué deux personnes dans le but de récupérer l'objet de son désir.

L'heure du choix avait sonné. Je n'avais toujours pas découvert l'identité de celui qui avait relié Gentileschi à Judith Rashleigh et donné à Yermolov autant de pouvoir sur moi. Les morceaux de l'unique personne susceptible de m'en dire davantage étaient en cours de reconstruction à la morgue à Paris. Éliminer tout de suite Timothée d'une balle ? Et après… quoi ? Kazbich devait encore être à Paris – je l'avais aperçu dans la matinée, alors je pouvais mettre le tableau dans un lieu où je pourrais le récupérer sans problème, prendre le risque de me servir d'un de mes comptes bancaires et passer le restant de mes jours à attendre que le témoin mystère vienne frapper à ma porte. Ou je pouvais accepter le marché que m'avait proposé Elena, lui donner le Caravage et lui faire confiance. Mais j'en avais vu assez long sur les méthodes de Yermolov : même si je pouvais compter sur sa protection, elle ne serait jamais à la hauteur face à la force de frappe de son mari. Dernière option, je pouvais prendre le Caracal et aller me trouver un endroit paisible pour me fourrer le canon dans la bouche.

20

La nuit tombait déjà. Timothée n'allait pas tarder à se réveiller. Le seul autre en-cas à disposition dans la chambre était un mélange de noix dans un sachet d'aluminium, et c'est peut-être ça qui m'a poussée à remettre mon suicide à une autre fois – ça aurait fait un pathétique dernier repas. Il devait bien y avoir autre chose, quelque chose dans le trio Yermolov-Balensky-Kazbich. Timothée a bougé dans son sommeil. J'ai senti des fourmis dans mes jambes en allant chercher mon sac à quatre pattes sans faire de bruit. Si je le butais, je préférais qu'il soit inconscient. J'ai ouvert l'ordi portable que j'avais acheté en arrivant à Paris et lancé une recherche sur Raznatovic et Kazbich. Raznatovic, lui, ne semblait pas du genre timide. En fait, si on était fan d'anciens paramilitaires serbes devenus gangsters, ce mec était l'équivalent de Mick Jagger. Né en 1967, il avait servi dans les bérets rouges sous le régime de Milosevic au début du conflit en 1991 mais, à la différence de son boss, s'était adapté avec succès à la période post-yougoslave et établi comme chef de gang. Les Tchetniks, nom que portaient les collègues militaires de Raznatovic, avaient émergé pour dominer l'État effondré et y faire régner une justice anarchique et violente. Pour entrer dans la milice puis, plus tard, dans les rangs du gang, il fallait au préalable égorger lentement une victime (musulmane de préférence). « Ça fait un peu bizarre la première fois, disait Raznatovic à un journaliste, mais après on est content d'aller fêter ça. » Raznatovic et son clan étaient passés de l'assassinat – à raison de quinze dollars le meurtre – à la vente d'armes, fourguant des AK47 à deux cents dollars pièce mais aussi des lance-grenades autopropulsés à deux mille dollars. La Serbie était idéalement située pour faire passer des armes de contrebande dans l'espace Schengen, et une fois à l'intérieur, franchir les frontières était une partie de rigolade.

Raznatovic était pris en photo avec un écrivain russe célèbre, dans un campement de montagne avec ses camarades, cigare à la bouche et petite pépée au bras à Saint-Tropez – à l'époque où il pouvait encore sortir de son pays en toute sécurité. Il faisait l'objet de portraits sérieux dans la presse étrangère, apparaissait dans des articles de think tanks, faisait figure de héros national et de criminel international. Il avait même sa fiche Wikipedia en anglais, qui faisait état de sa fortune, de ses activités commerciales légales et de son intérêt pour l'art serbe, en particulier pour les icônes. Il avait fait une donation à un musée récemment ouvert à Belgrade, où il vivait encore. J'aurais pu passer la matinée à lire des choses à son sujet, il y avait de quoi pondre une thèse, mais c'était un autre genre de matériel que je cherchais sur lui. À savoir le même qui avait fait la fortune de Balensky.

Avant de se racheter une probité en plaçant ses actifs en Occident, Balensky avait été marchand d'armes. Dans la kleptocratie qu'était devenue la Russie après l'effondrement du bloc soviétique, il n'y avait plus de différences entre l'État et les gangsters, et le marché noir militaire était en plein boom. Comme le soulignaient Bruce Eakin et ses copains spécialistes de la mafia, la guerre de Tchétchénie avait principalement consisté en une vaste opération de camouflage d'une vente d'armes massive, par laquelle l'État pouvait passer en pertes et profits un armement prétendument détruit – vendu, en fait. Balensky traitait avec Raznatovic via Kazbich. D'aucuns prétendaient d'ailleurs que Raznatovic avait acquis son statut actuel grâce à la vente d'armes. Et si Kazbich fourguait autre chose que de charmants paysages du milieu du XXe siècle ? Si Bruce avait creusé un peu, il aurait pu décrocher le Pulitzer.

La question était de savoir à qui Kazbich les fourguait. Le seul lien que je connaissais était Moncada, mais j'ai repensé à la banque sicilienne. Alors je me suis tournée vers mon vieux copain, Renaud, comme il m'arrivait encore de le faire. Le fait de pouvoir rechercher quelqu'un sur Google n'empêche pas que cette personne vous manque. J'en savais assez long sur lui pour suspecter un blanchiment d'argent. Une œuvre d'art, c'est de l'argent auquel personne ne peut toucher – les autorités peuvent dévaluer un compte en banque, mais pour faire perdre de sa valeur à un tableau, il faut qu'elles le possèdent. Ce qui est sûrement la raison pour laquelle, après les armes et la drogue, le troisième actif du crime organisé italien est constitué d'œuvres d'art achetées au marché noir. Un marché estimé à huit milliards d'euros annuels, alors que la Tutela del Patrimonio Culturale – l'instance italienne en charge de la récupération d'œuvres volées – avait réussi à confisquer six cent mille œuvres rien que pour l'année passée. Il était tout à fait possible que Kazbich soit au cœur d'un trafic d'armes et de tableaux, avec Raznatovic et Moncada comme pourvoyeurs de matière première.

Elena était persuadée que Yermolov avait des secrets. Quant à Balensky, il était de l'arrière-garde, avait pas loin de quatre-vingts ans – autant dire une relique. Yermolov incarnait la nouvelle génération, le visage respectable des nantis de l'après-URSS. S'il s'avérait qu'il était mêlé à cette histoire d'armes de contrebande, ça pouvait être un moyen de faire pression sur lui. Même en possession de son foutu tableau, Elena ne pourrait pas me protéger, mais cette donnée-là, si. Cependant comment y parvenir ? Comment entrer en contact avec Yermolov et rester en vie suffisamment longtemps pour le faire chanter ?

C'est le moment qu'a choisi Timothée pour se réveiller. Après quelques instants d'hébétude, il a compris que non, ce n'était pas un cauchemar, et s'est remis à pleurer. L'Ibis m'inspirait la même chose. Je suis allée chercher un verre d'eau que je lui ai donné en le consolant comme je le pouvais, puis je me suis souvenue du mot que j'avais pris sur le bureau de Guiche. Il était encore dans la poche de ma veste. Je le lui ai donné et j'ai observé son visage tandis qu'il dépliait l'unique feuille de papier. Une liasse de billets et quelques pièces sont tombées sur le lit. Timothée les a ignorées et a lu le mot avant de me le tendre.

Je suis désolé. Merci pour la joie que tu m'as apportée. Prends ceci, et essaie d'être heureux. Tu devrais faire des études. Sache que je crois en toi. Mais s'il te plaît, je t'en prie, quitte Paris.

E.

Timothée avait bel et bien compté pour Guiche, au point qu'il lui écrive cette lettre d'adieu pleine de mièvrerie. J'ai ramassé le butin pour le compter : à peine moins de trois mille euros, deux mille en billets de cent et le reste en coupures mélangées, comme s'il avait tout prévu mais avait dû se dépêcher. Timothée ne disait rien. J'ai posé une main sur son bras, mais il m'a repoussée, a croisé les bras et regardé stoïquement par la fenêtre.

Si j'avais rendu le tableau sitôt après l'avoir récupéré en Angleterre, ça ne serait pas arrivé. Guiche serait encore en vie. Timothée aurait peut-être encore un avenir avec un homme qui l'aimait.

— Judith ? a-t-il fini par dire.

— Oui ?

— Tu te souviens de la fête dont je t'ai parlé, celle de Tanger ?

— Oui.

Il s'est redressé, le blanc de ses yeux luisant dans l'obscurité.

— Il y avait un couple, hétéro, un mec et une nana. Des touristes. Français. Quelqu'un les avait repérés dans la ville et les avait amenés à la villa – pour des rapports.

— Des rapports ?

— Sexuels. Devant tout le monde. Ils ont fait l'amour devant nous. Elle, elle avait l'air de prendre son pied, mais on voyait que le mec était triste, même s'ils étaient payés. Et nous on a regardé.

— Et ?

— Ils étaient ensemble, c'était un couple. Blonds, tous les deux. Et je me disais…

Un sanglot a brisé sa voix.

— Oui, qu'est-ce que tu te disais, Timothée ?

— Que le truc le plus malsain, c'est que… ce qu'on regardait, c'était pas du sexe. C'était de l'amour. Ils étaient amoureux. Et je me demandais (il parlait rapidement, comme pour empêcher les larmes de le devancer) si en fait il voulait pas le gâcher. En les payant. Ce type, Balensky. Parce qu'ils s'aimaient vraiment, tu vois ? Et lui il voulait gâcher leur amour.

Je voyais où il voulait en venir, vraiment, mais les récits poignants sur l'innocence corrompue, là, franchement, c'était le dernier truc dont j'avais besoin. J'ai passé mes bras autour de lui.

— Écoute. Ce qui s'est passé est horrible. Et je suis terriblement désolée que tu aies dû assister à ça. Mais Édouard t'aimait. Pour de vrai. Ce qu'il voulait, c'est que tu fasses quelque chose de ta vie. Il le dit dans son mot. Parce que tu comptais beaucoup pour lui. Alors c'est ce qu'on va faire. Et je vais t'y aider, je te le promets.

Secoué de sanglots, il s'est laissé aller dans mes bras qui le berçaient. Ce n'était pas Édouard qu'il pleurait, parce que ça n'est jamais le cas, et on le savait tous les deux depuis la première fois que nos regards s'étaient croisés. Sa démarche arrogante en sortant de la *backroom* dans ce club atroce, son expression quand je l'avais surpris en train de me voler. Depuis le début, je savais ce qu'il était, et ce lien avait toujours existé entre nous, sans qu'on l'évoque. Parce que lui aussi savait ce que j'étais. Et que faire quand on plonge le regard dans l'abîme d'une autre âme et que l'abîme vous reconnaît aussitôt ?

— Ça va aller, tu verras, ai-je murmuré. Ne t'en fais pas, tout ira bien.

Je l'ai serré fort jusqu'à ce qu'il se calme. Il était hors de question que je le tue. Il m'était beaucoup plus utile en vie que mort. En fait, mon choix était fait. Yermolov ne causerait plus de tort à qui que ce soit. Bien que ce ne soit pas ce qui m'ait motivée. C'était plutôt le plaisir de le savoir bientôt face à cette réalité : je pouvais l'arrêter. Si Timothée était un handicap, j'avais malgré tout besoin de lui pour mettre à exécution le plan qui s'échafaudait dans mon esprit. J'étais habituée à agir en solitaire, mais je voyais à quel point il me serait utile. Peut-être aussi que j'avais envie de rectifier le tir en ce qui le concernait.

« Oh, Judith, comme c'est touchant de ta part. »

Encore un peu et je donnerais mon sang pour lui acheter des Kit Kat.

— Il y a pas mal d'argent, là. Tu pourrais t'en servir pour retourner au Maroc ?

Il fallait que je lui laisse le choix. Il fallait qu'il prenne sa propre décision pour se sentir loyal.

Il a secoué la tête, misérable.

— Tu plaisantes ?

— J'ai une idée. Une sorte de plan. Si ça marche, on pourra rendre la monnaie de leur pièce à ceux qui ont tué Édouard. Le venger, ai-je ajouté avec un visage renfrogné qui titillerait sûrement la fibre théâtrale de Timothée.

— D'accord.

— Mais… il va falloir prendre de gros risques.

— D'accord.

— Et si ça marche, tu auras droit à ta part. Un paquet de fric.

— Je me moque de l'argent.

On s'est regardés dans les yeux. Un petit nerf, celui de la vénalité, a tressauté au coin de sa bouche.

— Édouard a dit qu'il voulait ce qu'il y avait de mieux pour moi, a-t-il concédé, impassible.

— En attendant, je te fais un petit emprunt, ai-je dit en empochant ses billets. Pour un voyage en bus. Remballe tes affaires.

Légèrement démoralisée à l'idée d'un trajet en bus, je me suis connectée au site Internet de la gare routière internationale de Paris. Il y avait un départ pour Belgrade à huit heures, qu'on avait raté, mais un autre à onze heures, et j'espérais qu'il resterait des places. Une fois en Serbie, je pourrais me servir de ma carte, mais mieux valait être prudente tant que Kazbich était dans les parages. Puis j'ai orienté l'écran face au mur de la chambre pour que rien ne puisse donner d'indication sur l'endroit où on se trouvait, et j'ai appelé Jovana, la meneuse du Collectif Xaoc, sur Skype.

Docteur en histoire de l'art spécialisée dans la Renaissance, Jovana n'avait aucun problème à admettre qu'elle n'était pas artiste elle-même – elle se prétendait incapable de dessiner un bonhomme fil de fer, mais elle était très calée en nouvelles technologies et en savait long sur le marché. Elle gérait la coopérative comme un de ces vieux ateliers italiens de production à la chaîne – elle inventait les concepts et les artistes les réalisaient, puis ils partageaient les bénéfices. Un peu comme un Damien Hirst serbe, mais intelligente, et avec d'intéressants piercings sur le visage. On s'était rencontrées au pavillon macédonien de la Biennale, où Xaoc exposait une version gigantesque des collages qu'ils avaient créés pour moi par la suite, soit trente mètres de couverture cousus main, incrustés d'icônes et de théières miniatures en étain, et d'emblée elle m'avait impressionnée. Elle parlait avec une assurance égale de levier financier et seuil de résistance et de l'influence flamande sur les fresques religieuses d'Europe de l'Est, et j'avais beaucoup appris de notre conversation. En tant qu'employée d'une maison de vente aux enchères, j'avais été choquée de voir que d'inestimables chefs-d'œuvre étaient traités comme de vulgaires jetons de poker, mais la vision de Jovana était à la fois nuancée et sans prétention. Elle voyait le marché pour ce qu'il était et avait toujours été, mais croyait qu'il restait de la place pour la beauté et les idées, même si on devait les glisser dans les œuvres incognito, quasiment à l'insu du client.

Pas de réponse, alors en attendant j'ai fait mon sac. J'ai aussi démonté le pistolet, que je prévoyais de larguer pièce par pièce au cours du voyage. A priori je n'en aurais plus besoin. À mon troisième essai, Jovana a décroché. Quand son image a surgi à l'écran, j'ai vu qu'elle avait une mini-figurine de Michael Jackson qui pendouillait au piercing de son sourcil. Je lui ai dit que j'allais venir à Belgrade et lui ai demandé sur quoi Xaoc travaillait.

— Ohhh, Elisabeth, a-t-elle dit en se frottant les mains, manifestement ravie, sur quelque chose... de juteux. Ces derniers temps, j'ai beaucoup réfléchi à l'abjection.

— L'art abject ?

Vomissure, merde, sang, massacre, mutilation. De l'art qui cherche à provoquer le dégoût et donc à remettre en question notre relation au beau. Ça, c'est l'argumentaire de vente. Ou plus officieusement : des concepts dont le sensationnalisme vulgaire n'a d'égal que la banalité.

— Trrrrès avant-gardiste. J'ai des images de trucs très trash, de patients ayant subi une trachéotomie... on est en train de monter ça avec des vidéos pornos de viols chopées sur le *dark Web* et on intègre les séquences dans des petits télescopes.

« OK, Jovana. *Dark Web*, vidéos de viols, pigé. »

— Non, pardon, pas des télescopes, mais ces trucs, là, qui créent des motifs avec du sable...

— Des kaléidoscopes ?

— C'est ça. Et après on les met dans des pochettes-surprises avec plein de petits jouets (elle s'est penchée pour montrer son Michael Jackson comme exemple), comme ça quand tu l'ouvres, tu tombes sur des… choses innocentes, et d'autres vachement plus trash.

— Et donc c'est une façon d'aborder l'exploitation et de proposer une nouvelle définition du voyeurisme ?

— Des mots qui me plaisent ! Tu serais intéressée ? a-t-elle voulu savoir après une gorgée de Coca Zero.

— Absolument. Et il se pourrait que j'aie deux idées à te soumettre. Un travail sur une œuvre ancienne, et une installation vidéo. Une sorte de représentation, un genre de pièce, avec des sosies. Un peu Cindy Sherman.

— Hum, intéressant. Tu as un client ?

— Deux. Enfin, potentiellement.

— Génial. C'est super que tu viennes. Tu veux crécher ici ?

— Merci, oui, peut-être. Ce serait pas mal que je me fasse une idée de votre ambiance de travail.

— Ouais, super. Et quand est-ce que t'arrives à Belgrade alors ?

— Demain.

21

TANDIS QUE LE BUS TRAVERSAIT L'EUROPE, tantôt Timothée dormait, tantôt il regardait le paysage. Moi, je regardais seulement le paysage. Un peu après la frontière slovène, il m'a demandé pourquoi on allait à Belgrade.

— Premièrement parce que c'est le dernier endroit où ils nous chercheront.

Je lui ai expliqué que j'y allais pour donner un message à un homme du nom de Raznatovic, que si je pouvais le trouver et me faire écouter, les deux personnes responsables de la mort de Guiche seraient convaincues qu'on n'était pas des baltringues.

— Et on va faire de l'art ! ai-je ajouté sur un ton enjoué.

J'avais l'air d'une pauvre crétine, mais l'atrocité de la mort de Guiche avait plongé Timothée dans une sorte de coma éveillé, et il acceptait tout ce que je lui proposais sans sourciller. J'ai précisé que son rôle serait minime, qu'il interviendrait un peu plus tard, une fois que j'aurais trouvé Raznatovic.

— Si tu fais ce que je te dis, tout devrait bien se passer.

Mais je ne suis pas sûre qu'il ait capté.

Le trajet de dix-huit heures s'est avéré aussi inconfortable, crasseux et abrutissant qu'on pouvait s'y attendre. En arrivant dans la ville blanche, j'ai déposé Timothée dans une chambre du Square Nine Hotel et lui ai dit d'aller se défouler à la salle de sport. Un peu d'endorphines ne lui ferait pas de mal. On ne retrouvait pas Jovana avant dix heures du soir, alors je suis sortie faire un tour. Le manteau léger que j'avais emporté depuis Venise était bien loin de suffire vu le vent glacé qui soufflait sur le Danube, mais hors de question que je mette cette atroce polaire achetée en Angleterre. Le manteau long en vison semblait davantage dans le ton dans le centre de Belgrade. Je n'étais jamais allée aussi loin vers l'est, et je trouvais que c'était vraiment différent, sans pouvoir dire pourquoi. Un mélange de bâtiments imposants du XVIIIe et du XIXe siècle, d'architecture administrative et d'édifices des années 1930 à larges balcons. J'ai découvert un café de hipsters, le Koffein, sur une place bordée d'arbres, où j'ai bu un *macchiato* tout en repérant l'adresse de la galerie de Kazbich dans un guide. Le menu, imprimé sur du papier d'emballage, proposait divers pains artisanaux typiques des Balkans et des confitures de fruits rouges en bocaux coiffés d'un petit capuchon en dentelle. Barbes, chemises à carreaux et MacBook : on aurait pu se croire à Shoreditch. En marchant vers la forteresse qui surplombe le fleuve, j'ai vu des femmes aux joues rebondies et en costume traditionnel approximatif qui vendaient des nappes et des sets de table brodés, et des hommes immenses qui vendaient des souvenirs de guerre. Mais pour un début de soirée dans une capitale, il régnait un calme étrange. À part ces marchands, il y avait bien des gens, mais ils ne faisaient rien de particulier, empreints d'une patience prolétaire, le vent s'engouffrant dans les chevelures grisonnantes ou les foulards, comme s'ils attendaient quelque chose depuis longtemps mais avaient oublié de quoi il s'agissait. En face du bâtiment de Kazbich se trouvait une galerie moderne très chic, exposant des photos d'enfants atteints de nanisme datant du début du XXe siècle mais retouchées, des nœuds vermillon retenant des boucles noires mortes depuis longtemps. Au milieu de la route, des planches de contreplaqué camouflaient un trou profond, et en levant la tête, j'ai remarqué un immeuble de bureaux balafré d'impacts de balles. Juste en dessous, une affiche vantant la dernière émission des Kardashian ornait l'arrêt de bus – comme si ces pauvres gens n'avaient pas assez souffert.

À la différence des propriétaires du Koffein, Kazbich avait manifestement compris que sa ville natale ne pouvait pas encore se permettre autant d'ironie. Son espace avait gardé un côté cossu rassurant, fenêtres en saillie à croisillons de bois sombre, un simple rideau de velours noir pour entourer un diptyque d'icônes fragiles, crucifixions byzantines encadrées de grillage argenté qui flanquaient une immense toile monochrome représentant un haltérophile nu dont les cuisses énormes s'enroulaient autour d'une colonne de marbre. En jetant un coup d'œil par la porte vitrée, j'ai aperçu quatre toiles du même style alternant avec d'autres icônes ; au moins, tout ça m'avait l'air authentique. Il était presque huit heures, la galerie était fermée, mais j'ai reculé de quelques pas en direction du trou d'obus pour prendre quelques clichés de l'installation avec mon téléphone. Jovana allait avoir besoin d'inspiration pour son œuvre de commande.

Le squat où travaillait Jovana et son équipe était célèbre pour être le plus grand bâtiment occupé par des artistes d'Europe. Ziggourat de vingt étages en béton chocolat, il était d'autant plus intimidant qu'il avait un côté bricolé, amateur. Autrefois fierté architecturale de l'administration serbe, il ne parvenait pas tout à fait, malgré la fresque tropicale de toucans et d'orangs-outans géants qui ornait l'entrée, à exorciser les spectres de bureaucrates aux dents grises en costume soviétique, le plastique beige et le faux café, le conditionnement étouffant, faux quartiers généraux d'un État tout aussi faux dont la seule monnaie était la cruauté. Comme Elena aurait dit, ça me foutait « le jeton ». L'espace du collectif se situait au dixième étage ; Jovana m'avait prévenue que les ascenseurs ne fonctionnaient pas, alors on a entamé notre ascension.

Timothée avait l'air un peu plus animé, mais l'état du bâtiment incitait quand même à la déprime, bien que des graffitis soient là pour nous rappeler que le punk n'était pas mort. En haut de chaque étage, on traversait un couloir bas de plafond entièrement taggé. Pourquoi l'anarchie est-elle toujours aussi uniforme ? Le silence était d'autant plus oppressant qu'on percevait les beats ténus d'un air d'électro en provenance des étages supérieurs. Soudain, un bruit de pas derrière nous ; entre les murs de béton balafrés j'ai aperçu quelques silhouettes encapuchonnées qui couraient en se baissant. Sans un mot, on a accéléré la cadence ; derrière nous, ils gagnaient du terrain.

— Ils sont combien ? a dit Timothée entre ses dents.

— Nombreux. Cours.

Alors on a piqué un sprint, atteint le palier suivant et traversé un nouveau palier taché d'urine. Est-ce qu'ils avaient des couteaux ? Le couloir donnait sur une double porte métallique verrouillée, dégoulinante de slogans rouge sang.

— Merde !

On s'est retournés, à bout de souffle.

— On peut peut-être les contourner. Chacun d'un côté et après on descend.

Ils n'étaient plus qu'à cinquante mètres, vingt, le visage caché, féroces.

— On attend qu'ils se rapprochent. Prêt ?

C'est alors qu'une porte s'est ouverte et qu'une chanson de hip-hop a retenti dans tout l'espace. Les gamins ont ralenti, ôté leur capuche et se sont glissés dans le studio avec un grand sourire. Une femme en blouson fluo a sorti la tête et les a fait entrer. Un cours de danse. Ils étaient en retard à leur putain de cours de hip-hop. L'un d'eux a levé les deux pouces quand il est passé devant nous et a exécuté un petit *moonwalk* derrière ses potes. La porte s'est refermée, et la musique a baissé d'un cran. « Putain de merde. »

Timothée était plié en deux, hors d'haleine, la tête entre les genoux.

— Ingérable.

— Je sais. Mais c'est notre faute. C'était rien que des gamins.

— Non, je veux dire que c'est vraiment ingérable. Je ne peux pas vivre comme ça.

Je me suis accroupie et j'ai relevé son menton pour qu'il me regarde.

— Hé, ça va aller. Ils n'allaient pas nous attaquer. C'est nous qui sommes paranos.

— Ah ? Et pourquoi ça ?

Un autre discours d'encouragement ? Non, je n'avais plus le cœur à ça.

— Fais pas ton petit malin, tu veux ? On est ici pour une raison. Rassemble-toi un peu. Je sais que tu peux y arriver.

Il a acquiescé, l'air malheureux.

— Allez, on continue.

J'ai ouvert la marche pour rebrousser chemin en quête de l'autre cage d'escalier, mais j'étais secouée. Pas par les gamins, c'était juste une connerie, mais par l'instinct de protection que j'avais eu à son égard, le besoin irrépressible de le serrer dans mes bras pour le rassurer.

On a repris notre souffle avant de frapper à la porte du squat. Un petit panneau a coulissé dans la porte métallique pour laisser apparaître un visage joyeux presque caché par un manège de piercings.

— Salut. On doit rejoindre Jovana. Je suis Elisabeth.

J'ai lancé un regard à Timothée pour lui rappeler de se taire.

— OK. Entrez. Vous voulez un thé ? On a menthe ou violette.

— À la violette, ce sera parfait. Merci hm… ?

— Vlado.

Il semblait faire plus froid dans l'atelier que sur le boulevard balayé par les bourrasques. Divisé en sections par un système d'accrochage de draps et jonché de fils électriques, l'endroit était fidèle à ce qu'en reflétait son site Internet. Une vingtaine de personnes étaient en plein travail, la plupart affublées d'un treillis et de ferronnerie décorative comme celle de Vlado ; deux artistes se concentraient sur des toiles appuyées contre un mur, d'autres fumaient et bavardaient, et le plus gros du collectif était réuni autour d'une batterie d'ordinateurs portables posés sur une grande table centrale. Les dreadlocks rose bonbon de Jovana chatoyaient au milieu.

— Elisabeth ! Je suis trop contente de te revoir !

Elle accentuait ses phrases bizarrement, mais son anglais était impeccable. J'ai posé ma joue contre les caractères cyrilliques indigo tatoués autour de son œil gauche.

— Je te présente Timothée. C'est mon stagiaire. Il est de Paris. Et si tu allais aider Vlado à faire le thé, Timothée ?

Comme il ne réagissait pas, j'ai répété en français et il s'est éclipsé.

— Bien, Jovana. Trois choses. D'abord, est-ce qu'on peut te prendre au mot sur ta proposition et crécher ici pour deux ou trois jours à partir de demain ? J'aimerais me faire une idée de votre travail puisque l'occasion se présente, et ce serait une bonne expérience pour Timothée. En échange d'un dédommagement, bien sûr.

— Ouais, pas de problème. Mais bon, c'est pas un cinq étoiles, hein.

— Mais ça sera un honneur, merci beaucoup. Deuxièmement, j'aurais besoin que tu me fasses un projet d'installation, un truc très rapide. Pour demain, si possible. Tu me fais une maquette sur ton ordi, j'ai simplement besoin d'une capture d'écran. Il y a des chances qu'un client de Belgrade passe commande, ai-je ajouté magistralement.

— Génial !

L'atelier semblait à peine équipé en eau courante, mais naturellement, le wifi fonctionnait à merveille. En quelques minutes, Jovana faisait tourner sur son écran les clichés que j'avais pris de la vitrine de Kazbich.

— Il faudrait que tu ajoutes quelque chose comme ça, ai-je demandé en lui montrant une image d'icône vénitienne que j'avais téléchargée à l'hôtel.

— Aucun problème.

— Avant que tu t'y mettes, merci beaucoup.

Je me suis interrompue pour prendre le thé brûlant qu'on m'apportait dans une tasse à l'effigie de la duchesse de Cambridge.

— J'en viens au troisième point. Un gros truc. Une installation pour un autre client, en Suisse. Au niveau du thème, on n'est pas très loin de ton boulot sur le viol.

— Cool.

— Mais peut-être un peu édulcoré ?

— Pourquoi ?

— C'est assez extrême, ce dont tu m'as parlé.

Elle a semblé me jauger du regard.

— La fondation Prada exposera bientôt le *Jody, Jody, Jody* des Kienholz, à Milan. Tu l'as déjà vu ?

Oui, en photo. Et j'aurais mieux aimé le contraire. Les sévices sexuels sur enfants n'étaient pas trop ma came, esthétiquement parlant.

— Ils ont fait ça, genre, en 1994. Si tu veux être à la hauteur, il faut être extrême. Question de business.

Depuis quand le dégoût est-il un critère de valeur artistique ? Plus personne ne s'offusque de voir de la merde, des tampons usagés ou des parties génitales en plastique dans les expositions. Il en résulte que si en tant qu'artiste vous n'avez rien d'autre à proposer que de la provoc, dès que ça devient prévisible, il faut pousser le bouchon plus loin.

— Mais ce truc est vraiment ignoble.

— Exactement, a répondu Jovana posément. Tu veux t'en servir ?

— J'imagine. Tu es intéressée ?

— Toujours.

Le lendemain matin à onze heures, j'étais de retour à la galerie de Kazbich, la première partie du travail de Jovana téléchargée sur mon téléphone. Mes fringues commençaient à avoir cet aspect miteux des vêtements portés trop souvent, mais l'heure n'était pas à ce genre de préoccupation – j'avais enfilé un ras-du-cou en cachemire sur mon fidèle pantalon Miu Miu et tiré mes cheveux en chignon haut : simple et sérieuse.

— Je peux vous aider ?

La fille de l'accueil, surprise que quelqu'un entre, a fourré son magazine et son cendrier dans un tiroir. Elle portait une robe chasuble en feutre de laine noir sur une chemise vintage à motif cachemire et col pointu. Bel effort, mais le sac posé à ses pieds était en vinyle et elle avait une vilaine peau. Ce n'était donc pas une princesse de Belgrade jouant au commissaire d'expo mais plus probablement une étudiante employée à temps partiel.

— Peut-être, enfin j'espère, ai-je répondu, prudente.

Je m'attendais à moitié à ce que Kazbich surgisse de derrière un rideau, tel Nosferatu. Je lui ai donné une de mes cartes professionnelles au nom de Gentileschi.

— Je m'appelle Elisabeth Teerlinc. J'ai une œuvre dont je pense qu'elle pourrait intéresser un de vos clients habituels.

J'ai fait apparaître le montage de Jovana sur l'écran de mon téléphone. La fille a jeté un coup d'œil rapide, le regard bien plus attiré par les trois billets de cent euros coincés dans la protection de mon portable.

— J'espérais que vous pourriez le contacter pour moi. Je ne reste qu'une journée ou deux à Belgrade, et je crois sérieusement qu'il serait intéressé.

J'ai rangé le téléphone et le fric d'un geste appuyé et laissé le silence s'installer.

— Quel est le nom de ce client, je vous prie ?

— Dejan Raznatovic, ai-je dit en toute innocence.

Malgré ses efforts, ses traits n'ont pas réussi à contenir sa stupeur.

— Je… je ne vois pas de qui vous voulez parler.

J'ai sorti mes cigarettes de mon sac.

— Bien sûr que si, vous voyez très bien de qui il s'agit. Ne craignez rien. Le Dr Kazbich m'a rendu visite à Venise, dans ma galerie. Je sais aussi qu'il travaille pour M. Yermolov. Je vous assure.

Je lui ai tendu mon paquet, qui contenait deux cents euros de plus. Le salaire moyen en Serbie est d'un peu plus de quatre cents euros par mois. J'ai pris une clope et l'ai allumée. Elle en a pris une également, a fourré le paquet dans son bureau et sorti le cendrier. J'ai tiré deux bouffées avant de préciser que j'avais essayé d'appeler le Dr Kazbich ; mais comme je n'arrivais pas à le joindre, et que j'étais à Belgrade pour rendre visite au Collectif Xaoc, je m'étais dit autant passer directement.

— Vous connaissez le Xaoc ? a-t-elle demandé, soudain égayée.

— Bien sûr.

Jovana et sa clique étaient très *hype* en Serbie, de vraies rock stars.

— J'arrive juste de leur atelier. Ils font des teufs de dingue là-dedans.

— Hum, bon, j'imagine que je pourrais jeter un coup d'œil…

— Oh oui, je suis sûre que c'est dans vos cordes, l'ai-je encouragée d'un air complice.

— Si je pouvais revoir le, euh, l'œuvre ?

J'ai haussé les sourcils et lui ai tendu le téléphone.

— Mais bien sûr.

Après quoi elle a fait mine de farfouiller dans les données de l'ordinateur.

— Ils organisent un événement ce week-end. Un concert secret, ai-je lâché, l'air de rien. Vladimir Acic doit jouer.

— Ah bon ?

— Ouais. Moi je serai repartie, mais je peux sûrement faire en sorte qu'ils vous laissent entrer. Si vous me donnez votre nom…

Elle a plissé les yeux et coulé vers moi un regard vaguement dubitatif. En avais-je trop fait ? J'ai fait semblant d'être distraite par un des haltérophiles style Renaissance, et j'ai posé mon sac sur le bureau à côté d'elle en le laissant s'entrouvrir pour qu'elle puisse voir l'étiquette.

— J'aime beaucoup ces tableaux. Vous êtes artiste vous-même ?

— Oui. Je fais surtout de la sculpture.

« Bingo. »

— Vraiment ? Alors il faudrait à tout prix que vous rencontriez Jovana, ai-je glissé avec un sourire que j'espérais engageant et que je ne pratiquais pas souvent.

— Donc… euh, en effet, nous avons bien un M. Raznatovic.

— Et vous pouvez l'appeler ? N'oubliez pas de m'écrire votre nom pour Jovana.

L'assistante a passé plusieurs coups de fil – même si elle parlait en serbe, j'ai bien senti qu'elle n'était pas à l'aise – et un quart d'heure plus tard, j'avais un rendez-vous avec Dejan. En partant de la galerie, je me suis dit que je ferais vraiment l'effort de transmettre son nom à Jovana ; on ne savait jamais, elle avait peut-être du talent, mais j'avais le sentiment au fond de moi que Vladimir allait sûrement annuler son concert.

Timothée était loin d'être emballé par nos nouveaux quartiers, ce qui dénotait un certain manque d'imagination de sa part. Au moins, il pouvait se plaindre des matelas en mousse et des sacs de couchage qui constituaient notre chambre, ce qui détournait son attention d'Édouard. Tant bien que mal, j'essayais de le persuader que rendre compte de l'activité bouillonnante du squat serait une bonne source d'inspiration pour la constitution de son dossier d'admission dans une école de mode.

Faire ma toilette à l'aide d'un unique robinet d'eau froide dans ce qui avait été une cuisine de bureau me préoccupait de façon plus immédiate. J'ai fait bouillir de l'eau et me suis lavée à l'aide d'un gant ; je me suis maquillée comme j'ai pu dans un miroir de poche. La lingerie Eres en résille noire et l'unique tenue chic que contenait mon sac, ma robe Lanvin en tussor anthracite avec le grand plissé dans le dos, que j'avais fait défroisser à l'hôtel avant de partir, faisaient largement l'affaire, mais je me trouvais bâclée. J'ai porté à la main mes sandales Alaïa en cuir perforé pour descendre les dix étages et nettoyé le dessous de mes pieds avec une lingette avant de les enfiler et d'ajuster avec un manque cruel d'élégance mes bas sur mes cuisses. Dejan avait presque la cinquantaine, pile la génération sensible à ce genre de détail.

Le restaurant qu'il avait indiqué à l'assistante de Kazbich se trouvait sur un coude du Danube, sous la forteresse du château de Belgrade. Les anciens quais et entrepôts avaient été réhabilités pour devenir une enfilade de bars et de restaurants branchés qui donnaient sur le fleuve. Juste avant vingt heures, j'ai rejoint le troupeau de filles qui chancelaient sur les pavés, perchées sur leurs talons. L'isolement politique de la Serbie avait peut-être bousillé leur économie, mais avait fait des merveilles sur le front de l'eugénisme. La plupart des filles avaient des silhouettes de mannequin qui flirtaient avec le mètre quatre-vingts et d'interminables cuisses toniques que laissaient voir leurs mini-robes et micro-jupes moulantes, peu importe la saison. Sous la couche de fond de teint et les faux cils, on devinait une beauté naturelle, mais le plus remarquable était leur chevelure. C'était un pays dur, et tout ce qu'on pouvait faire endurer à des cheveux avait été subi avec stoïcisme. Décolorés, lissés, peignés en arrière, frisés au fer, crêpés, laqués et cirés... La guerre froide avait beau être finie depuis longtemps, si on se référait à la coiffure de ces filles, le mur de Berlin était encore debout. Provocantes, flamboyantes : dans leur course effrénée vers le bonheur, elles n'allaient pas se laisser battre par une extension bâclée.

Apparemment, j'avais le rencard le plus notoire en ville ce soir-là. Quand j'ai donné le nom de Raznatovic au maître d'hôtel du resto nippo-péruvien, j'ai cru qu'il allait s'étouffer. Il m'a donné du « madame » au moins quatre fois tandis que je me faufilais entre les clients jusqu'à notre table, isolée sur une estrade au fond de la salle, dans ce qui ressemblait à une zone VIP improvisée. J'ai commandé un verre de vin rouge et me suis allumé une cigarette, juste pour le plaisir pervers de fumer en intérieur. Trois serveurs se sont rués vers moi avec des cendriers.

— Laissez-moi aider la dame.

Même par rapport à la norme serbe, Dejan Raznatovic était un homme immense : un mètre quatre-vingt-dix-huit d'après mes estimations, avec des épaules qui bloquaient la lumière. Avant de rejoindre Steve sur le *Mandarin* deux ans auparavant, j'avais à peine mis les pieds dans un restaurant digne de ce nom ; depuis, j'avais pris place à des tables très chères avec des hommes très sérieux, mais ce que Raznatovic dégageait ne ressemblait à rien de ce que j'avais connu jusque-là. Tandis qu'il me saluait et me serrait la main, j'ai remarqué que toute l'assemblée avait les yeux braqués sur nous. Même le DJ de rigueur se tordait le cou par-dessus sa cabine pour nous voir. L'atmosphère semblait plus lourde en présence du magnat, comme si sa puissance poussait les molécules à se comprimer. Ce n'était pas seulement dû à sa célébrité, ou à l'aura invisible de sa richesse ; c'était, ai-je compris, la peur qu'il inspirait. À part sa taille, il n'avait rien d'agressif – costume bleu marine fait sur mesure impeccable, boutons de manchettes discrets –, mais alors que peu à peu les conversations autour de nous reprenaient, je me suis aperçue que même si tout le monde ici savait qui il était, aucun homme n'avait eu l'audace de le regarder dans les yeux. Une vague de désir est montée en moi, si violente que je me suis sentie toute chose, et je m'appliquais à le lui faire savoir par une œillade lorsque le serveur, en tirant une chaise pour son client géant, a fait tomber un cendrier sur son pied et tiré sur la nappe en essayant de le rattraper, ce qui a envoyé une giclée de vin en travers de la table. Nous sommes tous les trois restés interdits en contemplant le désordre.

— Vous aimez les sushis, mademoiselle Teerlinc ? a demandé Dejan.

— C'est très gentil à vous de m'avoir invitée ici, ai-je répondu sans vouloir prendre parti.

Il a posé un billet sur la table et parlé au serveur en serbe, puis m'a tendu la main pour m'aider à me lever.

— Je crois que nous allons tenter autre chose.

Une Aston Martin gris argent était garée sur le trottoir, dans la zone piétonne devant le restaurant. Dejan a ouvert la portière et attendu que je sois assise pour faire le tour et s'installer au volant. J'ai réprimé une envie de rire. On s'est engagés dans une rue, suivis par une Range Rover noire aux vitres teintées qui avait elle aussi enfreint l'interdiction de stationner. Sa garde rapprochée, supposais-je. On était sur une route en pente qui devait mener au parc du château.

— Merci d'avoir accepté de me voir au débotté pour ce gré-à-gré.

Je voulais vérifier s'il connaissait le terme – une vente de gré à gré est une vente privée à l'amiable où l'acheteur et le vendeur sont en relation directe.

— Si l'œuvre est aussi intéressante qu'elle en a l'air, alors merci à vous.

Il mordait donc à l'hameçon. Parfait.

— Nous y voilà. J'espère que vous ne trouverez pas la pente trop raide.

Il a regardé mes jambes sans s'en cacher. « Encore mieux. » Il m'a donné le bras pour que mes Alaïa gravissent l'allée qui montait presque à angle droit. Ma main avait l'air minuscule sur son avant-bras de géant. Un jeune homme était descendu de la Range Rover et avait attendu les instructions avant de nous précéder pour entrer dans un bâtiment. L'intérieur, éclairé par des lampes à huile, était divisé en box lambrissés avec banquettes de velours vert, couverts en argent et lin amidonné, mais ça ne faisait pas guindé, on avait plutôt l'impression d'entrer dans une version plus ancienne de la ville. Un serveur d'un certain âge à la moustache de morse bien blanche nous a accueillis avec un petit plateau en argent et deux verres en cristal ciselé contenant du slivovitz. Dejan a levé le sien poliment à l'intention des quelques clients sur place et l'a bu cul sec. Je l'ai imité et j'ai senti le délicieux alcool de prune me brûler la gorge.

— C'est l'un des plus anciens restaurants de Belgrade, m'a expliqué Dejan tandis qu'on s'asseyait, en prononçant le nom de la capitale à la serbe, un « o » à la place du « l ». Je crois que vous devriez essayer le tartare de cheval.

— Je suis certaine que c'est délicieux.

Il a passé commande et, une fois nos verres de vin remplis, m'a demandé les photos que j'avais fait faire à Jovana. Je me suis lancée dans mon petit discours :

— Il faut que vous sachiez que j'ai rencontré le Dr Kazbich à Venise, où ma galerie est implantée. Nous avons quelques personnes du milieu en commun. J'ai cru comprendre que vous étiez intéressé par les icônes, alors quand j'ai vu ceci, j'ai pris la liberté de vous contacter.

— C'est le Dr Kazbich qui vous a donné mon numéro ? m'a-t-il demandé, l'air amusé.

— Non, ai-je répondu en le regardant dans les yeux. Je me suis présentée à sa galerie et leur ai demandé sur place. Ils se sont montrés très aimables.

— Comme vous êtes entreprenante. Vous êtes britannique, c'est ça ?

— Ma famille vivait en Suisse. (L'histoire d'Elisabeth me semblait étrangement rouillée.) Donc le concept est semblable à celui que les frères Chapman ont appliqué à Goya, je suppose que vous voyez de quoi il s'agit. C'est une icône du XIIIe siècle, vénitienne, d'une très grande rareté, mais passablement abîmée. Elle est mise en vente, à titre privé, par la famille qui la possède. Xaoc prévoit de la diviser en fragments pour créer un triptyque, qui ressemblerait à quelque chose comme ça, ai-je conclu en lui montrant la série composée par Jovana.

J'ignorais le degré d'expertise de Dejan dans le domaine, mais je ne craignais pas qu'il reconnaisse la pièce, puisqu'elle n'existait pas. Jovana et moi avions créé une image à partir de plusieurs icônes plus petites de la collection du musée Ca'd'Oro à Venise, une Vierge aux cheveux bruns et aux yeux légèrement tombants dans une cape au liseré doré, tenant maladroitement sur ses genoux l'Enfant Jésus au regard ébahi. On avait ajouté des craquelures en travers des visages et une tache dans le coin inférieur gauche. Le « concept » consistait donc en un découpage de l'image abîmée en vue d'un remontage dans un triptyque, en superposition de photos du choix du client qui apparaîtraient en filigrane – on avait créé divers exemples sur le modèle des haltérophiles de la Renaissance que j'avais vus en vitrine à la galerie de Kazbich, avec des graffitis serbes, et des captures d'écran du projet « abject » de Jovana. Ça avait plutôt de la gueule, mais bon, tout ce qui comptait au final, c'était l'occasion de rencontrer Dejan et de faire passer mon message.

— Comme ce serait une œuvre de commande, les conditions seraient malléables.

Dejan parlait un anglais parfait, mais j'espérais que ce terme l'embrouillerait un peu. Il a examiné les photos un moment, pouce jouant sur l'écran.

— Où se trouve l'icône en ce moment ?

— À Venise, chez les propriétaires. Elle a toujours appartenu à cette famille. Je pourrais m'arranger pour que vous la voyiez ?

Je savais pertinemment qu'il ne pouvait pas quitter la Serbie.

— Et il y a… des autorisations pour utiliser l'œuvre de cette façon ?

— Nul besoin d'autorisation. C'est un bien personnel dont cette famille se défait.

— Le prix ?

— Sept cent cinquante mille dollars, plus ma commission, plus la rémunération de Xaoc, sur laquelle je prends aussi une commission de dix pour cent. J'estime le prix de revente au double, largement.

— Et pour rapporter l'œuvre en Serbie ?

Il s'y connaissait.

— Un membre de la famille viendra à Belgrade. Je l'accompagnerai, la vente aura lieu sur le sol serbe. Pas de problème de patrimoine.

— Vous avez pensé à tout.

— Je n'aurais jamais osé vous approcher sans avoir tout planifié.

On a été interrompus par le serveur venu poser sur la table deux petits bols de viande rouge sombre, avec câpres, persil, œuf et oignon émincé, qu'il a mélangés devant nous. Dejan m'a montré comment étaler la mixture sur des tartines de pain grillé. J'en ai pris une bouchée. La viande de cheval était veloutée, avec un goût de gibier et une pointe étonnante de fraîcheur, de métal.

— Ça vous plaît ? a demandé Dejan, attentionné. Ce n'est pas trop fort ?

— Pas du tout. J'aime beaucoup.

Et c'était vrai. J'avais l'impression de ne pas avoir bien mangé depuis une éternité. On a attaqué le tartare, ainsi qu'un saladier de pommes de terre vapeur baignant dans le beurre et l'aneth, et un autre de tomates au four à l'ail et au paprika. Le serveur a débarrassé pour nous apporter des petites coupes en verre d'entremets aux cerises au sirop et deux cafés parfumés à la cardamome dans des tasses au liseré argenté. On parlait peu.

— Je n'achèterai pas votre icône, a décrété Dejan après une gorgée de café.

Dans la chaleur agréable du restaurant, je m'étais un peu laissée aller à une légère ivresse ; il m'a fallu quelques instants pour revenir aux affaires.

— Bien. Vous m'en voyez navrée. Mais nous avons d'autres clients. Merci pour cet excellent dîner.

J'ai fait mine de prendre mes affaires pour partir, mais il a croisé mon regard et nous nous sommes souri.

— Attendez, a-t-il dit en posant une patte d'ours sur mon poignet, et j'ai senti la chaleur de ses doigts jusque dans mes veines. Je ne l'achèterai pas parce que, comme vous dites, je suis un vrai amateur d'icônes. J'en possède plusieurs, et elles comptent énormément pour moi. Celle-ci serait trop dérangeante à mon goût.

— Trêve de politesse. Vous la détestez. Mais je comprends.

— Vous aimeriez peut-être les voir ?

— Vous m'invitez à boire un dernier verre et voir vos icônes, ou je rêve ?

Un large sourire a fendu son visage.

— Vous ne rêvez pas. Je pense qu'elles vous plairaient.

— Eh bien, merci, j'accepte avec plaisir.

J'ai cru qu'il allait m'embrasser après s'être calé derrière le volant de l'Aston Martin, mais c'était inutile, et il le savait. On a roulé une vingtaine de minutes en silence, la Range Rover toujours présente dans un coin des rétroviseurs latéraux. À chaque fois qu'il changeait de vitesse, la voiture accusait un léger mouvement dû à son poids, je le sentais sous mon siège. J'étais tellement humide que je craignais d'avoir mouillé ma robe. Après avoir traversé une voie rapide, on a pris une route morne toute droite, déserte à l'exception des arbres tortueux qui la bordaient, puis encore une autre qui décrivait une boucle censée nous rapprocher du fleuve, d'après mon sens de l'orientation. On devait être loin de la ville. Et personne ne savait où j'étais, ni avec qui. L'espace d'un instant, j'ai adoré ça.

— C'est votre maison ?

Des projecteurs se sont allumés à l'ouverture de la grille. Je pensais avoir vu de beaux exemples de ce que l'argent peut acheter de plus vulgaire, mais la demeure de Raznatovic confinait à l'ignoble. En fermant un œil on aurait pu croire à une version en stuc rose de Chenonceau agrémentée de trois tours, le tout trônant devant un lac artificiel ; en fermant l'autre, on était en plein baroque churrigueresque avec glaçage au ciment et cascade de festons. Il y avait un vrai pont-levis. Sans oublier la statue à taille réelle du tigre de Sibérie juché sur la grille de sécurité métallique haute de trois mètres.

— Ça vous plaît ?

— C'est très… percutant, oui.

J'ai eu droit à un regard en coin.

— J'avais une autre maison au Monténégro. Beaucoup plus belle, plus simple, en pierre. Style vénitien. Aux abords de Kotor, sur le fjord. Elle vous aurait davantage plu.

— Quelle plaie, cet accord d'extradition mutuelle.

— Vous frisez l'insolence, Elisabeth.

— Excusez-moi.

Il a appuyé sur un bouton du tableau de bord et je me suis mordu la lèvre lorsque le pont-levis s'est abaissé.

— C'est ce qu'ils veulent. Pas du subtil, mais de l'utile.

Trois jeunes hommes en treillis noir et bomber rembourré ont accouru vers la voiture tandis qu'on se garait dans une petite cour. Deux ont ouvert les portières d'un mouvement fluide alors que le moteur tournait encore, et le troisième s'est posté avec son AK47 devant la grille, scrutant l'obscurité jusqu'à fermeture complète. Après mon faux pas, il m'a semblé plus sage de faire comme si je n'avais rien vu. Mais il se trouve que je pénétrais bel et bien dans une forteresse. Je me suis rappelé une citation lue à son sujet, datant de sa carrière de milicien égorgeur : « Ça fait un peu bizarre la première fois, mais après on est content d'aller fêter ça. » Dejan a parlé en serbe et, après m'avoir aidée à sortir de la voiture, l'un des gardes m'a escortée jusqu'à une porte sertie dans une des tours.

— Par ici, mademoiselle, s'il vous plaît.

Je l'ai précédé dans un escalier en colimaçon décoré de mosaïques criardes qui débouchait sur une pièce où figuraient, à ma grande surprise, un mur de livres, ainsi que deux divans en velours fatigués et un tapis persan ravissant bien qu'usé. Un feu crépitait dans une cheminée – il émanait des bûches un parfum puissant, de pomme peut-être ? –, non loin d'une table Louis XVI austère en acajou et marbre où étaient posés une bouteille et deux verres tout simples. À mieux y regarder, c'était une pièce très agréable – roses blanches dans un vase chinois bleu, coussins brodés, murs blanchis à la chaux avec une pointe d'or qui scintillait à la lueur des flammes, immense candélabre en bronze mat plus ou moins Empire. Grâce aux volets qui cachaient le reste de l'atroce édifice, on aurait pu se croire dans un roman russe du XIXe siècle. Tout particulièrement avec les trois icônes dans leurs cadres en métal argenté dépoli.

— C'est mieux ?

Dejan traversait la pièce, tire-bouchon à la main.

— Vous permettez que je retire ma veste ? a-t-il ajouté.

— Bien sûr.

Il avait dû se débarrasser de son arme en bas car la bosse au niveau de sa hanche, que j'avais remarquée au restaurant, avait disparu.

— Ce sont mes appartements privés. Une… tour d'ivoire ?

L'expression m'a hérissée mais je n'ai pas bronché. J'ai accepté le verre qu'il me tendait et pointé un doigt sur les icônes.

— Vous voulez bien m'en parler un peu ?

— Dites-moi d'abord si vous aimez ça. Un vin géorgien, de Kakhétie.

Un arôme de cèdre et de fruits rouges.

— Hum, il est délicieux, merci.

— Bien. Ces deux-là viennent d'Ohrid, et celle-ci, la Madone, de Skopje. Elles sont toutes les trois du XIIIe siècle, car c'était la période la plus… révolutionnaire en termes de production d'icônes en Serbie. C'est à cette époque-là que la Serbie est devenue un royaume indépendant et que saint Sava a exclu les évêques grecs de leur… écheveau ?

— Évêché.

— Est-ce que je vous ennuie ?

— Pas du tout.

— Donc les peintres d'icônes ont développé leur propre style pour la première fois. Ils étaient encore grecs pour la plupart, mais on décèle une simplicité nouvelle. Plus de couleur aussi, plus de violence.

— Elles sont très jolies.

— Vous me faites rire. Le vin est « délicieux », mes icônes inestimables sont « très jolies ». Les gens du monde de l'art parlent tous de la même façon. C'est ce qu'on appelle « parler par euphémisme », c'est bien ça ?

— Exactement.

— Plus l'objet a de valeur, moindre est… ?

— Le qualificatif ?

Il avait raison, et cette affectation m'avait toujours amusée, moi aussi. À l'hôtel des ventes londonien, si on connaissait son affaire, on disait d'un Gainsborough qu'il était « tout à fait ravissant ».

— Oui, le qualificatif, merci.

Il s'est assis à côté de moi sur le divan qui s'est légèrement gondolé sous son poids et a bu une gorgée de vin.

— Et maintenant ?

— Maintenant ?

— On peut baiser et après vous me dites ce que vous êtes venue faire ici, ou alors vous m'exposez les raisons de votre venue et peut-être qu'on baisera.

— Alors autant baiser tout de suite.

Il a posé nos verres par terre. Dans une exhalaison tannique, il s'est tourné pour m'embrasser et m'a soulevée sans mal d'une main placée au creux de mes reins, pour m'allonger en dessous de lui. J'ai ouvert une bouche avide et glissé mes mains sous sa chemise. Le torse large, tendu de muscles, il retenait son corps au-dessus du mien, ce qui ne m'empêchait pas de sentir sa queue enfler contre ma cuisse. J'ai déboutonné sa chemise, sillonné son épaisse toison du bout des ongles et doucement pincé son mamelon. On se bécotait comme des ados, à bout de souffle, un peu maladroits.

— Laisse-moi t'enlever cette jolie robe.

Je me suis relevée, lui offrant mon dos, et ses mains habiles se sont occupées des agrafes cachées dans la soie, puis de mon soutien-gorge.

— Magnifique.

Ses doigts m'ont caressée le long de la colonne vertébrale, suivis par sa bouche, de sorte qu'il s'est retrouvé à genoux derrière moi, prenant mon cul à pleines mains. Je mouillais tellement que je ruisselais, en proie à un désir à la limite du supportable. J'ai enlevé ma culotte et voulu me pencher vers la table, mais il m'a saisie par la taille de ses deux mains en se levant à son tour, mon corps tout entier au-dessus de lui sans qu'il fournisse le moindre effort. Il a légèrement incliné la tête vers l'arrière, et ses coups de langue contre mon sexe m'ont propulsée en apesanteur ; tout entière absorbée par ses ardents mouvements de succion, je n'étais plus qu'une pulsation. J'ai posé mes mollets sur ses épaules et les paumes à plat contre le plafond pour avoir une prise et me déhancher contre son visage à mesure qu'il me polissait du clitoris à l'anus. Quand sa langue m'a pénétrée, j'ai poussé sur mes mains pour l'inciter à me la mettre plus profond, le corps arqué de désir. J'aurais pu jouir, mais c'était trop bon.

— Repose-moi.

Je suis descendue avec autant de douceur qu'à mon ascension, et je me suis agenouillée face à lui pour le prendre dans ma bouche.

— Oh, oh…

Si Dieu avait eu assez de fric, il aurait façonné toutes les queues comme celle de Dejan. De l'épaisseur de mon poignet, sur toute la longueur, la peau circoncise moirée comme de la soie. C'est là que je l'ai titillé d'abord, avec des caresses du plat de la langue, puis des mouvements plus rapides, plus insistants, jusqu'à ce qu'il s'affole et bande encore plus fort, alors j'ai fermement saisi sa queue dans le va-et-vient de ma main, sur toute la longueur de son membre, que j'ai fait suivre de ma bouche, attirant ses doigts contre ma gorge pour qu'il sente comme il allait profond. J'ai accéléré les mouvements de ma tête et inondé son sexe de salive, lui laissant entendre les bruits moites de ma bouche, de sa queue qui s'enfonçait encore plus loin, jusqu'à ce que ma gorge se contracte. Ils adorent ça, vous mettre dans une situation inconfortable. Sa main a trouvé la base de mon crâne pour me pénétrer par la bouche avec plus de force tandis que je passais mes doigts sur mon sexe pour ensuite humecter ses couilles et son périnée. Et toujours, ma langue s'enroulait avec volupté autour de sa queue à mesure que je le pompais. Et puis, avec une infinie lenteur, j'ai ouvert la bouche et desserré l'étreinte de ma main, jusqu'à ce qu'il n'y ait plus contre son membre que le frémissement de ma langue, à la fois torture et promesse.

Son silence, sa détermination planaient au-dessus de moi. J'ai penché la tête en arrière pour qu'il me voie bien glisser une dernière fois la langue tout le long de sa queue.

— Maintenant, tu peux me baiser.

J'ai tendu les bras pour les passer autour de son cou et me hisser contre lui ; en deux coups de hanches il était en moi, mes jambes verrouillées autour de sa taille et ses mains sous mon cul. Il a reculé de quelques pas et s'est adossé au mur pour me pénétrer plus profond, écraser mon bassin contre le sien. Un coup, d'une lenteur crucifiante, deux, trois, je n'en pouvais plus, je lui mordais le torse, je voulais qu'il me défonce, puis il m'a donné sa place et m'a pilonnée, enfin, encore et encore, jusqu'à ce que je sente monter mon orgasme du creux de mon clitoris et lui glisse, hors d'haleine : « Maintenant ! » Encore quelques coups de boutoir pour me faire bien jouir, et sous les contractions libératoires de mon sexe, j'ai senti son érection enfler jusqu'à ce qu'il jouisse lui aussi. Il m'a légèrement soulevée pour que je voie le jet de son sperme, le bout de sa queue entre les lèvres de mon sexe trempé, et puis il a gémi, je me suis à nouveau laissé empaler sur toute sa longueur et il a étreint mes hanches contre lui avec force jusqu'à la toute fin de son éjaculation.

On tremblait tous les deux ; j'ai léché un filet de sueur qui ruisselait entre ses pectoraux. Il m'a portée jusqu'au divan et s'est agenouillé vers l'avant pour me laisser glisser doucement sur le velours. Il a saisi son verre, bu un long trait de vin et posé sa bouche contre la mienne pour m'en donner un peu.

— Est-ce que ça va, Elisabeth ?

Il avait l'air un peu inquiet. C'était touchant.

— Je crois, oui. Je ne sais pas trop.

Ma main a effleuré sa queue.

— Disons que c'était… surprenant.

— Tu ne le penses pas vraiment.

— Non, c'est vrai.

Il s'est redressé pour enfiler sa chemise et son pantalon. Je l'ai imité, fouillant parmi les coussins en quête de mes sous-vêtements. Une fois qu'on a été à peu près habillés, il a rempli nos verres et s'est tourné vers moi.

— Bien, maintenant, est-ce que tu vas me dire pourquoi tu es venue me voir avec cette histoire d'icône ?

— Ivan Kazbich te sert souvent d'intermédiaire ?

— Oui. Mais tu le sais déjà.

— Je crois que les transactions ne sont pas toujours en rapport avec l'art.

J'ai cru voir une onde de tension se propager le long de son bras, du poignet à l'épaule.

— Ça se pourrait, a-t-il répondu, les mâchoires serrées.

— Je veux que tu lui transmettes un message de ma part. À l'intention d'un de ses employeurs. Je l'ai écrit, je te donnerai le papier avant de partir. Kazbich sait que j'ai en ma possession l'objet que cherche son employeur, et je le lui remettrai en Suisse dans une semaine. Si tant est qu'il accepte les conditions du rendez-vous.

— Et pourquoi je ferais une chose pareille ?

J'aurais pu dire que j'espérais bien qu'on n'avait pas baisé pour rien, mais d'une part c'était faux et d'autre part je n'aime pas la grossièreté.

— Parce que Kazbich refourgue des faux et que ça risque de compliquer… ton autre chaîne logistique.

— Tu ne sais pas de quoi tu parles.

— Peut-être.

Il avait raison, mais j'espérais qu'il mordrait à l'hameçon. En dépit d'une fin heureuse, le but de ce déplacement était de convaincre Yermolov et Balensky que je savais ce qu'ils manigançaient. Seul un message délivré directement par Dejan Raznatovic les persuaderait que j'avais vu les dossiers de Guiche et fait le lien. Si je sortais d'ici vivante, un papier remis de la main de Dejan suggérerait que j'en savais suffisamment pour les faire tomber. C'est pour ça qu'ils accepteraient de me voir, selon les modalités que j'avais prévues. Bien sûr, leur faire savoir que j'étais au courant de leur deal d'œuvres d'art contre des armes pouvait aussi bien les inciter à me tuer, mais ça, ils le prévoyaient depuis le début de toute façon. Les convaincre que je savais tout pourrait peut-être me donner le temps dont j'avais besoin pour les affronter.

— Tu es très curieuse, a dit Dejan, comme déçu. Ou alors stupide.

— Ce n'est pas très poli.

En effet. Il n'aurait même pas besoin d'aide : ses énormes mains pouvaient me briser le cou comme s'il s'agissait d'un cure-dents. C'était la partie la plus risquée de mon plan, mais aussi la plus sexy. J'ai soutenu son regard et me suis essayée au sourire glacial.

— Tu n'oserais quand même pas… ? Enfin pas après ce que… ?

Il m'a rendu mon sourire.

— Comment ça se passe, d'après toi ? Tu crois que je n'ai jamais fait ça ? Tu es… marrante. Mais courageuse.

— Merci. Mais comme tu l'as dit, tes dispositions privées ne me regardent pas. Je veux simplement faire passer un message à Kazbich et rendre l'objet qu'il cherche. C'est tout. Je t'assure.

Il s'est levé.

— Je vais te faire raccompagner à présent, Elisabeth.

— Mais tu acceptes de faire ce que je te demande ?

— Peut-être. Je pense, oui.

Il m'a tendu mon sac. J'en ai extrait le papier pour le lui donner.

— J'aurais aimé passer un peu plus de temps avec toi, mais il faut m'excuser. Je suis très occupé.

— Bien sûr.

Ça piquait un peu, ce regain d'orgueil, de distance. Il a appuyé sur une sonnette à côté de la porte et des pas se sont fait entendre dans l'escalier. Dejan a parlé en serbe

— Zvezdan va te raccompagner où tu le souhaites. Au revoir, Elisabeth.

Il s'est penché au-dessus de ma main.

— Au revoir, Dejan. Merci de m'avoir consacré un peu de temps.

J'ai suivi le jeune homme jusqu'à une grille, qu'un autre homme a ouverte pour nous avant de nous accompagner le long d'une rampe qui menait à un garage souterrain. L'Aston Martin était garée là, ainsi qu'un SUV Porsche et deux Range Rover, une noire, celle qui nous avait suivis en chemin jusqu'ici et dont l'intérieur était blanc, et l'autre blanche avec sellerie noire. J'ai retenu mon souffle. Le garçon a appuyé sur un bip et j'ai pu respirer avec soulagement. La voiture noire, avec l'intérieur blanc. S'il avait choisi l'autre, ça aurait signifié qu'il allait me tuer. Faut faire gaffe au sang sur les sièges.

Lorsque le garde du corps m'a déposée devant le squat une heure plus tard, la fête battait son plein. Il m'a tenu la portière et m'a donné mon sac avant de me saluer et de reprendre la direction de la ville. Il n'était pas mal, et je jubilais tellement que je lui aurais bien proposé de monter, s'il avait eu un autre patron. J'ai de nouveau ôté mes chaussures pour me taper les dix étages, mon ivresse bientôt dissipée par le froid et l'exercice. Une cacophonie de bruits – principalement de la house et de la techno – résonnait entre les murs ; tous les ateliers étaient ouverts, bondés de gens qui dansaient, buvaient, s'embrassaient, fumaient. Un géant barbu est passé devant moi sur un tricycle d'enfant en me faisant coucou tandis que son pote le filmait avec son téléphone. Deux splendides amazones serbes ont suivi, en grosses Doc Martens et legging en cuir, les mains pleines de cierges magiques allumés. Je me suis glissée sur le toit pour avoir un peu de calme et j'ai sorti mon téléphone, au-dessus des lumières de cette ville étrange et bouillonnante.

J'ai envoyé un premier message à Carlotta, pour prendre au mot son invitation à passer la voir à Saint-Moritz. En me soufflant sur les doigts, j'ai testé les différents numéros qu'Elena m'avait donnés à Venise : d'abord un mobile russe, qui était éteint, puis un indicatif 44 – elle était peut-être à Londres. Il était plus de minuit là-bas, si elle était éveillée, il était peu probable qu'elle soit à jeun, mais elle a répondu à la deuxième sonnerie, la voix embrumée.

— Elena, Elisabeth à l'appareil, de la galerie de Venise. Cet objet que vous m'avez demandé, je peux vous avoir mieux que ça. Bien mieux, même. Ne dites rien. Rappelez-moi au numéro que je vais vous donner, et utilisez vous-même un autre téléphone. C'est bien compris ?

— *Da*.

Si elle était surprise, elle n'en a rien montré. Il y avait des tables de pique-nique sur le toit. J'ai passé les vingt minutes qu'Elena a mis à me rappeler à m'en fabriquer un abri contre le vent, derrière lequel je me suis accroupie, tremblotante dans ma robe légère et les pieds nus. Le sperme de Dejan avait séché en haut de mes cuisses, c'était désagréable. Mon téléphone a fini par sonner. On a parlé si longtemps que ma main, paralysée de froid autour de mon téléphone, a eu besoin d'un bon petit massage tandis que je redescendais rejoindre Timothée.

L'atelier de Xaoc était bondé de corps en sueur, comme dans une boîte de nuit. Je me suis faufilée jusqu'à la cuisine, où Jovana faisait une omelette géante à la cendre de cigarette. Elle m'a adressé un sourire absent, couverte de paillettes. J'ai eu l'envie soudaine de l'embrasser sur la bouche mais je me suis rappelé que j'étais quand même son boss, et que ça aurait pu être interprété comme du harcèlement.

— Alors, comment ça s'est passé ? a-t-elle crié.

J'ai baissé un pouce pour toute réponse, et elle a haussé les épaules.

— Mais on attaque l'autre commande ! j'ai gueulé. On fait le point demain ?

Elle a fait oui de la tête en ajoutant du Tabasco dans la poêle et battu la mesure avec sa spatule en bois.

Timothée dansait dans l'atelier, menant une fille dans un rock incongru. Il s'était fait un haut asymétrique avec une épaule dénudée à partir d'un bout de tissu de Jovana, très bohème. Il avait retrouvé le sourire, faisait jeune à nouveau, et avait vraiment l'air de s'amuser. Je ne l'avais jamais vu comme ça, et ça m'a fait plaisir. Ce que je lui réservais n'allait justement pas être une partie de plaisir, mais pour lui, le sexe, c'était du business. Il n'aurait pas de séquelles, j'en étais persuadée.

J'ai tapé sur l'épaule de sa partenaire pour prendre sa place et me laisser guider dans un rock tourbillonnant malgré la proximité des corps.

— Tu t'éclates ?

— J'adore cet endroit !

— Bien. Profites-en. On part demain.

— Comment ça ?

Je l'ai serré contre moi.

— Ben on part, mon chou. Un petit tour en Suisse.

III
DISPERSION

22

BIEN QU'AYANT PASSÉ la majeure partie de ma vie dans la dèche, les quelques années d'opulence que j'avais connues m'avaient fait oublier à quel point on se sent bien quand on peut claquer du fric. Sauf intervention divine, j'étais persuadée qu'après réception de mon message, j'aurais un rencard avec Yermolov dans les deux jours, donc je me foutais de l'avertissement de mon chapeau gris concernant la traçabilité de ma carte bancaire. J'ai même voyagé sous le nom de Judith Rashleigh, rien que pour le fun. Timothée et moi avons voyagé en *business class* jusqu'à Milan, et après le bus et le squat, inutile de dire qu'on a pleinement apprécié le repas chaud et les boissons gratuites servis par les hôtesses élancées d'Air Serbia gantées de cuir. Timothée voulait à tout prix partir en virée shopping, mais j'avais hâte de gagner les montagnes, alors on s'est fait conduire directement depuis l'aéroport de Milan Malpensa.

Notre chauffeur a négocié avec beaucoup d'aplomb les lacets du col de la Maloja par lequel on accède à la vallée de Haute-Engadine, se garant au bord de la route de temps en temps pour laisser passer un bus aux freins grinçants plein de Philippins impassibles ou de touristes crispés. La neige est apparue à mi-chemin du sommet, des congères de deux mètres de haut bordaient la route. Il y avait des fermes en pierre dignes de cartes de Noël, avec des stalactites de glace pendues à l'avant-toit et d'épais bosquets de pins ployant sous le poids de la neige et tordus par les vents alpins. Au bord de la vallée, nous sommes passés devant un lac noir tout en longueur décoré de quelques skieurs de randonnée à bonnet fluo qui progressaient sur sa surface gelée, avant de traverser une série de villages au nom très musical, Sils Maria, Silvaplana, puis de longer la façade ouvragée bleu et blanc de l'hôtel Kempinski annonçant l'entrée dans Saint-Moritz à proprement parler. Je ne m'étais pas attendue à une ville si moderne ; ses nombreux édifices de verre et d'acier étaient d'une laideur sans nom sur la splendeur immaculée des montagnes, mais, coincée dans un embouteillage de SUV Porsche et Audi, j'ai eu tout le temps de m'apercevoir que Saint-Moritz ne donnait pas particulièrement dans la simplicité rustique. Aussi touffues que des loulous de Poméranie, des femmes enrobées glissaient sur les trottoirs en baskets compensées à strass, leur hidjab maintenu par un bandeau en vison, devant les boutiques de montres, de bijoux, de lunettes de soleil. Tout ce qui n'était pas couvert de logos était couvert de diamants. Un magasin exposait en vitrine un sac de couchage en fourrure de renard arctique, un autre des blousons de ski en satin noir matelassé avec le mot « Sexy » écrit en diamants sur les revers. Parfait pour un janvier un peu frais à Riyad.

On a déposé Timothée à l'Eiderhof, une sorte d'auberge de jeunesse dans un cube de béton, près de la gare. J'ai payé pour trois nuits et on est montés dans sa chambre individuelle avec douche, la numéro 9 ; j'ai jeté un coup d'œil au plan du bâtiment tandis que Timothée vérifiait s'il y avait un système de vidéosurveillance dans les couloirs. On était en Suisse, tout était propre. En bas, je lui ai donné de l'argent. Il a pris les billets avec un air sceptique, ce qui ne lui ressemblait pas.

— On se retrouve plus tard, ai-je dit pour le rassurer. Va faire un peu de shopping. Achète-toi des trucs classe. Il y a une boutique Moncler là-bas.

Il s'est un peu égayé, mais il avait l'air très jeune et esseulé sur les marches balayées par la neige, derrière un groupe jovial de moniteurs de ski en blouson rouge.

Je lui ai rappelé à quelle heure il devait être prêt le soir même et l'ai assuré de ma présence. Je suis remontée à bord du taxi qui attendait pour partir en virée shopping de mon côté. D'abord, un sex-shop que j'avais repéré à l'entrée de la ville, commodément situé à côté d'une station-service et d'un restaurant avec buffet à volonté. Tellement efficaces, ces Suisses. J'ai pris un petit gilet sans manches en PVC noir et un micro-short assorti, au rayon hommes. Les autres accessoires dont j'avais besoin pour ma scène de crime : du fil de pêche trouvé chez un vendeur de matériel de camping, un bon vieux couteau suisse, un fossile de trilobite bien lourd dans un magasin de souvenirs et une bouteille de whisky. Enfin, mon chauffeur impassible et moi nous sommes lancés à la recherche de Carlotta.

Il nous a fallu un moment pour trouver la maison de Franz au-dessus du centre-ville, pour la bonne raison que Norman Foster l'avait dessinée comme partie intégrante de la colline. Elle aurait pu figurer dans l'*Architectural Digest*, mais de l'extérieur elle ressemblait à la garçonnière rêvée de Bilbo le Hobbit, moins un bâtiment qu'un monticule. Pourtant, après avoir payé un montant astronomique au taxi et descendu une allée étroite tapissée de mousse végétale, je devais admettre que la vue de l'intérieur était spectaculaire. Carlotta m'attendait dans une cuisine équipée par la NASA, dont la paroi vitrée donnait sur la vallée et ses pics montagneux en arrière-plan. J'ai été surprise de la trouver en jean et gilet tyrolien sur un pull en cachemire col polo, mais son côté caméléon était une des rares choses que l'on avait en commun. Après les effusions de rigueur, elle m'a proposé une tasse de thé, mais s'est trouvée désemparée au moment de faire apparaître une tasse et un sachet de thé face à cette batterie de placards en acier brossé.

— Notre Philippin est en panne, a-t-elle expliqué.

— Oh… mince.

— Ouais, je l'avais envoyé chez Hanselmann acheter ce pain de seigle que Franz aime bien et, genre, il a glissé sur la glace et s'est cassé une jambe.

— C'est terrible.

— Ouais, Franz est furax, parce qu'on avait, genre, un dîner à la maison ce soir, mais c'est pas grave, on ira chez Cecconi.

— Est-ce qu'il va bien ?

— Ouais, Franz, il adore Cecconi.

— OK. Super.

Je me suis contentée de la meilleure eau du robinet que j'aie jamais bue et on s'est assises sur une banquette recouverte de peaux de renne, face à la vue. Ce n'était pas évident de garder l'équilibre, parce que les peaux menaçaient sans cesse de glisser au sol.

— C'est tellement gentil à toi de m'accueillir ! Tu as une maison splendide.

— Ouais, on l'aime bien. Au début, Franz était à fond sur une vieille grange qu'il voulait faire restaurer, genre, à Zuoz, dans la vallée, et j'ai fait, genre : « Pas question que je me retrouve dans la cambrousse avec tous les Allemands », alors on a gardé celle-ci. Oh merde !

— Quoi, qu'est-ce qui se passe ? Tout va bien, Carlotta ?

Elle regardait sa montre en or en plissant les yeux.

— Juste une petite minute.

Elle s'est éclipsée pour revenir en brandissant une seringue.

— Euh, il est pas un peu tôt pour ça ? ai-je fait, à cran.

— C'est pour ma FIV, m'a-t-elle expliqué. Il faut que je me fasse une injection. Tiens, prépare-moi ça s'il te plaît.

Elle m'a tendu deux ampoules en verre en me disant de briser les extrémités et de les mélanger dans la seringue pendant qu'elle relevait son pull et exposait son ventre tonique et bronzé. Elle a tendu sa peau avec deux doigts. J'ai regardé ailleurs quand elle s'est piquée.

— Il me faut du coton hydrophile. Tiens, mets ça dans la poubelle, tu veux ?

J'ai désespérément cherché ladite poubelle du regard.

— J'essaie de tomber enceinte, a-t-elle cru nécessaire de préciser.

— Vous avez des difficultés ? ai-je demandé, compatissante.

— Non. Enfin, moi, genre, je suis tout à fait capable d'en avoir naturellement, mais avec cette méthode, tu peux avoir des jumeaux et tu te tapes qu'une seule grossesse. Police d'assurance. Genre, il va falloir qu'il refasse tout le contrat prénuptial.

— Ah. Bon, en tout cas, j'espère que tout se passera bien pour vous deux.

— Ouais, sauf que des fois, ils t'enlèvent ceux qu'il y a en trop, genre, les fœtus non viables, et il y a une nana que je connaissais à Londres, ils lui ont retiré celui qu'il fallait pas et, genre, son gamin est né avec un seul bras.

— Seigneur, Carlotta.

— Je sais. En plus, il était à l'envers, ou je sais plus. Bref, dégueu. Et donc cette fille…

— Stop ! S'il te plaît. Et pourquoi vous n'essayez pas la méthode naturelle ?

— Ouais, ça me dérangerait pas tant que ça, mais bon, ça voudrait dire qu'il faudrait qu'il me saute, quoi.

— Je croyais que tu m'avais dit qu'il te laissait tranquille dans l'ensemble ? Juste pour quelques fois…

— Ouais, mais bon, c'est quand même un porc. Genre, il veut que je pisse dans un verre, et après il le boit en se branlant. C'est sûr que je donne pas trop de ma personne, mais ça va pas nous donner de bébés.

— Et Hermann au fait, quoi de neuf ?

— Il a pris dix ans pour fraude. J'ai bien fait de me tirer avant.

La nouvelle a eu l'air de la réjouir.

— Allez, il est temps qu'on se change. Franz est à Cresta, mais on doit le rejoindre à sept heures.

Carlotta a troqué son style tyrolien chic contre une robe cocktail en cuir noir Balmain, agrémentée d'un rang d'émeraudes qui disparaissait dans son décolleté vertigineux et des bottines Louboutin en python dont le talon de dix centimètres était serti de pointes. Ma garde-robe de voyage ne me permettait pas les mêmes folies, mais j'ai réussi à transformer ma robe Lanvin en mini-robe avec le scotch spécial décolleté de Carlotta, à laquelle j'ai ajouté, à contrecœur, les cuissardes en cuir verni que m'a prêtées mon hôte. Face à mon reflet, je me suis rappelé que ça avait été l'image que je me faisais de l'élégance, à une époque plus innocente. Mon premier voyage sur la Côte d'Azur m'est revenu en mémoire, l'excitation à l'idée de me préparer à sortir en robe et talons. Est-ce qu'elle était jaune, cette tunique que j'avais mise pour sortir avec Leanne ? J'étais été tellement naïve, et de bien des façons… aux anges rien que parce que je possédais un sac à main Chanel.

— Allez, chérie, on y va ! m'a lancé Carlotta en s'enveloppant dans ce qui avait peut-être bien été un jaguar.

Je n'avais toujours pas de vrai manteau d'hiver.

— Super, on ira faire les boutiques demain ! s'est-elle égosillée avant de me prêter une veste en vison foncé sélectionnée dans sa collection pendue dans l'entrée.

Au moins, elle savait où se trouvait sa garde-robe dans cette fichue baraque – il fallait bien avoir des priorités en cas d'incendie. Le chauffeur de Franz a envoyé un texto, et on a remonté l'allée de mousse jusqu'au SUV, bien contentes de s'asseoir au chaud après cette marche rapide par une température au-dessous de zéro.

— Bon, Franz a amené un ami pour toi, m'a annoncé Carlotta l'air de rien tandis qu'on roulait vers le centre, son gloss couleur prune luisant au-dessus de l'écran de son téléphone.

— Quelqu'un de sympa ?

— Non. Tomas est chiant comme la pluie, mais il possède, genre, la moitié de Francfort. Tu devrais vraiment songer à ton avenir, tu sais. C'est vrai, tu as ta galerie, c'est super, mais…

— Je ne suis pas vraiment à la recherche d'un mari.

J'ai toujours su que je n'étais pas faite pour le mariage – l'idée d'appartenir à quelqu'un, sûrement.

— Pour l'instant, peut-être, mais tarde pas trop quand même. Passé les trente ans, bonne chance pour te dégoter un mari potable. Genre, tu te rappelles ce mannequin qu'on avait rencontrée à cette fête ?

— Hum, il faudrait que tu m'en dises plus.

— Tu sais, en Italie. Elle était avec ce mec de la télé…

Je n'avais pas trop prêté attention aux invités le soir où on avait dîné sur le bateau de Balensky avec Steve – j'avais d'autres préoccupations, comme celle de ne pas me faire balancer par-dessus bord par ses gardes du corps après avoir volé des renseignements dans son bureau, mais je me souvenais effectivement d'un mannequin pour maillots de bain au bras d'un producteur américain.

— Ouais, donc elle vivait avec ce type, elle s'est pas fait passer la bague au doigt et, genre, il l'a quittée pour une gamine de dix-sept ans. Ou peut-être même un gamin. Après quoi le fisc lui est tombé dessus et il a fallu qu'elle déménage à Pittsburgh. Genre, Pittsburgh ! Je l'ai vu sur Facebook.

— La pauvre.

— Que ça te serve de leçon. Un peu de sérieux, ma chérie.

— C'est noté.

— Elle en est à poser pour des catalogues, genre.

J'ai un peu rechigné quand Franz a commandé un riesling jaune fluo pour l'apéritif, mais c'était un dîner marrant. Tomas, du même millésime que le mari de Carlotta, se répandait sur les prix de l'immobilier à l'étranger, coupé à l'occasion par les commentaires de Carlotta sur les plats à la carte du Cecconi. Les serveurs en veste blanche faisaient un boulot impeccable et discret, et les *gnocchi al cervo* étaient moelleux et délicieux. On s'est entassés dans la voiture après le dîner, direction le Dracula Club.

À l'époque où j'avais essayé de me documenter sur le monde dont je croyais vouloir faire partie, le Dracula tenait pour moi du mythe. Les magazines en papier glacé adulaient ces fêtes données dans la cave secrète, accessible seulement aux membres de l'équipe de bobsleigh de Cresta Run et leurs invités. En tant que pilote remplaçant de bobsleigh, à une époque où son épouse n'était pas encore née, Franz était notre sésame. On nous a fait passer devant un groupe de jeunes aux dents longues et escortés jusqu'à une table près du bar. Tentures rouge et noir aux murs, quelques affiches des membres du Cresta, mais ils étaient apparemment à court de nains et de danseuses. Le DJ passait du Adele. Les serveurs portaient des magnums de Dom Pérignon accompagnés de cierges magiques, chaque bouteille accueillie par des cris de joie ; la tablée d'à côté essayait de prouver à quel point ils étaient « diiiiingues » en dansant debout sur la banquette. Je n'ai été qu'à moitié surprise de reconnaître Stefania, croisée à la fête de Tage à Ibiza. J'ai hoché la tête à son intention et elle m'a adressé une demi-grimace pour me faire croire qu'elle me remettait. J'espérais que la saison était bonne pour elle. La musique était trop forte pour qu'on puisse discuter, mais Franz et Tomas avaient l'air contents ; ils dodelinaient de la tête comme deux tortues, en attendant gentiment qu'il soit l'heure d'aller se coucher. Le Dracula avait peut-être tout déchiré à une époque, mais Gunter Sachs était mort depuis longtemps.

Au bout d'une demi-heure, lasse, je me suis traînée jusqu'aux toilettes, me suis enfermée dans une cabine et j'ai envoyé un texto à Elena : `Des nouvelles ?`

`Balensky a atterri.`

Probablement à l'aérodrome privé de Cellerina, un peu plus bas dans la vallée.

`Vous êtes es où, là ? Je suis au Dracula.`

`Au Palace.`

Le Badrutt's Palace, dans le centre de Saint-Moritz, avec vue sur le lac, est l'un des plus anciens et plus fastueux hôtels de la station. Elena m'avait informée que Balensky descendait toujours là.

J'arrive.

Notre bande s'était étoffée quand je suis revenue. J'étais contente de voir que Carlotta tenait salon, et tout aussi contente de ne pas pouvoir l'entendre. Un Américain du nom de Jeff s'est mis en tête de m'entretenir sur les joies de l'héliski dans le Colorado ; comme je bouillais d'impatience, j'ai fini par lui tourner le dos et enjamber Tomas tant bien que mal pour atteindre Carlotta.

— Mais qu'est-ce que tu fais ? C'est Jeff Auerbach, le P-DG de KryptoSocial !

Il avait disparu dans la foule, en quête d'autres personnes à soûler.

— Je te l'ai dit, c'est toi que je suis venue voir. Tu veux pas qu'on aille ailleurs ?

— Où ça ?

— Je me disais qu'on pouvait emmener les hommes au Palace pour un dernier verre ? Franz a l'air fatigué.

Il avait même l'air de dormir.

— Ouais, si tu veux.

Carlotta a donné un coup de coude à son mari, peut-être un peu plus brutalement que nécessaire.

— Chéri ? Tu veux aller prendre un verre, jouer au backgammon ?

— On pourrait passer au King's, ai-je proposé.

C'était le club en sous-sol du Palace Hotel. Tout le monde a dégainé son téléphone une fois dans la voiture. J'avais trois messages d'Elena.

J'attends toujours.

Ça y est, il est là ! Au bar.

Où êtes-vous ?

Je lui ai répondu avant d'envoyer un texto à Timothée : À toi de faire ton entrée. Bar du Palace.

L'hôtel que je lui avais choisi était à une dizaine de minutes à pied.

Je suis prêt.

J'ai finalement apprécié la démarche arrogante que me donnaient les cuissardes de Carlotta quand on est entrés dans le hall du Palace. Elles s'accordaient pile à mon humeur du moment. Elena était installée dans un fauteuil, concentrée sur son téléphone. Puisque Yermolov allait venir à Saint-Moritz, elle ne serait pas autorisée à séjourner chez eux, on a donc décidé qu'elle prendrait un hôtel, comme elle l'avait déjà fait plusieurs fois depuis leur séparation. J'avais demandé si le fait que Balensky la voie serait un problème, mais elle s'était esclaffée : « Haha ! L'ancienne épouse. Pratiquement invisible. Et c'est très normal que je sois à Saint-Moritz au début de la saison. Et puis, vous lui avez donné de quoi occuper ses pensées, non ? »

Elena était en robe de compétition ; elle semblait sobre, mais je doutais que le liquide incolore dans son verre soit autre chose que de la vodka pure. Sans me saluer, elle a fait un signe de tête en direction du bar. Carlotta cheminait entre les vitrines et leurs diamants couleur bonbon tandis que dans le lounge Franz, ragaillardi par sa sieste, ouvrait un jeu de backgammon. J'ai pris Tomas par la main.

— Je n'ai jamais vu le bar. Il paraît que la vue est stupéfiante. On va prendre un verre ?

Tomas m'a suivie dans l'espace plus intime, lambrissé, doté d'une immense baie panoramique derrière laquelle les

Alpes scintillaient dans toute leur indifférente majesté. J'ai commandé un cocktail au champagne, et tandis que le barman s'affairait avec son shaker, je me suis glissée sous le bras de Tomas – surpris, mais tout à fait consentant. Avec sa bedaine en guise de bouclier, j'ai risqué un œil par-dessus mon épaule. Elena avait vraiment raté sa vocation de comédienne. Balensky était à trois mètres.

Installé dans un fauteuil club, il me tournait le dos, mais j'aurais reconnu cette chevelure crantée entre mille. À le voir tout ratatiné dans son fauteuil, difficile d'imaginer que cet homme avait été à l'origine de toute une série de conflits dans des pays en guerre. Combien de vies Yermolov et lui avaient-ils fauchées ? Bon, d'accord, je n'étais pas la mieux placée pour juger.

— Voilà votre verre, très chère.

J'ai demandé à Tomas s'il connaissait Saint-Moritz depuis longtemps, et il s'est lancé dans une tirade sur ce bon vieux temps où un jeune homme pouvait garder un casier au vestiaire du Palace ; pendant ce temps, je l'ai orienté face à moi de façon à avoir une meilleure vue tout en restant camouflée. Le garde du corps de Balensky se tenait à sa droite, il buvait un Coca, avec une sacoche noire posée sur la table basse devant lui. À la gauche de Balensky se trouvait le concurrent de Timothée, un jeune Slave aux pommettes saillantes, cheveux blonds décolorés et lèvres pleines, comme gonflées à l'acide hyaluronique. Balensky était au téléphone, ignorant ses deux compagnons, mais sa main était discrètement posée sur le genou du garçon. Tomas, visiblement encouragé, me parlait à présent de son propre chalet à Kitzbühel, que j'aimerais peut-être voir, cette saison ?

— Ça m'a l'air magnifique.

J'ai laissé sa main effleurer ma jambe entre le haut de la cuissarde et l'ourlet de ma jupe, comme s'il s'agissait d'un accident, les yeux braqués sur Balensky. Sa petite tête racornie a pivoté d'un coup quand Timothée a fait son entrée, en jean noir et pull en cachemire, veste matelassée avec col en cuir sur le bras, sa Rolex dorée scintillant juste ce qu'il fallait. Il avait réussi à se fabriquer un bronzage de ski, la pointe de ses mèches savamment ébouriffées effleurant ses pommettes à peine rougies. Plus d'inquiétude à me faire, Balensky ne me remarquerait jamais – il n'avait d'yeux que pour Timothée, qui a commandé un verre avant de se retourner pour jeter un coup d'œil dans la salle et de feindre la surprise en apercevant l'homme du Richistan.

J'avais fait répéter ses répliques à Timothée dans l'avion pour Milan, mais il était crucial que je le voie en action. Il fallait que je sois certaine qu'il fasse comme on avait dit, à savoir qu'il convienne d'un rendez-vous en présence de témoins. Il devait rappeler à Balensky, qui parlait français, qu'ils s'étaient déjà rencontrés, en compagnie d'Édouard Guiche, puis passer quelques instants à s'épancher sur cette mort tragique. Ensuite, donner à la conversation une tournure plus légère, mentionner qu'il était dans la station avec un groupe d'amis de Paris, de manière à sous-entendre que les amis en question organisaient le même genre de fête que celle que Balensky avait donnée à Tanger et que s'il voulait passer il était évidemment le bienvenu. « Sois triste et à la fois désirable, avais-je recommandé à Timothée, un peu perdu mais pas inconsolable, meurtri mais toujours coquin. Tentateur. » J'avais compté sur le fait que Balensky aurait au moins un garde du corps ; il était essentiel que cet homme assiste à leur rencontre et que Balensky, croisons les doigts, prenne le numéro de Timothée.

En l'observant, j'ai repensé au garçon que j'avais rencontré quelques semaines auparavant à Belleville, la même insouciance perverse, la promesse facile du plaisir. Je ne vois pas pourquoi les gens considèrent le tapinage à la portée du premier venu. Timothée avait un talent fou. En quelques minutes, il était devenu le principal centre d'intérêt de Balensky, laissant le blondinet à sa moue boudeuse. Le magnat n'a pas tardé à poser une main sur son bras et à enregistrer son numéro dans son téléphone. Tomas a eu l'air déçu quand je lui ai dit que j'étais fatiguée, mais m'a poliment aidée à remettre mon manteau. Pendant qu'on attendait dans le hall que Franz et Carlotta finissent leur partie de backgammon, Timothée nous a frôlés en sortant du Palace. On a fini par les persuader de rentrer. Elena était toujours à son poste, verre vide, sans tremblote. Elle a discrètement levé une main ouverte et un pouce à mon intention avant qu'on monte en voiture. Six. Elena avait fait savoir au personnel de son mari qu'elle était à Saint-Moritz et qu'elle avait besoin de passer prendre des affaires dans leur maison avant qu'il n'arrive. Il lui avait été confirmé qu'ils attendaient sa venue pour le lendemain soir, pile comme je l'avais prévu. On avait donc jusqu'à dix-huit heures pour planter le décor.

À huit heures le lendemain matin, je faisais des longueurs dans le couloir de nage carrelé d'ardoise, au sous-sol de la maison de Carlotta. Le mouvement de mes bras rythmait l'enchaînement des étapes de mon plan, que je me repassais en mémoire avec une tenue pour chaque séquence.

Douchée et vêtue d'un jean et de mon pull le plus chaud, j'ai trouvé Carlotta dans la cuisine, où une domestique préparait un jus carotte-gingembre, et où Franz lisait le *Financial Times*.

— Tu veux aller skier ?

— Skier ? s'est écriée Carlotta comme si j'avais proposé un truc complètement dingue.

— Oui, je pensais aller acheter quelques trucs et puis aller à l'école de ski voir si je pouvais réserver un cours.

— Nan, ce matin, je suis, genre, débordée. J'ai mon cours de Pilates, et Franz veut qu'on déjeune au Trais Fluors. Mais ce soir, c'est fondue au Klara !

— Super. On se croise plus tard, alors.

— Prends des clés en partant. Tu veux un chauffeur ?

— Non, je vais marcher. *Ciao*, chérie.

J'ai resserré les pans du manteau en vison contre moi en descendant la colline, les poumons vivifiés par l'air délicieusement pur de la montagne. J'ai envoyé un message à Timothée pour lui dire de me rejoindre à la patinoire du Kulm et nous ai commandé deux chocolats chauds en l'attendant. Trois petites Italiennes aux vêtements ravissants exécutaient des pirouettes maladroites sous l'œil patient de leur professeur – j'étais follement jalouse de leurs patins blancs.

— Ça va ?

Timothée était métamorphosé. L'angoisse sclérosante des derniers jours avait disparu et il semblait prêt à tout. À moins que ce ne soit le Kulm, la vue, les serveurs pleins de déférence avec leurs minuscules serviettes jaunes brodées et leurs pichets de chocolat fumant. Ce serait peut-être l'avenir auquel il aurait droit, si tout ça finissait bien. Le genre d'avenir que j'avais imaginé pour moi-même.

— Est-ce que Balensky t'a contacté ?

Il a eu l'air vexé.

— Pour qui te me prends ? D'abord c'est un vieux schnock.

— Bon. On est bien d'accord… s'il faut qu'on le fasse ?

— Mais oui, Judith. Tu me l'as répété qu'une vingtaine de fois…

— Tu risques d'avoir mal.

— Rho, j'ai vu pire.

— Et si je ne viens pas, c'est Elena qui te rejoindra. Tout ira bien, je te le promets.

— T'inquiète pas.

— Tu as quelque chose à te mettre ?

— Oui !

— OK. Bon, je vais voir Elena. À plus tard, j'espère. Commence à attendre à six heures et ne quitte la chambre sous aucun prétexte, d'accord ?

— Pas de problème. C'est noté. Tu me l'as dit et répété. Allez, bonne chance.

Une brève étreinte, mais pas d'illusions : il n'y avait aucune chaleur dans son geste. S'il avait eu besoin de moi pour se consoler de la mort d'Édouard, à présent nos relations étaient purement professionnelles. Et je le comprenais.

J'ai pris un taxi devant le Kulm jusqu'à un village appelé Pontresina, à une vingtaine de minutes de Saint-Moritz, dans la vallée. Elena avait décrit la maison comme étant un *kottezhi*, un cottage, ce qui n'était pas complètement faux, dans le sens où les millionnaires américains du Gilded Age avaient appelé leurs résidences d'été de Newport à cinquante chambres des « cottages ». Trois parois de verre descendaient à pic dans les pins, trois vitres d'au moins dix mètres de long chacune, serties dans des murs épais couleur cerise. Un petit funiculaire s'élevait au-dessus des arbres, pour apporter les courses jusqu'à la maison, et il y avait aussi une piste de ski qui permettait un accès direct depuis les pentes. Yermolov avait dû la faire faire spécialement. J'ai renvoyé le taxi, mais Elena était en retard, et sans gants j'avais les mains tout engourdies le temps qu'elle arrive.

— Elisabeth ! Comme je suis contente de te revoir ! s'est-elle exclamée, comme si nous étions de vieilles amies, pour que la caméra de surveillance incrustée dans le mur enregistre tout.

Joue contre la mienne, elle a ajouté :

— Je leur ai dit que je devais venir prendre quelques affaires. Ça au moins, c'est permis.

Je lui ai passé le sac Hermès en carton orange que j'avais pris dans la penderie chez Carlotta et qui contenait le téléphone et les câbles. Jovana m'avait donné un Huawei P9, le plus indiqué pour cette mission, à son avis, et elle m'avait expliqué plusieurs fois les branchements à faire avant que je quitte le squat.

Elena a composé un code sur le clavier fixé au mur. Une porte de service s'est ouverte sur une petite entrée et un ascenseur, dont le puits semblait taillé à même la roche.

— Il faut faire vite, a-t-elle marmonné tandis que la cabine s'élevait. La caméra pivote toutes les trois minutes.

— Bon, j'espère que tu as fait tes étirements.

Pour toute réponse, elle a levé une jambe à travers les plis de sa zibeline, jusqu'à ce que sa botte se retrouve, sans effort, sur la même ligne que son menton.

— Grand battement, a-t-elle dit, contente d'elle.

J'étais moi-même euphorique.

— Attends-moi dans le hall si tu veux, chérie, a-t-elle lancé avec emphase quand les portes de l'ascenseur se sont ouvertes, et après on ira retrouver Carlotta. Je n'en ai pas pour longtemps.

On se trouvait dans une pièce circulaire dont le plafond était un dôme de bois. Une série de bois de cerf se partageait le mur avec des statues de chevaux ressemblant aux bronzes du Gansu perchés sur des étagères, le tout surplombé par l'immense lustre Bean que j'avais vu dans un magazine pendant mes recherches sur la collection Yermolov. Composé d'ossements et de ce qui semblait être des épées de bronze, il faisait bien trois mètres, les formes délicates de l'ivoire contrastant avec la menace du métal forgé. C'était le lustre qui m'avait donné l'idée. On allait filmer ma rencontre avec Balensky et Yermolov, mais on devait installer notre équipement avant que les caméras de Yermolov le remarquent. Inclure Elena dans mon plan ne m'avait pas enchantée, mais je n'avais pas trouvé de moyen plus simple de m'introduire chez Yermolov pour tout installer. Je lui avais promis que j'allais tout faire pour qu'il lui remette la pièce maîtresse de sa collection, à savoir les Botticelli de Jameson, mais pour l'heure, ce qui semblait la ravir c'était plutôt l'occasion de se donner en spectacle.

Elle s'est éclipsée par un escalier à gauche de l'ascenseur pour réapparaître quelques minutes plus tard, sans manteau, sur une coursive qui faisait le tour de l'étage, avec des portes donnant sur d'autres pièces. À part le son de ses bottes sur le parquet, il régnait un silence presque surnaturel ; je sentais plus que je ne l'entendais le ronron d'un groupe électrogène. Cette maison devait consommer un paquet.

— Je vais te les lancer, OK ?

Elena s'est arrêtée sur le palier. Derrière elle, une horloge de parquet avec un cadran en porcelaine allait bientôt marquer midi. J'ai attrapé ses bottes, qu'a suivies un vol de vêtements, flottant au gré des courants chauds qui traversaient la pièce pour atterrir à mes pieds, sauf un chemisier en soie blanche qui s'est malheureusement pris dans le lustre.

— Rha, quelle idiote ! a crié Elena au moment où l'horloge sonnait ses douze coups.

Elle a gracieusement enjambé la balustrade, dos au lustre, mains agrippées à la rampe comme s'il s'agissait d'une barre de danse et jambe tendue en arrière vers le lustre. « Arabesque. » J'ai compté les secondes tout bas. Son pied s'est accroché au lustre et l'a tiré vers elle comme une balançoire tandis que la jambe qui la soutenait pivotait sur cent quatre-vingts degrés, genou plié, bras tendu au-dessus de la jambe étirée. « Deuxième. » Elle s'est hissée en pointe sur le rebord extrêmement étroit, le reste de son poids suspendu à la main qui tenait la rampe, et s'est penchée en avant avec grâce depuis la taille, sa jambe pliée retenant toujours le lustre. Mes propres muscles se sont contractés par solidarité ; si ce lustre valsait, elle se briserait le cou. Câble entre les dents, elle a fixé le téléphone au lustre de sa main libre et orienté l'écran vers le bas, vers le sol de l'entrée. « Une minute trente. » Avec une lenteur infinie elle a décroché ses orteils de l'écheveau d'ivoire et de métal. À la moindre défaillance, elle s'éclatait sur les dalles où je me trouvais. J'espérais qu'elle n'avait pas bu un petit verre avant de venir. J'ai fermé les yeux, m'attendant à ce qu'elle pousse un cri, c'était insupportable, mais quand je les ai rouverts, elle venait d'enjamber la balustrade dans l'autre sens. Ouf. « Deux minutes. »

— Il est coincé ! a-t-elle lancé, même pas hors d'haleine. Il va falloir que je demande à quelqu'un d'aller chercher une échelle !

Le haut en soie était presque invisible sur l'ivoire, mais au moins le téléphone était bien caché.

— Un Prada, a-t-elle précisé en me rejoignant, à nouveau vêtue de sa zibeline.

J'ai pensé que si Balensky ou Yermolov me tuait, ce qui était tout à fait possible, je mourrais sous un baldaquin de grande marque. Et je trouvais ça très drôle. Je ne sais pas à quoi Elena pensait, mais en croisant mon regard, elle s'est mise à sourire, et l'instant d'après on riait tellement qu'on est tombées dans les bras l'une de l'autre, nos larmes de fou rire roulant sur nos fourrures.

Elena m'a répété le code d'entrée, puis elle est allée rejoindre Carlotta pour déjeuner. Je suis quant à moi rentrée à Saint-Moritz, j'ai fait mon sac et sorti ce dont j'aurais besoin le soir venu. J'ai envoyé une confirmation par texto à Jovana ; à dix-huit heures les écrans de Belgrade ouvriraient les yeux. J'ai envoyé un Snapcode au Kenya.

Il me restait une chose à faire, la plus dure. Appeler ma mère. Je n'en aurais peut-être plus jamais l'occasion. L'euphorie ressentie en compagnie d'Elena faisait encore un peu effet, la peur commençait à venir, mais l'amour du risque la jugulait. La voix de ma mère m'intimidait davantage qu'une confrontation avec Yermolov et Balensky. Si je devais décrire mes sentiments pour elle, je les qualifierais de « complexes », ou « acharnés », mais le sens s'effondrait dès que les mots étaient prononcés. Ma mère ne m'avait jamais protégée, mais bon, elle était à peine capable de s'occuper d'elle. Elle me faisait pitié, m'inspirait aussi une bonne dose de mépris, mais j'avais toujours essayé de lui obéir et de la respecter. Parce que, pour des raisons que je n'étais pas prête à intégrer quand j'étais petite, je l'admirais, aussi. Elle avait des faiblesses, mais également du répondant. On était pareilles, elle et moi. Bonnes en improvisation.

Allez, qu'on en finisse.

Je me suis allongée à côté du Caravage sur le lit et j'ai composé son numéro.

— Ça va, maman ?

— Judy, comment ça va, mon cœur ?

Les choses ne tournaient pas rond chez nous, jamais. Une sorte de ratage au ralenti, permanent, une traînée de dégât des eaux avec sa propre force centrifuge. Le sapin de Noël restait jusqu'au mois de mai, un matin je me levais et on n'avait plus de télé.

— Bien. Je bosse dur.

— Tout se passe bien alors ?

Une fois, en cumulant des timbres Tesco, elle avait eu droit à une machine à pain. La maison avait fleuré bon, comme dans une pub – pour un temps.

— Oui, très bien. Et toi, quoi de neuf ?

Parfois, je comprenais au volume sonore des enceintes qu'elle avait ramené un mec en rentrant du pub. Je ne lui reprochais pas de vouloir prendre un peu de bon temps, même si cela consistait à s'envoyer en l'air sur de la country.

— Oh, pas grand-chose. La routine. J'ai un nouveau canapé.

C'était le cirque grotesque qui était autour que je ne supportais pas, les vêtements éparpillés au sol, les taches innommables sur le canapé.

— Formidable.

L'argent que je lui envoyais depuis que je vivais en Italie lui permettait de ne pas avoir à chercher de boulot. De quoi lui assurer une vie confortable sans éveiller les soupçons ; mon plan avait consisté à m'installer à Venise, monter la galerie puis attendre un peu pour lui acheter une maison au nom de Gentileschi. En attendant, je lui avais demandé s'il y avait un endroit où elle aimerait aller, une chose qu'elle aimerait faire, mais elle semblait heureuse de pouvoir faire un peu de shopping en ligne et aller au pub. Peu à peu, j'avais fini par comprendre qu'elle ne voulait pas d'une nouvelle maison, vivre dans son appartement à loyer modéré sans soucis et avec du fric à claquer au pub lui allait très bien. Ça me faisait de la peine et ça m'exaspérait qu'elle ne veuille rien d'autre que ça. Mais ma mère pensait sincèrement qu'elle avait une vie correcte.

La vodka et le radio-réveil allumé sur Radio 1, les chiffres rouges qui égrenaient les minutes des fins d'après-midi.

Un silence au bout de la ligne. Il y avait tout un tas de choses que j'aurais aimé lui dire, mais elles ne seraient jamais prononcées. Et ce jamais allait peut-être arriver ce soir.

— Et le temps, il fait beau ? a-t-elle fini par demander.

Elle n'était jamais allée au sud de Birmingham. Pour elle, je vivais sous les tropiques.

— Ça va, un peu froid maintenant que l'hiver est là.

— Bon, très bien.

J'entendais la télé : « Les mères débordées vont en Islande à Noël ! » On était à peine en novembre. J'ai pris une respiration.

— Je voulais juste m'assurer que tu allais bien.

— Tout va bien, ma chérie.

— Bon, allez, au revoir. Je fais gaffe à ma facture.

— Oui. Au revoir, Judy. Je t'aime.

Avant, elle ne le disait pas. C'était un truc qu'elle avait appris de la télé. J'ai voulu lui dire que je l'aimais aussi, mais mon pouce a coupé l'appel avant que les mots ne sortent. Je me suis redressée et j'ai regardé autour de moi, mais il n'y avait pas grand-chose à casser.

Pourquoi avoir cherché à parer à toute éventualité ? Pour protéger qui ? Dave ? Pour me racheter auprès de Timothée ? Ce n'était pas tout à fait ça. Yermolov m'avait pris la chose la plus précieuse que j'aie jamais possédée. Pas le fric, pas ma galerie, pas Masha. Yermolov avait vu clair dans mon jeu, percé la carapace que j'avais mis tant de temps à me construire. Les tableaux étaient les seules choses pures que je connaissais, mais il s'était débrouillé pour me dépouiller de la confiance que je leur faisais, avec l'application d'un restaurateur d'œuvres d'art qui gratte la peinture. Il fallait que je le prenne par surprise, que tout s'arrête. Mais je voulais lui remettre quelque chose de laid, quelque chose de vulgaire, de grossier, de détestable. Il pensait m'avoir percée à jour, mais il se trompait sur mon compte. Du moins, c'est ce que j'allais continuer à me répéter.

J'ai pris le traversin et l'ai serré contre moi, serré encore et encore, jusqu'à ce que mes yeux fermés ne voient plus que du rouge et que mon esprit se calme.

23

PAS DE GARDES DU CORPS, pas de personnel, pas de tralala, telles avaient été mes instructions. Les parois de verre sombre de la maison de Yermolov à Pontresina n'abritaient apparemment aucun mouvement, mais quitte à geler sur place, j'ai attendu dehors quelques minutes, à l'affût du moindre signe d'embuscade. Sans Elena, l'immense demeure avait des allures gothiques, les pentes et les sapins enveloppés de leur manteau blanc composant une toile de fond parfaite pour un film d'horreur. Yermolov pouvait très bien avoir positionné un tireur d'élite dans la forêt, mais je devais compter sur son bon sens : il ne pouvait pas m'éliminer avant de savoir où se trouvait le Caravage. L'ascenseur était tapissé de mini-carreaux de nacre aux reflets froids, je les ai comptés en montant. Comme promis, la maison était déserte, mais j'ai retenu mon souffle et tendu l'oreille dans le silence amplifié par la présence des pics montagneux qui se dressaient dehors, dans le noir.

J'étais dans l'entrée à dix-sept heures cinquante-cinq, j'ai attendu les cinq dernières minutes dans la pénombre. Puis j'ai envoyé un message à l'appareil suspendu dans le nid que formait le lustre et guetté l'apparition de la minuscule lumière rouge. Un des artistes du squat, calé en technologie de pointe, avait installé une version reconfigurée de Livestream, avec un chronomètre que je pouvais activer à distance. Jovana et son équipe pourraient regarder tout ce qui allait arriver, via un lien crypté, et il y aurait également un enregistrement sur pellicule. J'étais un peu tendue, la collaboration n'ayant jamais été mon truc. Je n'avais d'autre choix que de faire confiance à Jovana. Le film était une sorte de police d'assurance, un plan B intégré. Je croisais les doigts pour que personne n'ait à s'en servir.

Une fois tout en marche, j'ai manipulé les interrupteurs à côté de l'ascenseur pour obtenir pile la luminosité qu'il fallait. Je tendais l'oreille au cas où un véhicule serait en approche, mais entre l'épaisseur des murs et le coussin neigeux, je n'entendais que le murmure de ma propre respiration. Puis l'ascenseur est descendu. J'avais compté trente-deux petits carrés nacrés en montant, un par seconde, ils seraient donc là dans une grosse minute.

La sortie de l'ascenseur a donné lieu à une pantomime assez drôle car le grand et le petit ont voulu en descendre en même temps.

— Où est-elle ? a demandé Balensky en russe.

— *Vot*, ici, ai-je répondu. J'ai le tableau, comme promis.

Balensky s'est approché, assez pour que je sente le parfum épicé qui émanait des replis de son manteau en cachemire.

— Où est-il ?

— Allez, mademoiselle Teerlinc, donnez-le-nous. Qu'on en finisse avec cette mascarade.

La voix de Yermolov trahissait davantage sa lassitude que de la colère. Est-ce qu'ils avaient décidé de jouer au bon et au méchant flic ?

— Avant de vous le remettre, j'ai certaines conditions. Si vous êtes ici, c'est de toute évidence parce que Ivan Kazbich vous a transmis mon message. Via Dejan Raznatovic, en Serbie. Je suis allée le voir, comme vous le savez. Je sais tout de votre deal d'œuvres d'art et d'armes. Je m'en contrefous, mais ce n'est pas le cas de tout le monde. Ce que je veux, c'est que vous arrêtiez de m'emmerder. De quelque façon que ce soit. Je vous donne le tableau, en échange de quoi (j'ai pointé un doigt sur Yermolov) vous donnerez les Botticelli de Jameson à votre femme. Et je tairai vos activités, vous avez ma parole. Facile, non ?

Yermolov a émis une sorte de râle, qui m'a déstabilisée.

Balensky a fait un pas de plus vers moi, le santal de son parfum masqué par la puanteur de son haleine.

— Je crois que vous avez compris qu'il ne s'agit pas d'une plaisanterie. Vous n'avez aucune preuve pour exécuter vos menaces.

— Et pourtant, vous êtes venus, non ?

— Nous sommes venus pour le tableau. Donnez-le-nous. Tout de suite.

Il a baissé les yeux, j'ai suivi son regard. Un museau en métal est apparu entre les pans de son manteau. Bon, ce serait finalement le plan B.

— Vous êtes au courant que votre tableau est un faux, n'est-ce pas ?

Je m'adressais à Balensky, mais j'ai observé leur visage tour à tour dans la lumière tamisée. Yermolov n'était pas surpris le moins du monde.

Il savait.

« Il sait. Alors pourquoi ? »

J'essayais de comprendre quand soudain Balensky a piqué une crise de colère. Il a crié en russe, tellement vite que je n'ai rien capté. Yermolov s'est contenté de hausser les épaules, son regard clair toujours aussi calme. J'ai réussi à saisir le nom de Kazbich dans la tirade de Balensky.

— Oui, vous feriez peut-être mieux de poser quelques questions au Dr Kazbich, l'ai-je interrompu. Seul un enfant aurait cru à ces provenances improbables. Votre tableau est une merde sans valeur.

Mais pourquoi Yermolov ne réagissait-il pas ?

Balensky a levé son arme. J'avais choisi ma tenue avec grand soin : mon pantalon noir et une veste noire D & G empruntée à Carlotta, très cintrée à la taille, pour un effet péplum, et un col en cuir blanc. En dessous, mes seins étaient plaqués sous une toile de lin, mais j'étais sûre que Balensky voyait quand même mon cœur battre. Je n'avais pas peur. Et je n'avais pas non plus trente ans. Par contre, j'en avais ma claque qu'on cherche à me pigeonner. Et une arme chargée qui vise votre aorte, d'un coup, ça vous fait penser à tout ce qu'il vous reste à accomplir dans la vie, alors j'ai fait ce qu'aurait fait n'importe quelle fille dans cette situation. J'ai commencé à me déshabiller.

Quand le premier bouton s'est ouvert, Balensky a poussé un long soupir de fébrilité, mais ce n'était pas la perspective de voir mes nichons qui lui faisait de l'effet. Simplement, sous ma veste, je portais le Caravage.

Les inventaires contemporains du peintre qui recensent ses œuvres comprennent de nombreux tableaux égarés, des toiles qui ont disparu ou ont été détruites par des ignorants. Certains refont surface à l'occasion – dans un grenier toulousain, une salle à manger dublinoise. Parmi eux, certains seront certifiés et accrochés dans des musées, trésors retrouvés, et d'autres, dont on n'aura pas réussi à prouver l'authenticité, continueront à rendre fous leurs propriétaires, convaincus du contraire. Kazbich mentionnait un de ces inventaires dans son certificat de provenance : un tableau fait pour une « femme qui lui avait donné le gîte ». Une adaptation d'un classique : l'artiste qui paie en nature, gribouille un chef-d'œuvre sur un coin de nappe pour payer son vin. Dans ce cas précis, le Caravage avait soi-disant dessiné sa logeuse vénitienne – peut-être par ailleurs une de ses nombreuses maîtresses – sur la liquette qu'elle portait sous ses vêtements.

C'étaient les icônes serbes qui m'avaient expliqué ce dernier élément de la contrefaçon de Kazbich. En ouvrant la sacoche en Angleterre, j'avais été surprise de découvrir que le « Caravage » était exécuté sur un morceau de tissu. Mais le musée que Raznatovic avait en partie financé à Belgrade exposait des exemples de robes ecclésiastiques des monastères locaux, chapes et autres surplis cousus main par des générations de patientes nonnes. J'étais nulle en histoire textile, mais Kazbich avait dû piquer un de ces vêtements quelque part. En le sortant, j'avais remarqué de minuscules trous qui correspondaient aux points d'attache de la broderie originale, qu'on avait décousue afin d'obtenir un espace vierge sur cette liquette sans manches assurément d'époque. Le tissu était raide, revêche, mais le lin peut durer très, très longtemps. J'avais vu juste au sujet de la craie à Amsterdam, et aussi sur le jaune de Naples. C'était là-bas, en tombant sur la signature de Kazbich, que j'avais compris où se trouvait le dessin. Je ne voyais pas comment Moncada aurait pu dissimuler un autre tableau lors de notre rendez-vous dans la chambre d'hôtel. Mais s'il était sur du lin – une possibilité qui manifestement n'avait pas échappé à Kazbich – il pouvait parfaitement avoir été enroulé et caché dans une sacoche, à l'insu de la sécurité de l'aéroport, ainsi qu'au mien. Très malin. La tête, penchée, rappelait l'air espiègle de *La Diseuse de bonne aventure*, l'une des premières toiles du

Caravage à époustoufler les collectionneurs d'art de Rome. Kazbich avait établi un lien poétique entre le visage de la logeuse vénitienne et l'expression rusée de la bohémienne, espérant sûrement que l'avidité des acheteurs ferait le reste.

Balensky était bouche bée face à mon plastron.

— Allez-y, tirez, mais vous n'arriverez jamais à enlever les taches de sang. Vous voulez essayer ?

Il cherchait quoi répondre, son arme toujours pointée sur moi.

— Ou je peux le déchirer. C'est très fragile, ces vieux tissus. Et après vous pourrez tirer. Mais ça ne vous rendra pas votre tableau pour autant.

— Qu'est-ce que vous voulez ?

Il cédait du terrain.

— De l'argent ?

— Je n'ai pas besoin d'argent. Je veux que vous arrêtiez. Foutez-moi la paix. Et je veux que lui (j'ai désigné Yermolov du menton), il donne ses tableaux à sa femme. Les Botticelli de Jameson, comme je l'ai dit tout à l'heure. Je vais sortir de cette maison par le même chemin que j'ai emprunté pour entrer, avec la toile sur moi. Quand Elena Yermolov sera en possession des tableaux, je vous la rendrai. Bien qu'elle ne vaille pas un clou.

Yermolov a réprimé un gloussement, ce qui n'était pas tout à fait la réaction que j'attendais de lui.

— *Ona bezumna*, elle est folle, a marmonné Balenksky.

— Possible, a dit Yermolov. Mais loin d'être stupide. Tu le sais déjà. Débarrasse-toi d'elle si ça te chante. Tu sais que le tableau ne vaut rien.

Balensky a pivoté pour lui faire face, lentement, comme un jouet mécanique, les bras ballants. Yermolov a haussé les épaules et Balensky a baissé les yeux sur son pistolet, comme médusé de le voir dans sa main.

— Il faut qu'on parle.

Il cherchait clairement à se donner une contenance mais, au désespoir, il semblait sur le point de perdre les pédales. Plus grotesque qu'intimidant – même s'il s'agissait d'un vioque en pétard avec un pistolet chargé.

— Non, c'est inutile.

J'ai posé les mains sur le col de la liquette, sentant le tissu se déchirer.

— Vous le voulez ou non ? Est-ce que je dois compter jusqu'à dix ?

Je savais que Balensky ne pouvait pas me tirer dessus. Même une balle logée dans la tête projetterait des bouts de mon cerveau sur le dessin avant qu'il ait le temps de me l'enlever. Ce n'était pas non plus la supposée valeur monétaire qui empêcherait son geste. Le désir était une monnaie d'échange que je connaissais bien. Il ne pouvait pas me tirer dessus à cause de son désir tout-puissant de posséder ce dessin, de cette passion aveugle et irrésistible.

Et pourtant, il a tiré.

Un silence amplifié juste avant que la détonation résonne entre les murs, assourdissante. Quelque chose de lourd a heurté ma poitrine, je n'ai même pas eu le temps de la surprise que la tête de Balensky rebondissait contre ma clavicule et que son pistolet faisait un bruit de porcelaine brisée en tombant par terre. Il a émis un son étouffé, le souffle d'une vieille carcasse qui s'extrait d'un fauteuil. Yermolov l'avait retenu par-derrière, de son bras gauche, la main droite tenant un cendrier en bronze doré. Les bras sans vie de l'homme du Richistan et ses genoux qui se pliaient ont poussé Yermolov à s'accroupir pour le poser doucement sur le sol. Il a écarté le col du manteau de Balensky pour lui prendre le pouls derrière l'oreille, avec trois doigts experts. Puis il y a eu un long, long silence.

— On ferait mieux d'appeler une ambulance, a fini par dire Yermolov. Il semblerait que M. Balensky ait fait une crise cardiaque. Je crois que sa tête a heurté quelque chose en tombant. C'est terrible.

Calmement, il a posé le cendrier à côté du corps. Tout aussi calmement, il a ramassé le pistolet.

Mes synapses explosaient comme des feux d'artifice et mes épaules tressautaient – mon corps n'en revenait toujours pas que la balle m'ait manquée. Le sol était jonché d'éclats de porcelaine. Le cheval. Balensky avait tiré sur le cheval, avant de mourir à cause d'un cendrier. Interdiction de fumer à l'intérieur, mais pas de fumer quelqu'un, si je comprenais bien. « Bon sang, Judith. »

— Il a tiré sur le cheval, ai-je bredouillé.

Pistolet dans la main droite, Yermolov a plongé la gauche dans sa poche pour prendre son téléphone.

— La même…

J'avais la bouche toute sèche. J'ai salivé avant de retenter ma chance mais n'ai produit qu'un petit son aigu, à peine audible. J'ai contracté ma gorge pour mieux maîtriser ma voix.

— La même crise cardiaque dont Édouard Guiche a été victime quand votre homme de main l'a balancé du sixième étage ? La même crise cardiaque à laquelle a succombé Masha ? Est-ce que je vais en avoir une, moi aussi ?

Mais je parlais trop vite pour lui, il avait l'air perdu. Le Caravage était trempé de sueur, mais j'étais gelée.

— Vous devez savoir que ce que vous venez de faire a été filmé, et retransmis en direct. Devant un paquet de témoins. Putain, mais il a une blessure de la taille de votre poing derrière le crâne. Une crise cardiaque, sérieusement ?

Inutile de préciser que Jovana et son équipe pensaient assister à une mise en scène.

La main de Yermolov m'attrapait à la gorge avant que je l'aie vu faire le moindre mouvement. J'ai articulé tant bien que mal :

— Faites ce que vous voulez, mais ça n'arrangera rien.

— C'est quoi, ce bordel ?

— Lâchez-moi.

Son étreinte s'est desserrée mais il ne m'a pas lâchée.

— Vous venez de commettre un meurtre devant une webcam qui diffuse les images en temps réel. Vous comprenez ?

L'un après l'autre, ses doigts se sont décollés de mon cou. Mes talons ont repris contact avec le sol. J'ai pris une grande goulée d'air.

Intéressant, le mécanisme de la rage. Je le connaissais bien. La voix de Yermolov était glaçante comme un vent de janvier sur la steppe, et pourtant il s'est adressé à moi sur un ton presque badin :

— Pour quelle raison je vous croirais ?

Je lui ai souri aussi gentiment que possible.

— Monsieur Yermolov, il ne s'agit pas d'un entretien d'embauche. Mais puisque vous insistez. C'est moi qui ai votre tableau, malgré tous les efforts que vous avez fournis pour le récupérer. J'ai découvert votre petit racket en Serbie. J'ai aussi mis la main sur Raznatovic, toute seule, comme une grande. Et je vous ai fait venir ici. Vous pouvez me traiter de prétentieuse, mais pourquoi douter de moi ?

— Où est cette caméra ?

J'ai reculé d'un pas.

— Juste là, ai-je répondu avec un signe de tête en direction des pampilles en ivoire. Je suis sûre que vous êtes bon tireur, qu'une seule balle vous suffirait, mais il est trop tard. Comme je l'ai dit, ce qui vient de se passer a été diffusé. Pas sur Internet, cela dit. Mais ça a été enregistré. Donc vous avez le choix.

Il a baissé le pistolet.

— Mais qu'est-ce que vous essayez de faire ? Espèce de stupide garce.

— Vous pouvez m'étrangler, me tirer dessus. Vous verrez bien. Vous avez assassiné deux personnes pour votre tableau de chiottes. Oh, pardon, trois. Alors tenez, le voici.

J'ai laissé tomber ma veste au sol et fait passer la tunique par-dessus ma tête pour la lancer à l'écart. J'avais dû mettre deux brassières de sport en dessous pour pouvoir l'enfiler. J'ai fait un signe de tête vers le tissu chiffonné gisant à côté de Balensky.

— Il est à vous.

Yermolov a changé d'approche.

— Je n'ai rien à voir dans la mort d'Édouard Guiche et je ne sais absolument pas qui est cette Masha. Je me fous éperdument de ce dessin.

— À mon tour de vous demander pourquoi je vous croirais. Pourquoi avoir payé pour l'avoir si vous n'en voulez pas ? Pourquoi… ?

Je me suis sentie très bizarre, tout à coup, alors j'ai préféré m'allonger – à côté du cadavre de Balensky. Yermolov s'est détourné de moi et s'est mis à faire les cent pas, mains dans les poches, comme un mauvais acteur censé prendre une décision importante.

— Je boirais bien un verre. Vous m'accompagnez ?

— Peut-être. Oui. Merci.

— Que diriez-vous d'éteindre cette caméra, d'abord ?

Sa voix se voulait apaisante, comme s'il s'adressait à une folle dangereuse.

— Vous ne craignez rien, a-t-il ajouté. Et après je vais vous chercher un verre.

Chacun se prêtait au jeu de l'autre, peu rassuré quant à son sort.

— Il me faudrait mon téléphone, dans mon sac, là.

J'ai essuyé ma main moite sur mon pantalon et arrêté le chronomètre, ce qui couperait automatiquement le lien. Yermolov m'observait avec intérêt. Puis j'ai envoyé un texto à Jovana : `Terminé. Est-ce que ça a marché ?`

`Apparemment, oui. Hyper bizarre, ton truc !!`

`Ouais, t'as vu ? Bon, on se parle demain, merci.`

J'ai rangé mon téléphone et me suis rallongée, les yeux fermés. Yermolov s'est absenté si longtemps que je me suis dit qu'il appelait peut-être des renforts. Il aurait pu revenir avec un lance-roquettes ou une vierge de fer, je ne me serais aperçue de rien. Il savait que le dessin était un faux. Alors pourquoi ? Des portes ont claqué quelque part dans les profondeurs de la maison. J'ai pensé à Carlotta, perdue dans sa propre cuisine.

— Tenez.

Je me suis redressée pour prendre le verre glacé qu'il me tendait. Le péché mignon d'Elena.

— Merci.

Il s'est allumé une cigarette et m'a tendu le paquet.

— Donc parlez-moi un peu de ce film, m'a-t-il demandé, toujours avec ce ton doucereux.

J'ai bu une longue gorgée, savourant la brûlure du froid.

— Une œuvre de commande, si on veut. Soit c'est une œuvre d'art, soit une preuve. On n'a pas encore de titre. Si vous voulez l'acheter, le prix est fixé à deux cent mille euros. Plus ma commission, qui est de dix pour cent.

— Vous avez dit que c'était diffusé en direct. Qu'il y avait des témoins.

— En effet. Je suis sûre que vous avez déjà entendu parler de photographie sociale ? Les témoins sont des artistes. Ils pensent que tout ça n'était qu'une mise en scène – une critique du pouvoir subversif du capital. Ou une connerie dans le genre. Surréaliste.

— D'accoooord…

J'avais peut-être l'air un peu tarée, c'est vrai.

— Donc vous achetez cet enregistrement, je garantis que c'est une pièce unique. Mais l'autre condition est toujours valable : les Botticelli sont pour votre femme. À vous de voir.

— Et vous faites ça parce que…

— Je veux que vous arrêtiez de vous mêler de ma vie privée. Laissez-moi tranquille, comme je l'ai dit à votre ami. Et arrêtez de tuer des gens, tant qu'on y est.

— Ce que vous êtes pénible. Je vous répète que je n'ai tué personne. Ni cette Masha ni Guiche.

— Vous avez détruit ma galerie à Venise.

J'ai tendu le bras par-dessus Balensky pour prendre le cendrier.

— Et pourquoi j'aurais fait une chose pareille ?

— Pour m'intimider. Parce que vous vouliez récupérer le tableau.

— Le faux Caravage ? C'est lui qui le voulait.

Balensky avait eu l'air terrifié, furax, perdu, mais chez Yermolov rien de tout ça. Il s'emmerdait. Et ça, c'est difficile de faire semblant, on a tout de suite tendance à en faire des caisses. Alors j'ai compris qu'il disait la vérité.

Un sens aigu de son propre statut. Au fil de son parcours inégal, le Caravage avait vécu le succès comme un enfermement. Le désir accompli était devenu le désir méprisé.

La claustrophobie qui se dégage de ses tableaux, la réduction du monde aux confins d'un intérieur accomplissent leur tromperie en nous persuadant qu'on y voit clair. Il n'existe rien d'autre, alors comment peut-on se tromper ? Et pourtant, on est tellement obsédé par ce que l'on voit que l'on s'aveugle aux réalités parallèles à ces scènes. Peindre, c'est tromper. Méfiez-vous de ce que vous croyez voir. J'ai reposé la tête par terre, l'image du kilim dans mon appartement de Venise m'a brièvement traversé l'esprit. Non. Je me suis rappelé un article disant que le message d'une œuvre d'art apparaît comme un point soudain saillant à la surface de la psyché. Tout était limpide. Depuis ce jour à Paris où Renaud avait étranglé Moncada, je m'étais placée au centre des choses, alors que je n'étais qu'un satellite, évoluant à la périphérie d'une réalité complètement différente, dans laquelle d'autres – Kazbich, Balensky, Yermolov, Moncada lui-même – estimaient leurs chances de gagner. Il y avait de la crasse en surface et je n'avais rien vu.

J'ai gémi. Il aurait mieux valu que Balensky me tue. Je m'étais plantée. Sur toute la ligne.

24

YERMOLOV A MIS PLUSIEURS HEURES à démêler les fils de son histoire. Il parlait, on était tous les deux allongés en appui sur un coude, tels des Romains en plein banquet. L'immense maison, si menaçante quelques instants plus tôt, était douillette et accueillante, avec son chauffage au sol et sa vodka, un vrai cocon posé dans la neige. Une conversation des plus amicales, même si je rapetissais au fil de son récit, qui me rappelait ma vanité.

— Je sais depuis longtemps que Balensky était un fraudeur, disait Yermolov. Comme Kazbich.

— Oui, moi aussi – Balensky lui a acheté un faux Rothko, pour commencer.

Homme de courtoisie, il a fait mine d'être impressionné.

— Vous avez découvert ça ? *Otlichno*, excellent.

Le moment était peut-être venu de lui demander pourquoi il avait une si piètre estime de mes capacités, mais j'avais plus besoin d'informations que de réconfort. J'ai donc ignoré son compliment et lui ai demandé pourquoi il avait continué à faire affaire avec l'homme du Richistan.

— On avait beaucoup de contacts en commun, beaucoup travaillé ensemble, en Russie. C'était compliqué.

— Bien sûr.

— Mais quand il m'a parlé de ce Caravage, j'ai su dès le début que c'était un faux. Seul un ignare aurait cru à cette histoire. Mais lui, il n'y connaissait rien en peinture, il n'aimait pas ça. Pour lui, c'étaient juste des choses, des objets à vendre. Le seul tableau qu'il ait jamais apprécié est un portrait de lui qu'a peint Safronov.

— Aïe.

Nikas Safronov était spécialisé dans les portraits grandiloquents, dans un genre faux classique.

— En Napoléon ?

— Non, mais c'est drôle : en Pierre le Grand.

— Aïe aïe aïe. Mais pourquoi vous avez marché dans la combine ? Pourquoi avoir accepté d'acheter le Caravage ?

— Balensky avait besoin de ce fric. Il était fauché.

— Fauché ?

— Ça arrive. Le gouvernement russe avait gelé ses avoirs. S'il y retournait, il se faisait arrêter. Ce qui est plus courant qu'on ne croit.

— Une disposition que vous avez réussi à éviter.

Yermolov était au courant de ce que m'avaient révélé les papiers de Guiche. Kazbich avait vendu plus que des tableaux à Balensky – sous couvert des tableaux et se servant de Raznatovic comme fournisseur, il avait bel et bien donné dans le trafic d'armes. Mais Yermolov n'était pas impliqué. Ce que j'ignorais en revanche, c'est que Balensky était devenu gênant pour les autorités russes. Comme nombre de ses prédécesseurs dans la ruée vers l'or post-soviétique, sa fortune avait été amassée de façon trop voyante, et trop violente, pour convenir au nouvel ordre voulu par Moscou. D'où le gel de ses avoirs. Balensky vivait donc à crédit, avait désespérément besoin d'argent, d'où le coup du Caravage, monté avec Kazbich. Kazbich vendrait le dessin, soi-disant à Balensky et Yermolov, après quoi les deux complices étaient censés se partager la participation de ce dernier. Écran de fumée. Le prétendu investissement de Balensky devait convaincre Yermolov. C'est pour ça qu'il avait été pris de panique quand j'avais annoncé que le tableau était un faux. Il avait peut-être même envisagé que s'il me tirait dessus, il pourrait quand même persuader Yermolov que le dessin était authentique.

— Mais si vous saviez que tout ça ne rimait à rien, pourquoi avoir joué le jeu ? Pourquoi être venu ici aujourd'hui ?

— Question de politique.

— Quoi ?

— Il fallait que je reste à proximité de Balensky. Vous savez que j'ai... des relations politiques en Russie. Ils, enfin nous avons estimé qu'il serait plus pratique pour toutes les personnes concernées que Balensky soit arrêté en Occident. Pour escroquerie. Le stratagème du Caravage était la solution parfaite – il a construit son propre piège.

— C'est pour ça que vous avez accepté de payer ?

— Je savais que je récupérerais mon argent. Et puis, ce n'était pas tant que ça.

Cinquante millions de dollars. Une bagatelle, pour un homme comme lui. J'ai repensé à une phrase lue dans le bouquin de Bruce Eakin : « Pour mes amis, tout – pour mes ennemis, la loi ! »

— Mais... et ses proches ? Je l'ai vu avec un garde du corps hier soir.

— Il n'était plus très entouré. Il essayait de sauver les apparences.

Les mails que Dave avait reçus. Les cambriolages. Tout ça ressemblait à du travail d'amateur.

« Comme si j'avais pu m'en sortir si Yermolov avait vraiment été à mes trousses. »

Kazbich, ne sachant pas que Yermolov avait tout deviné, avait lui aussi espéré qu'il achèterait.

— Mais il avait négocié en votre nom auparavant. Vous lui faisiez confiance ?

— À une époque, oui. Mais il n'avait plus aucun intérêt pour moi. Je devais mener ce projet à bien avec Balensky, c'est tout.

— Et vous ne lui en vouliez pas ? Il vous a doublé. Vous ne vouliez pas vous venger ?

— La vengeance, non, je n'en ai pas l'usage. Ça ne sert à rien.

Son regard a croisé le mien lorsqu'il a levé son verre, et j'ai senti comme une onde électromagnétique entre nous.

Kazbich était au courant de ma présence place de l'Odéon et pensait que je devais savoir où était le dessin. Il avait suggéré cette idée d'estimation, espérant que Yermolov me courtiserait, mais j'avais refusé l'offre et son plan était tombé à l'eau. Yermolov se fichait de retrouver ce dessin, puisque entre le faux certificat et le paiement, Balensky était déjà pris au piège, mais Kazbich s'était entêté, voulant à tout prix que le collectionneur russe crache le reste du fric. C'est là qu'il avait commencé à me mettre la pression – à essayer de me faire perdre les pédales. Il y était d'ailleurs très bien parvenu. Yermolov pensait que c'était lui qui avait mis des « fantômes » dans mon appartement. Puis Elena avait débarqué dans le paysage.

— Elena. Oui.

— Mademoiselle Teerlinc, comme je l'ai déjà dit, je suis un homme de principes. Quoi qu'elle vous ait dit, elle reste la mère de mes fils. Jamais je ne la menacerais. C'est une femme… difficile. Hystérique, frustrée. Elle boit – c'est incurable. Je l'ai envoyée chez des médecins, dans des cliniques, mais rien ne marche.

— Oh, j'ai vu pire.

Ma propre mère, par exemple.

— S'il vous plaît, acceptez le fait que vous ne savez pas tout.

— Mais vous allez divorcer ?

— Oui. Et je ne vais pas lui donner mes Botticelli, même si je dois dire que j'apprécie le côté romantique de votre requête. Elena ne manquera de rien. Mais je ne crois pas que vous ayez fait tout ça (il a agité sa main en direction du lustre) pour son bien ?

— Elena voulait se servir de moi, obtenir ce tableau. C'est pour ça qu'elle est venue à Saint-Moritz. Elle s'était mis en tête que sans ce tableau, elle serait en danger. Mais à cause de ce qu'elle savait, de ce que vous savez tous les deux, le rendre n'aurait pas suffi. Il fallait que je sache comment vous aviez découvert ces choses sur moi, et que j'aie de quoi négocier. C'est pour ça que j'ai envoyé Raznatovic. Je pensais que Balensky et vous trempiez tous les deux dans le trafic d'armes.

— Oui, je sais que des hommes sont morts. Un à Paris, un à Rome. Des Italiens ? Mais je savais aussi que vous n'aviez rien volé, bien que vous ayez changé de nom.

— N'empêche.

Yermolov a levé les yeux au plafond.

— Mademoiselle Teerlinc…

— Vous pouvez m'appeler Judith. C'est mon vrai nom.

— Judith. Ceci n'est pas un jeu. Je sais ce que les gens pensent de nous – des oligarques, des meurtriers qui enferment des gens dans la Loubianka et jettent la clé. Mais on ne se balade pas tous les poches pleines de polonium. Oui, j'ai des principes. Je ne suis peut-être pas un saint, et c'est d'ailleurs pour ça que votre passé m'intéresse si peu, mais je ne suis pas non plus une caricature.

— Oui, je le vois bien. Mais comment vous avez su, pour ce qui s'est passé à Paris ?

— Par Kazbich, naturellement.

Mais comment Kazbich savait qui j'étais et ce que je foutais là ?

— Elena m'a dit que vous étiez quelqu'un de dangereux. J'ai cru que vous aviez tué Masha, détruit ma galerie, assassiné Guiche. J'ai cru que vous étiez sérieux. Que vous étiez vraiment à mes trousses.

— Mais pourquoi croire une chose pareille ?

— Youri. J'ai vu Youri. À Venise, puis à Paris.

— Je connais Youri. Mais il travaille pour Kazbich, pas pour moi. J'ai demandé à Kazbich s'il pouvait lui dire d'avoir Elena à l'œil. Quand elle boit, ça peut très mal finir. Mais je n'ai jamais entendu parler de cette Masha. Et j'ai entendu dire qu'Édouard Guiche s'était suicidé.

— Balensky pensait qu'il avait le tableau, ai-je dit lentement. Il ne s'est pas suicidé.

— Guiche ne serait pas le premier collaborateur de Balensky à avoir fini de cette façon.

On s'est tus un instant.

— Et il y a une autre raison, ai-je fait. C'est parce que…

— Oui ?

Si j'avais appris une chose grâce au Caravage, c'était qu'il fallait adapter sa technique à chaque situation.

— Parce que c'était possible. Parce que je m'étais persuadée que vous étiez lancé à ma poursuite. Parce que je vous en voulais. Je voulais vous humilier. Parce que c'était… excitant, j'imagine.

— Masha, c'était une de vos amies ?

— Si on veut, oui. Assez pour que sa mort me secoue.

— Alors je suis désolé. Et désolé pour votre galerie également.

— Oh, ça n'a pas tant d'importance que ça. Désolée pour votre cheval.

— Merci, j'y tenais beaucoup.

On en avait oublié Balensky, invité muet à notre petite soirée. J'ai levé mon verre au tas de cachemire qui gisait par terre.

— Comment se fait-il qu'il ne saigne pas ?

— J'étais un professionnel, à une époque.

— Elena et vous, vous étiez faits l'un pour l'autre, vous le savez, ça ?

— À une époque.

Yermolov s'est levé, s'est étiré comme un athlète. Il m'a vue le reluquer.

— Alors maintenant, entre vous et vos amis artistes, je suis pris à la torche.

— À la gorge.

Il avait l'air amusé.

— Vous n'avez rien laissé au hasard. Et vous avez l'intention de poursuivre votre petit chantage encore longtemps ?

— Non. Mais je vais avoir besoin d'argent. J'en ai promis aux artistes. Et à quelqu'un d'autre. Elena est au courant.

Je me suis pincé l'arête du nez. J'aurais tout le temps qu'il faudrait pour repenser à mon incommensurable stupidité.

— Et il faut qu'on se débarrasse de Balensky, ai-je ajouté.

— Je vous l'ai dit, crise cardiaque. Il était vieux.

Il faisait les cent pas, comme un lion en cage.

— Mais vos amis de Moscou voulaient le foutre en taule. La nouvelle ne va pas les ravir.

— Disons que… ça n'arrange pas mes affaires.

— C'est là qu'intervient le quelqu'un dont je viens de vous parler. Je crois que ça va vous plaire.

— Vous voulez m'apprendre à me débarrasser d'un cadavre, c'est ça ?

— Ne me lancez pas sur le sujet.

Yermolov était venu seul en break Audi cet après-midi-là après avoir atterri, à bord duquel il était passé chercher Balensky au Palace. Le Caravage nous a servi de linceul temporaire – on l'a enroulé autour de la tête et du cou de Balensky pour cacher sa blessure, avant de boutonner son manteau par-dessus au plus serré de façon que sa tête soit maintenue. La peau rêche de sa gorge était encore tiède. Il y avait plein de place pour le corps dans le coffre, et après l'avoir traîné dans l'ascenseur et hissé dans la voiture, on a roulé en silence jusqu'à Saint-Moritz, entre les vieux corps de ferme et les ensembles immobiliers rutilants qui ressemblaient à des stalagmites. Je lui ai indiqué le chemin de l'auberge de jeunesse.

— Il va falloir qu'on le porte, ses bras passés autour de nos épaules, comme s'il était soûl.

Une astuce déjà éprouvée, lorsque j'avais réglé son compte à Leanne à Paris.

— Vous êtes sûre que c'est la meilleure solution ? s'est inquiété Yermolov.

— Qu'est-ce que votre gouvernement déteste encore plus que la dissidence ?

— Je ne comprends pas.

— L'homosexualité.

Il en est resté comme deux ronds de flan.

— Quoi, vous ne saviez pas que Balensky était gay ?

— Je n'en avais pas la moindre idée.

De la fierté et, il fallait l'admettre, une pointe de dégoût dans la voix. Et toutes ces précautions que j'avais prises, le chapeau gris de Dave au Kenya… J'avais prêté à Yermolov l'étoffe d'un super méchant tout-puissant, alors qu'il ignorait des trucs qu'il aurait pu lire dans *Grazia*.

— Eh bien, je peux vous dire qu'il l'était. Attendez de rencontrer mon ami Timothée. Moi je crois que vos amis à Moscou seront très contents de vous.

La chambre de Timothée était au deuxième étage. J'ai jeté un coup d'œil dans le hall. Je me souvenais que l'escalier était sur la droite, à angle droit par rapport à la banque d'accueil. Pas de clients en vue, juste une femme en col roulé jaune qui feuilletait un magazine derrière son guichet. L'entrée était droit dans son champ de vision. J'avais créé un point repère sur Maps sur mon téléphone, une maison au bord du lac choisie au hasard.

— Je vais lui demander mon chemin. Quand on sera dehors, vous le faites entrer, d'accord ?

— Pas de problème.

Je me suis approchée de l'accueil en expliquant avec les quelques mots d'allemand que je connaissais que je retrouvais un ami ici à l'auberge, mais qu'on ne savait pas comment se rendre au chalet de notre hôte. Peut-être heureuse d'avoir enfin quelque chose à faire, la femme a souri et jeté un coup d'œil à mon écran, avant de se lancer dans des explications, dans un anglais parfait. Elle m'a entraînée dehors : descendre la colline, à droite après le supermarché, après quoi je verrais le lac. J'avais éteint mon téléphone en le glissant dans ma poche, en me disant que le temps qu'il faudrait pour le rallumer laisserait toutes ses chances à Yermolov. On attendait en frissonnant que l'écran s'anime à nouveau. La réceptionniste a longé du bout du doigt le chemin que je devais prendre.

— Merci beaucoup ! Je vais monter voir si mon ami est prêt.

Je voyais l'ourlet du manteau de Balensky traîner dans l'escalier comme une queue de dragon.

— Mais de rien, ravie d'avoir pu vous aider !

Yermolov m'attendait sur le palier du deuxième étage. Même un vieux tout desséché comme Balensky devait peser dans les soixante kilos, mais le magnat russe n'avait pas sué la moindre goutte.

— C'est par là.

J'ai toqué doucement à la porte de la chambre 9.

Timothée avait mis une tenue traditionnelle bavaroise pour son rencard avec Balensky. Enfin, le short en cuir et les bretelles brodées étaient bien là, mais il semblait avoir oublié la chemise. Ses cheveux humides étaient impeccablement peignés en arrière, luisant dans la lumière orangée que reflétait le lambris de la chambre. Les deux hommes ont échangé un hochement de tête.

— Mettez-le sur le lit.

Tous les articles de ma liste de courses étaient disposés sur la table de chevet. J'ai remarqué que la bouteille de whisky était ouverte et que deux verres étaient servis – très bien. Timothée plaiderait qu'il avait dû se défendre contre un client qui s'était emporté. En observant les objets, Yermolov a tout compris sans que j'aie besoin de lui expliquer.

— Comment saviez-vous que ça se passerait comme ça ? a-t-il murmuré.

— Je l'ignorais. Ça aurait pu être vous à sa place.

À nouveau ce petit air amusé.

— Vous êtes très sûre de vous.

— Je ne laisse rien au hasard.

— Alors moi aussi j'aurais été gay ?

— Oh, les gens sont pleins de surprises, vous avez. Bon, on se met au travail ?

J'ai ôté le tissu, exposé la base du crâne de Balensky, où sa blessure violacée commençait à suinter. Le dessin n'était plus qu'un chiffon, plus rien.

J'ai arrangé les accessoires, en ai retiré certains ; j'ai posé le fossile sur la table de chevet.

— Il faut lui enlever ses vêtements.

C'est Timothée et moi qui nous en sommes chargés, tandis que Yermolov se tenait légèrement en retrait. Timothée a sorti l'accoutrement de Balensky de la penderie. Il a plié les fringues du mort sur l'unique chaise de la chambre – manteau, veste, pull, chemise, pantalon, slip, chaussettes, maillot de corps. Ce maillot de corps avait quelque chose d'insupportable. On les a remplacés par la tenue en PVC noire. Comme Yermolov, j'ai tourné la tête lorsque Timothée a délacé le devant du short pour enfiler un préservatif sur le sexe de Balensky, ce qui, il fallait s'y attendre, a pris un certain temps.

— Combien tu prends ce soir, chéri ?

— Deux mille, a répondu Timothée.

J'ai mis le fric dans la poche de Balensky.

— OK. Allonge-toi sur le lit.

On a roulé le cadavre contre le mur et Timothée s'est mis en position, allongé sur le ventre, et a défait les boutons latéraux de sa culotte de peau.

— Attends. Tu as le lubrifiant ?

— Dans le sac.

Il s'est redressé, a pris le flacon que je lui tendais, fait le nécessaire et s'est rallongé.

— Tu peux choper le fossile ?

Il a essayé de la main droite d'abord, en se hissant sur son coude, puis de la gauche, mais l'angle requis pour atteindre la blessure de Balensky était improbable.

— Et si on était en position du missionnaire ?

Sans complexe, Timothée a roulé sur le dos, glissé un oreiller sous sa tête et écarté les jambes.

— Impossible. C'est un vieux pépé.

On parlait en français, Yermolov suivait nos échanges avec détachement. La situation n'était pas banale, mais j'ai eu le sentiment que ce n'était pas la première fois qu'il mettait en scène la mort de quelqu'un.

— Et comme ça, alors ? a dit Timothée en se mettant à genoux. S'il était agenouillé derrière moi ? Après je me retourne ?

— Tenez-le, ai-je demandé à Yermolov. Voilà. Oui, tu prends le fossile, comme ça, dans ta main droite, tu te retournes vers lui, il tombe. C'est bon.

Yermolov a lâché Balensky, qui est tombé vers l'avant, son cul flasque et marbré dépassant de son short en plastique.

— Bien. Prends le fil de pêche. Un rouleau dans sa poche de veste. Tu es prêt ? Tu es sûr ?

Timothée a fait la grimace.

— Allez. Il faut que tu le fasses.

Il a grimacé encore en abattant le fossile sur la nuque de Balensky. Un bruit mat, comme une balle de tennis contre une raquette. Il a dégluti. On a fait rouler le corps au sol.

— Passe-moi le fil, maintenant.

— Je m'en charge, a dit Yermolov. Contre vous, il va se débattre.

Je me sentais tout à fait à la hauteur, mais j'étais reconnaissante qu'il propose de le faire.

— Dès que c'est fini, vous montez jusqu'en haut. Il y a une sortie de secours, elle donne sur le côté du bâtiment, donc votre voiture sera un peu plus loin sur la gauche.

— Et quand est-ce que je vous revois ? a-t-il soudain demandé en russe – le moment était mal choisi pour me proposer un rencard.

— Elena m'attend au Palace. J'en ai peut-être pour un petit moment, alors il faudra que vous vous supportiez jusqu'à ce que j'arrive.

— Mais certainement.

— Bien. J'attends dans le couloir.

Attendre, encore. J'espérais que personne ne passerait ; un début de soirée d'hiver à Saint-Moritz... tout le monde était dehors en train de siroter son vin chaud, non ? Des pas. J'ai sorti mon téléphone et fait semblant de lire un truc tandis qu'un couple en doudoune et combi de ski fluo arrivait dans le couloir, en parlant en allemand. Je leur ai adressé un signe de tête, qu'ils m'ont rendu avant de descendre l'escalier. « Allez. Plus vite. » D'autres pas. Dans la chambre, cette fois. Yermolov est sorti, est passé devant moi sans rien dire. Il avait enlevé ses chaussures.

J'ai ouvert la porte aussi violemment que j'ai pu, téléphone devant moi, me rappelant les badauds autour du corps de Guiche sur l'île Saint-Louis. Le réflexe moderne – d'abord une petite photo, après on crie. J'ai pris plusieurs clichés en avançant, un, deux, trois. Après, j'ai regardé. Timothée était penché en avant sur le lit, sur les genoux, comme s'il faisait du yoga. Je me suis approchée. Il avait le teint violacé, et n'avait pas l'air de respirer. Est-ce que Yermolov m'avait joué un tour ? Fini le boulot, et c'était moi la prochaine ? Putain de merde. J'ai passé un bras sous lui et l'ai fait rouler doucement sur le côté. J'étais debout sur le dos de Balensky, qui tenait le garrot de fortune dans ses mains fripées et manucurées.

— Timothée ? Tout va bien. C'est fini. Allez, respire. Je t'en prie, respire.

Rien. Le fil avait bel et bien entaillé sa peau, il y avait du sang sur l'oreiller suisse amidonné. Un vent de panique a commencé à souffler. Le coton de la taie était d'un blanc laiteux, couleur eau de bain sale. J'avais envie d'y plonger les mains, de libérer son visage ; si je pouvais la récupérer, la sortir, la mettre en sécurité…

« Non. Pas ça. Pas ce souvenir. C'est Timothée qui est là. »

— Je t'en prie. Allez.

Je l'ai secoué. Encore, de plus en plus fort. Il a toussé. « Merci. » Sa respiration sifflait, il avait du mal à récupérer, encore à moitié étouffé. Je lui ai tenu la tête jusqu'à ce que l'air circule librement dans sa gorge. Il m'a adressé un magnifique sourire, plein de paresse.

— Ça va ?

— Ça va.

— Bon. Je te recontacte bientôt. Tu auras ton fric. Prends soin de toi.

Je savais que c'était la dernière fois que je le voyais. Quelle que soit l'affection qu'on ait pu éprouver l'un pour l'autre, il n'avait été question, depuis le début, que de business. Peut-être cette composante, dont on avait tous les deux conscience, avait-elle permis la confiance nécessaire à notre brève alliance ?

Tendrement, j'ai déposé un unique baiser sur ses lèvres cyanosées.

Après quoi je me suis mise à hurler.

25

On est partis de Saint-Moritz le soir même. J'avais attendu jusqu'à la dernière seconde, puis, en entendant la réceptionniste monter l'escalier à toute vitesse, j'avais déboulé dans le couloir pour partir dans la même direction que Yermolov. L'amie inquiète resterait anonyme. J'ai marché jusqu'au Palace, trop shootée à l'adrénaline pour sentir le froid mordant à travers la petite veste de Carlotta, et rejoint les Yermolov dans leur suite. Je suis allée droit à la salle de bains, où je me suis enfermée pour une petite correspondance avec mon chapeau gris.

Terminé. 2 000 dollars pour le téléchargement ?

Compris.

Il me faut les coordonnées du compte. Et il faudra attendre que j'aie accès à un ordi portable.

Tu es pleine de ressources. Je ne m'en fais pas.

Merci. Floute le visage du garçon. Attends cinq heures pour une mise en ligne. Massive.

C'est comme si c'était fait. Tout va bien sinon ? Pas d'emmerdes avec les Russkoffs ?

Non, impec. Merci.
:) Nouveau code en approche.

Quand le message est arrivé, j'ai envoyé les photos que j'avais prises des deux hommes en situation compromettante. Avec un peu de chance, le récit de Timothée serait corroboré par le garde du corps de Balensky – ce dont je ne doutais pas depuis que j'avais appris qu'il était non rémunéré, et donc probablement aigri. Timothée expliquerait à la police qu'il avait pris rendez-vous avec Balensky pour une relation tarifée et que ce dernier avait eu envie de rapports sadomaso ; il avait joué le jeu jusqu'à ce que le fil de pêche commence à l'étrangler et qu'il n'ait plus d'autre choix que de frapper son partenaire pour avoir la vie sauve. Légitime défense. Il passerait quelques jours difficiles, mais il ne serait probablement pas poursuivi pour homicide volontaire, tandis que les circonstances du crime éviteraient que la famille du mort ne fasse un scandale, surtout si l'on ajoutait à cela sa situation financière. Et Timothée aurait finalement droit à sa double page lorsque les photos feraient surface depuis le *dark Web*. J'avais demandé à ce que son visage soit flouté pour préserver son anonymat, mais je n'aurais sûrement pas dû prendre cette peine. Faire des passes n'était pas une entrave à la gloire. Il finirait sûrement par avoir sa propre émission de téléréalité. Je lui donnerais cinq cent mille euros, ce qui lui permettrait d'être libre. Ça me semblait un prix raisonnable, et puisque le décès de Balensky avait rendu un tel service à Yermolov, je me suis dit que je pourrais le convaincre d'apporter sa contribution.

Dans la chambre, Elena et Yermolov discutaient paisiblement en russe. J'ai pris une longue douche et me suis enveloppée d'un peignoir matelassé et brodé du monogramme du Palace. Quand j'ai émergé, serviette en turban sur la tête, Elena a couru pour me serrer dans ses bras tandis que Yermolov débouchait une bouteille de Krug. Je ne comprenais pas trop à quoi était due cette soudaine popularité, mais j'en ai profité pour commander au *room service* des doubles cheeseburgers qu'on a dévorés au-dessus de nos genoux, les poignets ruisselants de mayonnaise et de jus. Elena a levé un verre bancal pour porter un toast. Yermolov la regardait avec insistance mais n'a rien dit.

— Merci ! s'est-elle écriée. Pour la première fois depuis des mois, nous avons eu une formidable conversation, grâce à vous !

Avoir l'occasion de faire chanter son mari la réjouissait peut-être, mais non, elle avait l'air sincèrement heureuse.

— Si seulement j'avais discuté avec lui plus tôt, tout aurait été plus facile ! Je n'avais rien à craindre.

— J'ai dit à Elena que toutes les dispositions nécessaires seraient prises, est intervenu Yermolov. Elle n'avait en effet aucune inquiétude à avoir.

— Désolée pour le Caravage, Elena.

— Je crois que ça n'a plus d'importance maintenant.

Le regard qu'elle a échangé avec son mari était empreint de regrets, de complicité, d'affection. L'effet a seulement été gâché par la lente chute de son corps, qui a glissé de son fauteuil pour finir allongé sur la moquette, une moitié de hamburger logée dans sa main. La bouteille de vodka cachée derrière un coussin qui avait aidé la ballerine à se tenir droite a roulé par terre elle aussi. Yermolov et moi nous sommes regardés.

— Vous n'avez quand même pas…

— Non, *vous* n'avez quand même pas…

Je l'ai retournée. Elle ronflait.

— Ouf, ai-je dit dans un soupir. J'ai pensé que…

— Moi aussi, m'a-t-il coupée.

On a éclaté de rire, puis Yermolov m'a demandé si j'étais prête à partir.

— À rentrer chez Carlotta ? Oui, oui. Mais je vous aide à la mettre au lit avant, si vous voulez.

— Non, pas chez Carlotta. Je vais en France. Vous pensiez que j'allais vous laisser gambader hors de ma vue avant que votre petite bande d'artistes m'envoie son « installation » ?

— Qui vous dit qu'il n'y aura pas de copies du film ?

— Personne. Mais je n'ai aucune intention de vous faire du mal.

— Je n'ai pas de vêtements.

— Vous me draguez, là ?

— Oui.

— Alors vous n'aurez pas besoin de vêtements. Est-ce que vous avez vos papiers avec vous ?

— Oui.

— Allons-y. À moins que vous pensiez que votre amie endormie vous en veuille.

J'ai baissé les yeux sur la pauvre Elena allongée sur le ventre.

— Ce n'est pas mon amie. Elle ne l'a jamais été.

Il m'a conduite à l'aéroport toute nue sous mon peignoir, mais j'ai attendu qu'on soit dans les airs pour l'enlever.

L'once de solidarité féminine que j'avais conservée envers Elena s'est volatilisée lorsque j'ai vu le rez-de-chaussée de la villa de Yermolov. Lors de ma précédente visite, il avait fait trop chaud pour être à l'intérieur, mais à présent, en hiver, je ne pouvais échapper à la vision horrifique des dorures qu'elle avait fait mettre partout. Il paraît qu'il faut être un

Rothschild pour avoir la classe Rothschild, adage très largement prouvé par les salons d'Elena. C'est Mme Poulhazan qui nous a accueillis, tailleur et coiffure impeccables, bien qu'il soit quatre heures du matin. Son visage n'a rien trahi face à mon peignoir, mais j'ai senti qu'elle n'en pensait pas moins. Pourtant, lorsqu'elle m'a montré ma chambre, j'y ai découvert une série de sacs cartonnés estampillés de grandes marques.

— J'espère que la taille conviendra, a-t-elle dit. J'ai dû deviner.

— Mais… comment… ?

— M. Yermolov m'a appelée pendant le vol. Il a dit que vous, euh, dormiez. Il m'a expliqué que vous auriez besoin de vêtements, alors j'ai fait ouvrir quelques boutiques dans Cannes et j'ai envoyé l'hélicoptère.

— Vraiment ? Je vous en suis très reconnaissante, mais on est en pleine nuit – ils ont ouvert en pleine nuit ?

— Il a suffi d'un coup de fil, ce n'est rien. J'espère que cela vous plaira.

Me glisser au lit en négligé de soie couleur pistache signé Carine Gilson, tu m'étonnes que ça m'ait plu. Avant de m'endormir, j'ai envoyé un texto à Carlotta : `Désolée d'avoir disparu. Une proposition impossible à refuser. Merci beaucoup pour le séjour, c'était formidable, amitiés à Franz. Et bonne chance !` Je me fichais pas mal d'avoir abandonné mes fringues. Elles me sortaient par les yeux de toute façon.

Elle a répondu aussitôt : `C'est qui ?` Je l'imaginais, dans sa chambre climatisée de Saint-Moritz, l'odeur écœurante de vieux qui émanait de Franz saturant la pièce, agrippée à son téléphone sous la couverture. J'ai hésité : `Un Russe. Tu connais pas. Mais tu serais fière de moi.`

Elle m'a renvoyé des baisers, et un émoticône en forme de bague montée d'un diamant. Chère Carlotta.

Beaucoup de gens confondent amour et sexe, ce qui cause moins de dégâts que de confondre amour et compréhension. L'alliance sexe-compréhension, cela dit, est une combinaison pleine de potentiel. Au cours des cinq jours suivants, Yermolov et moi avons expédié les affaires courantes le matin et passé les après-midi d'hiver dans ma chambre. J'ai demandé à Jovana d'envoyer via DHL les enregistrements vidéo de *Mort d'un oligarque* depuis Belgrade, et Yermolov a accepté de virer l'argent promis et de rémunérer Timothée pour son rôle dans la résolution du problème Balensky.

Sur un ordinateur portable fourni par Mme Poulhazan, j'ai jeté un coup d'œil à mes comptes et répondu à la tonne de mails reçus par la galerie que Gentileschi était désormais fermée. J'ai enfin entamé la lecture du livre de Dave, tout en gardant un œil sur l'évolution du scandale autour du décès de Balensky sur Internet. L'espion de Dave avait fait du bon boulot. Les images avaient percé sur les réseaux sociaux pour être aussitôt reprises par d'atroces milices russes anti-gays. Les hashtags ont fleuri, les activistes des droits de l'homme ont twitté, la police suisse s'est contentée de dire qu'elle enquêtait sur la mort d'un homme de quatre-vingt-six ans. La presse russe s'est emparée de l'histoire, doublée d'éditoriaux assassins sur la décadence dans les journaux conservateurs, que Yermolov me traduisait. Les photos ont fini par être attribuées à un journaliste russe qui cherchait à mettre fin à la corruption, propagande qui n'a pas tardé à être érigée en vérité. Je ne m'en faisais pas pour Timothée. Un appel au Panamá avait suffi pour placer son argent en fidéicommis jusqu'à son retour en France. Le mot de passe que je lui avais choisi était « Édouard ». Il s'en sortait avec sept cent cinquante mille euros. Il aurait sa clé d'accès à la maison *Playboy*, au final.

— Qu'est-ce que tu comptes faire pour Kazbich ?

On était assis dans le lit. Le feu crépitait, les volets étaient ouverts. Dehors, au-dessus de la mer, le ciel gris colombe se striait d'un bleu cyan surprenant. On buvait du lapsang en grignotant des blinis à la confiture de cerises noires. Le thé fumé et le sucre des cerises me rappelaient mes cours avec Masha.

— Je lui ai fait savoir que le tableau avait malheureusement été détruit alors que Balensky essayait de le récupérer. Une tragédie de plus. Il ne sait pas que je suis au courant. Il est à Belgrade. Je ne voulais pas qu'il s'enfuie. On va s'occuper de lui.

— De manière… efficace ?

— Tout à fait.

Il m'a embrassée sur la tempe, a glissé sa bouche le long de ma joue et de ma mâchoire.

— Youri va devoir se trouver un nouveau patron, alors ?

— Je ne sais pas. Est-ce qu'il faut que je m'occupe de lui aussi ?

— Toujours aussi professionnel. Oui. J'aimerais bien.

— Par vengeance ?

— Non. Simple justice.

— Et toi, Judith ? Qu'est-ce que tu comptes faire ?

— Rentrer à Venise, j'imagine. Quand le colis de Belgrade sera arrivé, ai-je répondu, sans grande attirance pour mon appartement.

L'espace d'un instant, j'ai cru que Yermolov allait me demander de rester, mais le moment s'est éclipsé avec la lumière bleue derrière les falaises et on a somnolé jusqu'à ce qu'il soit temps de s'habiller et d'aller regarder les tableaux.

Tous les soirs, avant de dîner, on allait dans ses salles d'exposition. On les observait différemment – Yermolov en choisissait un et se plantait devant, immobile, pendant une vingtaine de minutes, alors que moi, je nageais, j'étais une plongeuse qui a franchi la limite sombre d'une grotte sous-marine et émerge dans un lagon secret. Il y avait si longtemps que je n'avais pas contemplé les tableaux pour ce qu'ils étaient, sans chercher à mesurer, estimer, comparer ce dont je me rappelais et ce que j'avais besoin de savoir ; une observation simple, avec tout mon corps, mes sens libres, hors de toute contrainte. Rien de ce qu'on faisait dans ma chambre, rien de ce que j'avais fait avec qui que ce soit n'était à la hauteur de cette expérience. Le mot juste est « extase ». Puis on marchait main dans la main dans le noir en direction de la maison qui scintillait devant nous, et on dînait ; Yermolov me parlait de ses œuvres, de la façon dont il les avait acquises, et pourquoi, allait chercher des livres pour comparer des illustrations et en lire des passages à haute voix, jusqu'à ce que la table croule sous les bouquins et qu'on pose nos assiettes par terre pour faire plus de place.

— Je savais que tu étais au courant, a-t-il dit un soir – le dernier que je passais en sa compagnie.

— Au courant de quoi ?

— Quand Balensky m'a appelé. On ne s'était pas contactés depuis que ce dessin avait disparu, et il a dit qu'il avait parlé avec Elena, que Kazbich avait reçu un message et que tu serais à Saint-Moritz avec le tableau. J'ai su que tu savais que c'était un faux.

— Comment ?

— Viens voir.

Il ne m'a pas prise dans ses bras comme je m'y étais attendue, mais m'a conduite jusqu'à un réduit sous l'escalier, avec un mur triangulaire couvert d'écrans. Il en a allumé un

– sa galerie est apparue, la caméra changeait d'angle toutes les vingt secondes.

— Je t'ai observée, la première fois. Je t'ai regardée regarder mes tableaux.

— Et ?

— Tu sais très bien. Tu as un très mauvais accent russe, mais ton œil est infaillible.

— Merci.

Alors il ne m'avait pas trouvée nulle au final. Je ne lui en voulais pas. Sexe et compréhension mutuelle. Ça aurait pu nous mener quelque part. Une personne pas très charitable a dit un jour que la lumière synthétique de l'estime mutuelle est l'horizon le plus étroit auquel l'âme humaine puisse prétendre, mais n'empêche que c'était un sentiment agréable – que j'éprouvais pour la première fois.

26

L'INSTALLATION EST ARRIVÉE le lendemain matin. Conformément à notre accord, Jovana avait copié le film sur des cassettes VHS et fourni trois télévisions portables vintage Junost qui pouvaient les lire, la mise en scène du meurtre entrecoupée de gros plans de Balensky en minishort noir. Aucun de nous n'a éprouvé le besoin de les visionner. Par la fenêtre, j'ai regardé Yermolov s'assurer que le feu de joie sur la falaise consumait l'intégralité de l'installation, tout en rassemblant mes affaires dans le petit sac avec lequel j'avais voyagé depuis Saint-Moritz. Ça me semblait vulgaire de garder les vêtements, bien que j'aie un moment de regret à propos d'une jupe Fendi particulièrement belle – du satin duchesse couleur nuage rigidifié par du bougran pour un bouffant très années 1950. Pour voyager, j'ai opté pour un pull en cachemire bleu marine et un pantalon Chanel en tweed gris, des ballerines Ferragamo et l'immense manteau de soie couleur mûre que Mme Poulhazan avait choisi pour jeter par-dessus mes robes de cocktail.

J'ai appelé le majordome, geste auquel ma prime éducation ne m'avait pas préparée, et lui ai demandé d'informer

M. Yermolov de mon départ. J'ai également demandé un taxi pour la gare de Nice, afin de refaire le chemin que j'avais effectué des mois auparavant.

J'ai trouvé Yermolov dans son bureau. Je m'étais habituée à ses mains virevoltantes, qui trituraient toujours quelque chose, mais sur le seuil de la porte, j'ai eu l'impression de les voir pour la première fois, agitées au-dessus du bureau devant lui, et elles m'ont à nouveau troublée. Peut-être parce qu'elles me rappelaient ma propre personne. Ni lui ni moi n'étions doués pour l'immobilité.

— Bon. Il est temps que j'y aille.

Il n'a rien fait pour me retenir. Il a demandé si j'avais besoin de l'avion pour rentrer à Venise.

— Pour que tu te débarrasses de moi au-dessus des Alpes ? Non merci, je vais prendre le train.

— Tu es cruelle.

— Toi aussi. C'est pour ça qu'on s'entend si bien.

— Je pourrai t'appeler ?

Pure politesse. Notre intimité, aussi délicieuse qu'étrange, était terminée, et on le savait l'un comme l'autre.

— Inutile. *Proshchai*, bonne chance, Pavel.

La première fois que je l'appelais par son prénom.

— *Proshchai*.

Une fois dans le train pour Milan, j'ai étalé mes papiers sur la table. Judith, Elisabeth, et le dernier passeport que j'avais fait faire à Amsterdam, qui m'avait emmenée en France, en Angleterre, en Serbie, et à présent, si par hasard les gardes daignaient y jeter un coup d'œil, me ramenait en Italie. Katharine Olivia Gable.

J'ai reconnu les panneaux qui signalaient la frontière. D'une certaine manière, ce voyage me semblait être la bonne chose à faire, comme lorsque je l'avais effectué la première fois. Je voulais tellement de choses à l'époque. Argent, liberté, indépendance... mais aussi de belles choses, des vues magnifiques, pour prouver à Rupert qu'il ne pouvait pas me traiter comme une bonne à rien de prolo, et me prouver à moi-même que mes efforts en avaient valu la peine. Bon, ce voyage ne s'était pas inscrit dans un plan très cohérent.

On dira que je suis une incorrigible romantique, mais on n'oublie jamais son premier cadavre. J'avais laissé James se ramollir gentiment dans une chambre de l'hôtel du Cap, Cameron sous un pont à Rome, Leanne sur un autre lit, dans une autre ville, Renaud – au moins, je pensais toujours à lui – et Julien avec cet éclair de surprise dans les yeux, que Balensky avait peut-être vu dans les miens. Masha, Balensky, Moncada, Édouard Guiche... « C'est pas ta faute, Judith. » Les lumières s'allumaient dans le train, un steward est apparu dans l'allée étroite avec son chariot de rafraîchissements.

Au printemps 1606, le Caravage avait commis un meurtre. Il passa les quatre années suivantes, les dernières de sa vie, plus ou moins en cavale. Ranuccio Tomassoni avait été tué pour une faute au jeu de la raquette, à cause d'une dette de jeu, pour venger un outrage – tout le monde parlait mais personne ne savait. Le Caravage avait dégainé son épée, l'accessoire de ses durs efforts pour se faire accepter comme gentleman, l'avait pointée sur le sexe de son adversaire et, d'après certains, ce qui ne devait être qu'un geste de mépris avait mal tourné : l'artère fémorale avait été sectionnée. D'autres ont dit que le meurtre était tout bonnement imputable à la nature du Caravage, que son effronterie le poussait à risquer sa propre vie. S'il avait voulu un peu d'action, il était servi, et avait quitté la ville avec une mise à prix sur sa tête.

Le premier tableau de son exil est celui d'une putain, une fille du nom de Lena, en Marie Madeleine en extase, dans des couleurs de mort – rouge, blanc, noir. La majeure partie de la toile est dans l'obscurité. La tête renversée en arrière, la bouche entrouverte exagérément sensuelle, une larme qui s'échappe de l'œil mi-clos constituant le seul signe de repentir. Ce tableau s'insère si parfaitement dans le cours de sa vie que nombre de spectateurs n'ont pas voulu voir qu'il n'en était de toute évidence pas l'auteur. Le rendu est grossier, les ombres du visage bâclées, au point que le nez de Lena se mue en groin qu'on trouve de plus en plus laid à mesure qu'on le regarde. Les gens tiennent tellement à voir une histoire, une logique, toute la violence et la fulgurance de sa technique condensées dans un récit de repentir mélancolique, qu'ils font fi de la faiblesse d'exécution.

Ce que le Caravage peignit, en revanche, tandis que les troupes du pape écumaient la campagne romaine à sa recherche, c'est une seconde version du *Souper à Emmaüs*. Une version terne, diminuée. L'aubergiste et sa femme croulent sous le poids des ans. Le Christ a vieilli lui aussi, il est si las qu'il peut à peine lever sa main au-dessus de la table pour bénir le repas, qui, lui, n'est plus frugal mais carrément ascétique, un bout de viande rance, un ou deux quignons de pain rassis. C'est le crépuscule, et aucun miracle ne se tapit dans l'ombre. Le seul point commun avec le portrait de Lena est la lumière qui tombe de biais sur les personnages. Le reste est noir. En admettant que ces tableaux nous laissent deviner l'état d'esprit du peintre après son crime, nous ne sommes pas face à du chagrin attendrissant. Autour de cette table, ils ont tous l'air complètement épuisés. À la réflexion, je l'étais aussi.

Avant d'avoir gravi la moitié de l'escalier jusqu'à mon appartement, je savais que quelqu'un m'y attendait. L'odeur était un indice révélateur. Elle m'est arrivée par bouffées pestilentielles, chassant les effluves d'humidité que j'avais fait entrer de la rue. J'aurais pu faire demi-tour et prendre mes jambes à mon cou, mais j'ai résisté. Une part de moi savait qu'il était trop tard, et puis j'étais curieuse. Ce qui ne m'a pas empêchée d'arriver devant ma porte les yeux brûlants de larmes. C'était le premier endroit au monde où je me sentais presque chez moi.

J'ai allumé la lumière, et j'ai vu la chaise, puis le tableau. Une copie de *Méduse*, accrochée au-dessus du lit, comme si elle avait toujours été là. Jolie touche. Une peinture du Caravage, c'est cruel pour les autres œuvres – de même qu'une très belle fille suffit à rendre toutes les autres invisibles. Il m'attendait sur la bergère en velours, tourné dos à la porte, face au tableau, les bras dans leurs manches de lin foncé posés sur les accoudoirs.

— Salut, l'étranger, ai-je dit, plus pour moi que pour lui.

Alvin était en piteux état. Six semaines dans une penderie, forcément la fraîcheur en prend un coup. Je l'avais roulé dans trois épaisseurs de sacs plastique, ce qui avait efficacement tenu les asticots à l'écart, mais l'humidité a toujours été un problème à Venise.

La personne qui l'avait habillé avait dû le vider et le rincer au préalable ; des sacs-poubelle nauséabonds s'entassaient dans la baignoire, une voie lactée de plastique noir constellée d'auréoles blanches de chair en décomposition. Ses tissus s'étaient désintégrés, le pancréas s'était autodigéré, provoquant des boursouflures bleu-vert sur les morceaux de chair qui se cramponnaient obstinément au cartilage restant. En le contournant pour lui faire face, j'ai préféré respirer à petites goulées, par la bouche. Méthane et sulfure d'hydrogène. Je n'avais pas partagé mon appart' londonien avec des étudiantes en médecine pour rien. La tête, avec son horrible langue qui pendait comme un rideau rouge en lambeaux, était plantée sur un cintre, la veste glissée approximativement au niveau des épaules. Le reste de son corps faisait une petite flaque au milieu du fauteuil et ses Sebago étaient posées par terre, à l'endroit où auraient dû se trouver ses pieds. Une carte était épinglée à son revers. Je me suis forcée à tendre la main, j'ai effleuré l'os gluant, et on est restés comme ça un instant, chacun face au visage de la mort. Quand j'ai détaché la carte, le cintre a suivi et Alvin aussi, la tête sans yeux est tombée par terre pour rouler jusqu'au lit. Les vibrations du parquet m'ont fait l'effet de sirènes, et lorsqu'elles se sont tues, le silence était tel que j'ai cru entendre la poussière de mon absence tourbillonner dans leur sillage.

J'ai reconnu la carte. Il m'avait remis la même à Côme, où j'avais cru si bien m'en sortir dans mon rôle d'ingénue face à ses questions sur la mort de Cameron Fitzpatrick. *Ispettore* Romero Da Silva, Guardia di Finanza. De l'autre côté figurait un numéro de téléphone noté au stylo à bille et un message en capitales : APPELEZ-MOI.

Kazbich m'avait balancée. Il était au courant pour Fitzpatrick. Sans le vouloir, il avait fourni à Elena son idée de chantage. Et il n'y avait qu'une personne à qui Kazbich aurait pu suggérer que la mort de Fitzpatrick méritait son attention. Da Silva. Kazbich travaillait avec Moncada, que Renaud Cleret et Da Silva cherchaient à faire tomber. Mais quel était le lien entre Kazbich et le flic italien ? Kazbich était à Belgrade ; de toute évidence, c'était Da Silva qui avait accroché ce tableau chez moi en guise de cadeau de bienvenue, mais pourquoi *Méduse* ? À moins qu'il ne s'agisse du dernier vœu de Kazbich, une vengeance par-delà la tombe dans laquelle l'aurait précipité Yermolov ?

APPELEZ-MOI.

J'attendais ce moment depuis si longtemps. J'ai enjambé Alvin et observé la place. Pas de flics avec boucliers anti-émeutes. Da Silva allait me laisser venir tout doucement à lui.

J'ai pris une douche dans ma magnifique salle de bains pour ce qui serait peut-être la dernière fois. En me récurant les ongles, mes doigts ont commencé à s'enrouler comme des anguilles autour de mes poignets, si fort que j'ai fini par presser mes paumes contre mon crâne pour me calmer. Bientôt plus des anguilles, mais des menottes. Je me suis habillée sans regarder Alvin, dessous en coton, jean, tee-shirt et pull. La doudoune en duvet que j'avais achetée à cause du brouillard vénitien. On ne m'autoriserait sûrement pas à garder mon sac, mais j'y ai quand même mis quelques affaires – brosse à dents, déodorant, crème hydratante. Un livre – est-ce qu'on me le prendrait ? J'ai attaché mes cheveux humides et me suis regardée dans le miroir. « Salut, Judith. Ça y est, c'est fini. » Je suis sortie sur le palier et j'ai composé le numéro ; j'ai entendu la sonnerie du portable résonner en bas, une seule fois, avant que Da Silva ne décroche.

Il m'attendait au pied de l'escalier. Plus grand que dans mon souvenir, toujours large d'épaules, le même physique entretenu. Il était en civil, et il était seul. Lors de notre première rencontre, j'aurais pu me jeter dans ses bras tant j'étais soulagée que cessent l'attente et la pression. Aujourd'hui, j'étais davantage résignée que soulagée. Je lui ai touché l'épaule.

— *Sono pronta*, je suis prête.

Il s'est retourné et son regard m'a jaugée des baskets aux mèches humides qui s'échappaient de mon chignon. J'ai levé une main pour les dégager de mon visage mais je l'ai laissée flotter à mi-chemin, aguicheuse. Les habitudes ont la peau dure.

— J'ai dit : je suis prête.

— J'ai pensé que vous aimeriez aller dans un endroit discret. Où on pourrait parler.

— Parce que vous ne m'arrêtez pas ? ai-je demandé, bêtement.

— Non.

— Mais…

Mes mains ont fait des moulinets au-dessus de ma tête, en direction de l'appartement. Alvin attendait derrière les volets.

— Comme je l'ai dit, je crois qu'il faut qu'on parle.

Les pans de sa veste se sont écartés. J'ai cru voir un holster, mais ce n'était peut-être qu'une ombre. J'ai acquiescé.

— J'ai fait attendre un bateau. Suivez-moi, s'il vous plaît.

En contournant l'Arsenal, Da Silva m'a proposé une cigarette, mais j'ai refusé. Au lieu d'admirer Venise, je regardais mes genoux, serrés contre ma poitrine, en me triturant les mains. Le conducteur m'a fait descendre à l'entrée des bureaux de la marine avec leurs deux énormes lions blancs qui montaient la garde, puis il a salué Da Silva qui s'est hissé sur le quai après moi. J'étais passée devant ces bâtiments une centaine de fois ; l'Arsenal est le deuxième site d'exposition de la Biennale, même si là, dans le noir, il ressemblait à ce qu'il avait toujours été, une forteresse.

— Vous préférez parler en anglais ou en italien ?

On s'est assis dans un petit bureau à l'éclairage éblouissant avec une fenêtre donnant sur le quai. On avait croisé plusieurs agents en uniforme dans le hall, mais Da Silva n'était toujours pas assisté. Sur la table nous attendaient deux expressos, des gobelets en plastique et une bouteille d'eau. Pas de magnétophone. Je me suis dit que le système d'écoute devait être intégré aux murs, à moins qu'il n'y ait quelque part un de ces miroirs sans tain ? Je m'en foutais un peu.

— Ce sera peut-être mieux en anglais.

J'étais trop crevée pour me plier à la grammaire italienne. Le café était amer, je me suis versé un demi-verre d'eau que j'ai bu d'un trait.

— Très bien, a-t-il dit d'un ton toujours aussi cajolant. Par où souhaitez-vous commencer ?

Je me suis faite toute petite sur ma chaise, genoux calés sous le menton. Il attendait que je me lance.

— C'est l'huile, ai-je débuté, sans reconnaître le son de ma voix. J'ai mis de l'huile d'amande douce dans l'eau du bain.

C'était l'huile d'amande douce. C'est ce qu'elle sentait, ma petite sœur.

Elle est née quand j'avais douze ans. Ma mère l'a appelée Katharine, à cause de Katharine Hepburn. On a eu un nouvel appart' après sa naissance ; pour la première fois, j'avais une chambre rien qu'à moi. Ma mère était rentrée de la maternité avec un sac plein de couches jetables et de biberons, de lait infantile, plus un shampooing pour sa tête fragile, et l'huile d'amande douce, pour masser ses bras et ses jambes, avec leurs drôles de plis, après le bain. J'avais toujours cru que les bébés étaient gros, mais au début Katharine n'était qu'un petit sac d'os et de chair, comme un singe, la peau de son ventre si fine et si tendue qu'on voyait les veines à travers. J'adorais ses petites mains rebondies de grenouille, ses petites mèches de cheveux qui vibraient sous ma bouche quand je lui fredonnais un air. C'était ma sœur et j'allais prendre soin d'elle, l'emmener au parc et lui faire des colliers de pâquerettes, lui acheter un petit service à thé comme dans les histoires de Milly-Molly-Mandy, avec de vraies tasses en porcelaine et des soucoupes à motif. Ma mère m'a montré comment lui changer sa couche et frotter son dos quand elle avait bu son lait. On l'allongeait entre nous sur le canapé quand on dînait et elle nous faisait rire et rire avec ses yeux immenses et ses doigts qui voulaient tout attraper.

Ma mère s'en est bien sortie, pendant un moment. Elle emmenait Katharine à la clinique en bus, elle la mettait dans la poussette quand elle allait faire les courses, emmitouflée dans l'anorak rose qu'elle avait acheté grâce aux allocations familiales. Je savais comment on faisait les bébés, mais je n'ai jamais demandé qui était le père de Katharine. Ma mère ne parlait jamais de mon propre père, et ça ne me dérangeait pas. On était toutes les trois, et tous les jours je me dépêchais de rentrer de l'école pour la voir. Quand il ne faisait pas trop froid, je l'emmenais aux balançoires au bout de l'impasse et la tenais prudemment sur mes genoux en lui chantant toutes les comptines dont je me souvenais de mon enfance. Elle riait quand j'entonnais « Il était un petit navire », son petit visage retroussé en un drôle de sourire.

Et puis, ma mère a commencé à déconner. À retourner au pub, et quand Katharine se réveillait la nuit, elle n'était pas là pour lui donner son biberon. Ça m'était égal. Je pouvais la remplacer. Je remplissais le biberon de lait en poudre avec le doseur, je mélangeais avec de l'eau et je le réchauffais au bain-marie. Je versais toujours une goutte sur mon poignet comme j'avais vu ma mère le faire, comme si j'étais une infirmière, et quand elle était bien repue et s'endormait à nouveau, je la berçais contre mon épaule et je tirais le rideau de la cuisine pour lui montrer les étoiles et les lumières de la ville, puis je la mettais sous les couvertures dans mon lit, serrée contre moi comme une petite virgule.

J'ai commencé à m'en faire pour ma mère, encore. Le matin, elle ne se levait pas, elle sentait l'alcool, elle avait la peau luisante, il y avait du maquillage étalé sur son oreiller. Je me plantais à côté de son lit, Katharine dans les bras ; je ratais sans cesse le bus scolaire parce que je ne voulais pas partir avant de m'assurer qu'elle était réveillée pour s'occuper de Katharine. J'ai commencé à passer à la maison à l'heure du déjeuner, histoire de vérifier que tout allait bien ; je me glissais dans la maison en douce, je guettais le bruit de la télé ou de la radio, je regardais si la poussette était derrière la porte, ou si ma mère s'était levée et avait emmené Katharine prendre l'air. Au bout d'un moment, j'ai carrément cessé d'aller à l'école. Ma mère n'était quasiment jamais à la maison, et je ne voulais pas laisser ma sœur, jusqu'au jour où l'école a appelé et ma mère m'a engueulée car je séchais les cours. Il a fallu que j'aille m'expliquer dans le bureau du principal, mais je ne pouvais pas donner la vraie raison parce que j'avais peur que Katharine soit placée dans un foyer.

— Judith, tu es une fille intelligente, m'a dit le principal. Ne gâche pas tes chances. Tu pourrais aller à l'université.

Il n'était pas méchant, il ne comprenait tout simplement pas. Quand il m'a demandé pourquoi je ne venais plus, j'ai regardé mes pieds et mordu le bout de ma couette pour prendre le même air que les autres filles de ma classe qui séchaient tout le temps les cours. J'ai dit que je ne savais pas trop, mais que j'étais désolée, alors il a secoué la tête en demandant à ce que ça ne se reproduise plus. Il a donc fallu que je retourne à l'école, pour éviter qu'ils envoient les services sociaux et que Katharine soit placée.

Ma sœur devait avoir dans les cinq mois quand c'est arrivé, parce que ma mère avait commencé à lui donner des petits pots. Parfois je lui écrasais une banane et récupérais avec la cuillère les petits morceaux qui dégoulinaient sur son menton. Elle ne tenait pas assise toute seule, et elle refusait de manger si elle n'avait pas une cuillère dans la main, sauf qu'elle n'arrêtait pas de la faire tomber, ou de se donner des coups avec, alors un simple petit pot prenait des heures.

Ce jour-là, quand j'ai ouvert la porte, l'appartement embaumait l'huile d'amande douce. C'était l'hiver, il faisait déjà presque nuit, mais les lumières étaient éteintes. Ma mère était sur le canapé, une bouteille de vin blanc vide et une autre de gin à moitié pleine à côté d'elle. Elle avait dû s'y mettre juste après mon départ pour l'école. Katharine n'était pas dans son berceau, ni dans mon lit. Seul un rai de lumière filtrait sous la porte de la salle de bains. Je n'avais pas envie d'aller voir. J'ai préparé une tasse de thé que j'ai posée aux pieds de ma mère, et tiré les rideaux de la cuisine. Je voulais qu'elle se réveille, mais rien n'y faisait. Alors il a fallu que j'aille dans la salle de bains.

Au début j'ai cru qu'elle allait bien, parce que son corps n'était pas froid, mais quand je l'ai sortie du bain, je me suis rendu compte que c'était grâce à l'eau, huileuse et encore tiède. Son visage était gris. Ma mère avait disposé la jolie cape de bain jaune à côté de la baignoire, alors je l'en ai enveloppée. Sa tête a roulé dans le creux de mon cou, comme si elle dormait. Debout à côté du canapé, j'ai fini par m'asseoir par terre parce que mes jambes tremblaient.

— Maman, j'ai répété, encore et encore. Maman ?

Je crois qu'elle avait compris avant d'ouvrir les yeux. Elle s'est réveillée, un long moment s'est écoulé, mais elle refusait de regarder ce qu'elle avait fait. Elle s'est assise, les bras aussitôt tendus pour prendre son bébé, pour écarter la serviette, parce qu'elle savait.

— Je l'ai trouvée, ai-je murmuré.

Maman a remis la cape de bain en place, s'est levée, a chopé son manteau et ses bottes.

— Je vais chercher de l'aide, elle a fait, et elle est partie.

J'ai cru qu'elle était partie appeler une ambulance, mais elle a mis des heures à revenir. Je pensais qu'il était crucial que je ne bouge pas. Je tenais Katharine contre moi, je caressais le bas de son dos à travers le tissu éponge. Je pensais qu'il était crucial que sa tête soit bien droite, et j'étais si raide que j'en avais des fourmis partout. J'avais envie d'aller aux toilettes, mais je ne devais pas bouger. Je voyais les lumières s'allumer dans les autres appartements de l'autre côté du chemin, la lueur intermittente des écrans de télé, les gens qui tiraient leurs rideaux. Je tenais la tête de Katharine immobile, et au bout d'un moment, je m'étais convaincue que nos deux cœurs battaient à l'unisson.

Maman était sobre quand elle est revenue. Elle avait dû se faire gerber, se laver le visage. Elle avait fait des courses – ce que j'ai trouvé bizarre –, des Peperami, du jus d'orange, une boîte de haricots qui menaçait de transpercer le plastique. Elle parlait à quelqu'un dans l'entrée :

— Je vais faire bouillir de l'eau.

Puis j'ai entendu la voix de Mandy, qui habitait au bout de l'impasse et qui lui teignait les cheveux de temps en temps, Radio 1 à fond, avec ses gants en latex, le Clairol et une bouteille de vin.

— Qu'est-ce que tu fais assise dans le noir, Judy ? Tout va bien ?

Ma mère avait un ton mi-enjoué, mi-surpris. J'étais incapable de bouger. J'ai essayé, mais mes jambes étaient engourdies, et quand j'ai voulu me lever tout en tenant Katharine bien droite, j'ai trébuché. Ma mère regardait dans la salle de bains, soudain folle d'inquiétude. L'eau devait être froide, mais ça sentait encore l'huile d'amande douce.

— Judy ? Où es-tu ?

Elle a allumé la lumière et j'ai tendu la serviette vers elle.

— Maman ?

Alors ma mère a crié. Mais juste avant, elle m'a regardée, et j'ai compris. Je crois que je lui ressemble beaucoup. Bonne réactivité. Elle n'avait pas amené Mandy pour qu'elle lui donne un coup de main. Elle était allée chercher un témoin.

Mandy a débarqué à son tour, et elle s'est mise à crier aussi, et d'un coup la pénombre qui camouflait le petit visage mort a disparu au profit de la lumière et du bruit, des sirènes et d'une équipe de secours, quelqu'un faisait du thé et quelque part Mandy hurlait encore.

— Il faut l'aider à se lever.

— Allez, petite.

— Elle a fait sur elle.

— Allez, doucement, comme ça.

— Elle est sous le choc, répétait Mandy, c'est le choc.

Mais les bras de ma mère me serraient, et quand j'ai commencé à étouffer et à me débattre alors qu'ils me prenaient Katharine pour la poser sur un brancard, elle m'a serrée plus fort que jamais elle ne l'avait fait, tellement que tout son corps tremblait, mais ses bras m'empêchaient de parler, j'avais le visage enfoncé dans son ventre, qui avait porté ma sœur, et elle disait :

— C'est pas ta faute, Judith. C'est pas ta faute.

J'ai dit que je n'arrivais pas trop à me rappeler ce qui s'était passé. L'assistante sociale et la dame de la police m'ont demandé si ma mère s'était absentée une fois que j'étais rentrée de l'école, j'ai dit oui. J'avais douze ans, il n'y avait rien d'illégal. Et est-ce que j'avais donné un bain à ma petite sœur ? J'ai dit que oui. J'avais mis trop d'huile d'amande douce dans l'eau, peut-être que ça glissait trop. J'ai dit que je n'avais pas de souvenirs après ça. Grâce à tous les feuilletons à l'eau de rose que regardait ma mère, je savais ce qu'était un traumatisme. Le cerveau rejette les choses qui vous tueraient si vous vous les rappeliez. Je savais pourquoi ma mère avait fait ça. Elle aurait atterri en prison et moi dans un foyer. Et entre toutes les questions, les tests, les voisins qui attendaient dehors le jour de l'enterrement, les cartes et les bouquets, il m'arrivait de penser que c'était bien moi la responsable. Je n'étais pas allée dans la salle de bains, j'avais eu trop peur.

— C'est pas sa faute, répétait ma mère, et tout le monde s'extasiait sur son courage et se demandait comment elle faisait pour tenir le coup.

On nous a changé d'appartement, et de cité. On nous a dit qu'on n'avait plus besoin de la chambre supplémentaire, et il a fallu que je change d'école. Mais c'était paru dans l'*Echo* et le cousin d'un élève allait dans mon ancienne école, et tout le monde a été au courant de l'histoire en moins d'une semaine. Les garçons ont commencé à faire le signe de croix quand j'arrivais dans le couloir, comme si j'étais un vampire.

Le psy m'a demandé si j'étais jalouse d'elle. De ma petite sœur, avec ses yeux humides comme des fleurs.

27

— L'HUILE ?

Da Silva m'observait, curieux mais patient. Je me suis rendu compte que je m'étais tue un long moment.

— S'il vous plaît, aidez-moi, ai-je murmuré. Je ne comprends pas ce que vous attendez de moi.

— Il y a deux ans, à Rome, vous avez tué un homme que vous connaissiez sous le nom de Cameron Fitzpatrick. Est-ce que vous avouez ?

— Oui.

— Après quoi vous avez pris un tableau que cet homme vendait et vous l'avez vendu à un autre homme que vous connaissiez sous le nom de Moncada. Vous avouez ?

— Oui.

— Moncada a été assassiné quelque temps après, à Paris. Je crois que vous étiez sur les lieux.

— J'y étais.

— Depuis, vous vivez en Italie, sous un pseudonyme, c'est bien ça ?

— Oui, c'est ça.

— Pourquoi avez-vous tué Alvin Spencer ?

J'avais répondu de façon automatique, comme si j'étais une autre, mais cette question m'a réveillée. Quelque chose clochait. D'autres policiers auraient dû être présents, non ? Pourquoi ne m'interrogeait-il pas sur Renaud, son collègue, son frère d'armes ? Il avait une scène de crime parfaite, une confession, une coupable à sa merci. Pourquoi n'avait-il pas encore sorti les menottes ?

— Est-ce que j'ai besoin d'un avocat ?

Les idioties apprises en regardant les séries policières.

— Pas pour l'instant, à moins que vous ne préfériez que je vous inculpe. Poursuivez, s'il vous plaît. Pourquoi avez-vous tué Alvin Spencer ?

— Alvin connaissait quelqu'un. De mon passé. Je l'ai considéré comme une menace. Mais je n'ai pas réussi à... c'était trop...

Je n'avais pas pu me débarrasser du corps. Parce que je savais que si j'essayais, à ce moment-là, je volerais en éclats. Et je ne pouvais pas me le permettre. Alors je m'étais dit que j'attendrais, une semaine ou deux, jusqu'à ce que je m'en sente la force. Mais alors Elena avait déboulé, Masha avait été tuée, et la force n'était pas venue. Je l'avais simplement laissé là.

Da Silva a plongé une main dans sa poche. J'ai cru qu'il allait en sortir un formulaire officiel, me lire mes droits, la scène qu'on connaît tous par cœur, mais il m'a tendu un mouchoir en papier.

— Tenez.

Mes joues étaient trempées, le col de ma veste aussi. Je n'avais pas senti les larmes couler. Je me suis mouchée.

— J'ai encore beaucoup de questions à vous poser. On pourra discuter dans la voiture.

— La voiture ?

On devait aller à Rome, sûrement. Da Silva appartenait à la division romaine de la Guardia – il ne pouvait peut-être pas m'inculper ici.

— Je suis obligée de venir ?

— Vous pouvez m'accompagner, ou je peux vous arrêter tout de suite. À vous de voir.

Vu mon état, je me serais bien allongée là pour me réveiller en combinaison orange, mais je n'avais pas vraiment le choix.

— D'accord, je viens.

Il a fait le tour de la table et tiré ma chaise, comme si on dînait dans un restaurant chic. J'ai vu qu'il portait une arme sous sa veste. Un Caracal F, pour être précise. L'arme de service de la Guardia di Finanza. La police avait fait une démonstration de ses performances au club de tir Futura à Rome quelques années auparavant. C'était aussi l'arme préférée des mafieux italiens – pour preuve : au grand embarras de la Guardia, le véhicule de police qui transportait toute la cargaison d'armes de démonstration avait été détourné sur la route, et les Caracal n'avaient jamais refait surface, ce dont le *Corriere della Serra* s'était scandalisé. Le pistolet de Moncada. Ma main en connaissait les contours, le poids. L'arme que j'avais démontée à Paris, inutilisée. Un pic d'adrénaline m'a fait l'effet d'un coup de poignard.

— Vous vous sentez bien ?

— Oui, ça va. Juste un peu la tête qui tourne. On peut y aller.

Dans le couloir, j'ai baissé la tête dans le col de mon manteau.

« Ne lui montre pas. »

La question que j'avais enterrée à Saint-Moritz a resurgi. Comment Kazbich était-il au courant ? J'avais cru que Moncada et lui magouillaient ensemble armes et tableaux, que Kazbich avait dû entendre le nom de Da Silva dans la bouche de Moncada. Mais si Moncada et le policier étaient en fait dans le même camp, si Da Silva était un agent double, un flic qui bossait pour la mafia ? S'il était impliqué dans cette histoire depuis le début ?

« Super, Judith. Encore tout faux. »

Pendant le trajet en bateau qui nous ramenait à San Basilio, d'où part l'unique route qui relie Venise au continent, j'ai étalé les morceaux du puzzle.

Qui savait que Moncada serait place de l'Odéon ce soir-là ? Moi et Moncada lui-même. Guiche. Balensky. Kazbich. Da Silva. Da Silva avait aidé Kazbich à faire entrer les « fantômes » chez moi. Il avait accroché le Caravage. Il était au courant.

Des tableaux contre des armes. Da Silva avait fait partie de la même section d'enquête que Renaud, en charge de la récupération des œuvres d'art volées dans le sud de l'Italie. Une opération s'était soldée par la mort de plusieurs de leurs collègues dans une explosion. J'avais alors supposé que Renaud avait tué Moncada pour se venger, et venger l'honneur de ses collègues. Je l'avais conduit jusqu'à Moncada, après quoi il était censé me remettre aux mains de la police. Mais je m'étais évanouie dans la nature, avant d'ouvrir la galerie Gentileschi à Venise, et ils m'avaient retrouvée.

J'avais envoyé ce stupide texto : `Est-ce que le nom Gentileschi te dit quelque chose ?` C'est comme ça que Kazbich était remonté jusqu'à moi. Parce que seul Da Silva connaissait sa signification. En voyant le pistolet, tout m'était apparu de façon limpide. La raison pour laquelle je n'avais pas rendu le Caravage, ce témoin que j'avais recherché en vain n'était autre que Da Silva.

Sur les docks, une voiture nous attendait, une berline noire avec chauffeur, sous l'éclairage cru des projecteurs de chantier. La plaque d'immatriculation était romaine. Da Silva m'a fait signe de monter avec lui à l'arrière ; il a appuyé sur un bouton pour séparer l'habitacle en deux avec une paroi en Plexiglas, comme dans un taxi londonien. On a pris le pont en direction de Mestre, Da Silva s'est mis à l'aise.

— Comment va votre femme ? lui ai-je demandé de but en blanc.

— Ma femme ?

— Vous m'avez parlé d'elle quand on s'est rencontrés à Côme. Francesca.

C'était Francesca – Franci – qui m'avait menée à la véritable identité de Renaud. Je l'avais pistée sur Facebook, l'avait demandée en amie et j'avais vu Renaud sur les photos du baptême de son enfant. À vrai dire, Da Silva n'a pas eu l'air surpris.

— Elle… elle va très bien. Mais je crois que le moment est venu de me parler.

Le problème avec les choix courageux, c'est qu'ils sont rarement les plus amusants. Lentement, je me suis détaché les cheveux, les ai étalés sur mes épaules et j'ai effleuré ma bouche du bout des doigts. Je suis passée à l'italien.

— Non. Je crois plutôt que c'est à vous de me parler.

— Comment ça ?

— Est-ce que le nom Gentileschi vous dit quelque chose ?

— Je crois qu'il s'agit du nom de votre galerie, mademoiselle Teerlinc.

— Cette question, je l'ai envoyée par texto depuis le téléphone d'un homme que je connaissais sous le nom de Renaud Cleret. Mais vous le savez déjà. Ce que je veux savoir, c'est comment Ivan Kazbich était au courant. Comment vous saviez ce qu'il y avait dans mon appartement. Pourquoi vous ne m'avez pas arrêtée pour meurtre. Cela dit, je crois connaître les réponses.

Si cette petite balade était réglo, il me prendrait pour une folle et m'arrêterait une fois à destination – où qu'on aille. Mais si Da Silva était un flic véreux, il pouvait demander au chauffeur de faire une halte n'importe où et m'assassiner au bord de la route. Vu mon état, ça me semblait l'option la plus désirable. Mais je savais qu'il ne choisirait ni l'une ni l'autre.

Da Silva regardait droit devant lui.

— Et votre pote avec qui j'étais à Paris ? Pourquoi vous ne me posez pas de questions sur lui ?

Il a appuyé sur un bouton et l'air glacé de la nuit s'est engouffré dans la voiture. Il s'est allumé une cigarette. J'ai refusé le paquet qu'il me tendait, je déteste fumer en bagnole. Il a tiré une longue bouffée, laissant échapper un ruban de fumée.

— Disons simplement que de ce côté-là, vous m'avez rendu un grand service.

J'ai digéré la nouvelle.

— Où allons-nous ?

— Vous verrez.

Sur le continent, l'*autostrada* déroulait son bitume dans la nuit. On s'est arrêtés dans un Autogrill, où Da Silva m'a pris mon téléphone avant que j'aille aux toilettes. On s'est dégourdis un peu, on a fumé et on est repartis, et tandis que je sentais le sommeil me gagner, je me suis aperçue qu'on avait traversé cette ligne invisible qui serpente dans le pays, où les oliviers commencent à apparaître. Après ça, j'ai roulé ma veste pour m'en faire un oreiller, j'ai tourné le dos à

Da Silva et j'ai dormi. Les premiers rayons du soleil m'ont réveillée mais j'ai gardé les yeux fermés ; je sentais les mouvements de la voiture, ses arrêts plus fréquents dans un trafic plus dense. Toute raide, j'ai enfoncé ma tête dans ma veste jusqu'à ce qu'on ralentisse pour finalement s'arrêter. Da Silva m'a touché l'épaule.

— On est arrivés.

On était sur un petit quai en béton, fouetté par des effluves de poisson et d'huile de moteur, l'humidité poisseuse de Venise remplacée par une brise marine vivifiante. Au-delà du quai, une promenade en béton, deux palmiers desséchés, une rangée de petits immeubles d'habitation en béton avec des balcons fourre-tout et de la peinture écaillée, une église en stuc blanc. Le chauffeur sortait nos sacs du coffre, j'étais plantée là, les bras ballants.

— Par ici.

En me tournant vers la petite ville, j'ai vu qu'elle était ceinte de collines arides ; une voie rapide inachevée faisait une carie dans le paysage.

— Où est-ce qu'on est ?

J'étais Alice paumée au pays de nulle part.

— En Calabre. Je vais vous expliquer. On va prendre un café d'abord.

Il a donné ses instructions au chauffeur, qui est parti de son côté avec nos affaires. J'ai suivi Da Silva sur la promenade. Un vieil homme nous regardait depuis son balcon, indifférent. En retrait du front de mer, la ville relâchait ses efforts en termes d'ambiance balnéaire : la plupart des magasins étaient vides, à l'exception d'un supermarché, une salle de machines à sous et une boutique de cigarettes électroniques. Des guirlandes de fanions rouge cerise étaient suspendues entre les lampadaires. On est entrés dans un bar désert, jeu télévisé à plein volume, ça sentait le café frais, la brioche, le citron et les égouts. On a pris une table dans le fond. Da Silva a fait un signe de tête au gérant, il avait l'air de le connaître.

— Vous avez faim ?

— Non, ai-je répondu sèchement.

Mais comme le gérant attendait, j'ai commandé un cappuccino. Une fois qu'on a été seuls, j'ai écumé la mousse avec ma cuillère.

— Vous savez depuis le début, alors ? Vous saviez que c'était moi, à Rome ?

— Je n'étais pas sûr. Excellente performance. Puis vous avez fait surface à Paris et disons qu'il se passait beaucoup d'autres choses. Dans lesquelles vous étiez impliquée, je veux dire.

Et moi qui avais cru jouer à un jeu dont j'avais fixé les règles. En fait, j'avais déboulé dans un autre jeu, commencé depuis longtemps, et dont j'ignorais tout.

Da Silva et Moncada. De l'art contre des armes. Depuis le début.

— Donc, oui, a-t-il poursuivi calmement, je sais pas mal de choses. Mais je pense que vous en avez plein d'autres à m'apprendre. On a tout le temps.

Soudain, j'ai eu l'impression d'étouffer. J'ai voulu avaler une gorgée de café mais elle a fini sur la table. Le gérant avait l'air agacé.

— Pardon, il faut que j'aille prendre l'air.

— Bien sûr. Comme je l'ai dit, on a tout notre temps.

Sur le seuil du bar, j'ai observé la rue. Des enfants sont passés, tout emmitouflés alors qu'il ne faisait pas froid. Ils venaient apparemment de la boulangerie. Certains déchiraient déjà le papier pour s'empiffrer des friandises achetées. De la pâte d'amandes en forme de légumes miniatures, carottes, aubergines, grappes de raisin, un mini-panettone moucheté de colorant alimentaire. Ils en font à Noël, dans le Sud. J'ai marché jusqu'au front de mer, mais l'eau n'avait rien à me dire. Il n'y avait nulle part où aller.

Da Silva m'attendait devant le bar. Il m'a prise par le bras.

— Allons par là.

On a marché le long de la route principale, laissant la petite ville derrière nous. Quelques voitures nous ont dépassés. Leurs occupants nous ont peut-être pris pour un couple, sorti se balader. Au bout d'une vingtaine de minutes, on a emprunté un chemin de terre qui descendait vers la mer. Des sacs en plastique et des canettes en métal décoraient les buissons de part et d'autre du sentier. On a débouché sur une petite crique de galets et de détritus, où le bruit des vagues était étouffé par celui des machines. Une plateforme en béton émergeait de l'eau, abritant ce que j'ai pris pour une station d'épuration – de la structure en parpaings s'étirait un tuyau rouge plus épais que moi qui plongeait dans la houle vers un bateau-citerne amarré à une centaine de mètres du rivage. Il ondulait au gré des vagues comme le tentacule d'une pieuvre géante. J'ai scruté le pont du bateau, mais il était désert, comme la plage. Da Silva m'a fait avancer jusqu'à la plateforme, hors de vue de quiconque y travaillait, et où les turbines faisaient un boucan d'enfer. Ça sentait l'essence, la pisse, mais lorsque le vent a tourné, j'ai décelé une vague odeur d'amande douce.

J'ai compris ce qui m'attendait avant même qu'il dégaine le Caracal.

— Bon, je vous laisse le choix, s'est-il lancé.

— Ouais, ouais, j'ai compris que vous étiez un flic pourri, donc vous allez me tuer. Un chouette endroit. Près de chez vos amis de Calabre.

— Exactement. Ou alors…

Le truc, c'est que je n'aime pas les dés pipés. Même si je suis une solitaire à l'esprit tordu, j'aime que les choses soient justes. Avant d'y voir clair, j'avais éprouvé une sorte d'indifférence perplexe, un écho de la lassitude qui s'était emparée de moi quand j'avais noyé Alvin. Pauvre petite Judith, tétanisée par un traumatisme. Sauf que maintenant, j'étais en colère. Carrément furax.

— Ou alors quoi ? Quel choix vous m'offrez ?

J'ai fait un pas de biais vers le bord de la plateforme, un autre. Il suivait mes mouvements avec son arme.

— Ça n'aurait rien d'un gentil petit bain de mer, a-t-il marmonné. Le courant est tel qu'on vous retrouverait demain matin à Gallipoli. Pourquoi on est ici, d'après vous ?

— Parce que vous manquez d'imagination ?

— Soit tout s'arrête ici, soit vous revenez en ville avec moi et on voit si on peut travailler ensemble quelque temps.

Il était autant maître de sa voix que de ses mains. C'était bizarre : j'avais passé des mois à me dire que quelqu'un voulait me faire la peau, et à présent qu'on voulait réellement me tuer, j'étais comme déçue.

— Travailler ensemble ? ai-je répété.

— Il y a une chose que j'aimerais que vous fassiez pour moi. Et après, vous serez libre de partir, Judith.

J'aurais pu penser à ma sœur, ou à ma mère. À tout ce que j'avais fait, à ce qui m'avait conduite ici, à ce que j'avais été, à ce que j'étais devenue. Mais non.

— Faites-le, qu'on en finisse. Allez-y, je vous dis.

Alors il a levé son canon droit vers mon cœur.

À suivre.

PARUS DANS

LA BÊTE NOIRE

Tu tueras le Père
Sandrone Dazieri

Les Fauves
Ingrid Desjours

Tout le monde te haïra
Alexis Aubenque

Cœur de lapin
Annette Wieners

Serre-moi fort
Claire Favan

Maestra
L. S. Hilton

Baad
Cédric Bannel

Les Adeptes
Ingar Johnsrud

L'Affaire Léon Sadorski
Romain Slocombe

Une forêt obscure
Fabio M. Mitchelli

La Prunelle de ses yeux
Ingrid Desjours

Chacun sa vérité
Sara Lövestam

Aurore de sang
Alexis Aubenque

Brutale
Jacques-Olivier Bosco

Les Filles des autres
Amy Gentry

Dompteur d'anges
Claire Favan

Ragdoll
Daniel Cole

Kaboul Express
Cédric Bannel

Tu tueras l'ange
Sandrone Dazieri

À PARAÎTRE DANS

LA BÊTE NOIRE

Les Survivants
Ingar Johnsrud
(juin 2017)

L'Étoile jaune de l'inspecteur Sadorski
Romain Slocombe
(août 2017)

Retrouvez

LA BÊTE NOIRE

sur Facebook et Twitter

Vous souhaitez être tenu(e) informé(e)
des prochaines parutions de la collection
et recevoir notre *newsletter* ?

Écrivez-nous à l'adresse suivante,
en nous indiquant votre adresse e-mail :
servicepresse@robert-laffont.fr

Cet ouvrage a été composé et mis en pages
par ÉTIANNE COMPOSITION
à Montrouge.

CET OUVRAGE
A ÉTÉ ACHEVÉ D'IMPRIMER
SUR ROTO-PAGE
PAR L'IMPRIMERIE FLOCH
À MAYENNE EN MAI 2017

Dépôt légal : mai 2017
N° d'édition : 56065/01 – N° d'impression : 91088

Imprimé en France